Future Ecologies

Herausgegeben v

und Florian Sprer

Gottfried Schnödl ist wissenschaftlicher Mitarbeiter am Institut für Kultur und Ästhetik digitaler Medien an der Leuphana Universität Lüneburg.

Florian Sprenger ist Professor für Virtual Humanities am Institut für Medienwissenschaft der Ruhr-Universität Bochum.

Uexkülls Umgebungen

Uexkülls Umgebungen: Umweltlehre und rechtes Denken

Gottfried Schnödl und Florian Sprenger

µ meson press

Bibliographische Information der Deutschen Nationalbibliothek
Die Deutsche Nationalbibliothek verzeichnet diese Veröffentlichung in der Deutschen Nationalbibliographie; detaillierte bibliographische Informationen sind im Internet unter http://dnb.d-nb.de abrufbar.

Veröffentlicht 2021 von meson press, Lüneburg, Deutschland
www.meson.press

Designkonzept: Torsten Köchlin, Silke Krieg
Umschlagbild: Mashup von Bildern von @betogaletto auf Unsplash und takoyaki_king auf Flickr

ISBN (Print): 978-3-95796-192-1
ISBN (PDF): 978-3-95796-193-8
ISBN (EPUB): 978-3-95796-194-5
DOI: 10.14619/1921

Die Printausgabe dieses Buchs wird gedruckt von Lightning Source, Milton Keynes, Vereinigtes Königreich.

Die digitale Ausgabe dieses Buchs kann unter www.meson.press kostenlos heruntergeladen werden.

Inhalt

Serienvorwort: Future Ecologies

Herausgegeben von Petra Löffler, Claudia Mareis
und Florian Sprenger

Die Zukunft des Lebens auf der Erde ist derzeit Gegenstand vieler Debatten, in denen das Konzept der Ökologie neue Bedeutung erlangt. Ökologie ist in der Lage, Disziplinen im weiten Spektrum der Naturwissenschaften, der Geisteswissenschaften, der Künste, des Designs und der Architektur miteinander zu verbinden. Die Kritik an den Auswirkungen des Klimawandels, der existierende Ungleichheiten auf dem ganzen Planeten verstärkt, hat Politik und Öffentlichkeit erreicht. Zu einer Zeit, in der die Zukunft des Lebens auf diesem Planeten so unsicher ist wie nie zuvor, sind neue Wege des Denkens, Handelns und Zusammenlebens gefragter denn je. Die Buchreihe *Future Ecologies* untersucht sich formierende Ökologien in unsicheren Welten – Ökologien, die offen sind für die Interessen jener, die nicht menschlich sind und die sich um plurale Existenzweisen sorgen. Indem wir eine Plattform für diese Themen und Debatten eröffnen, hoffen wir, zu einem Naturvertrag mit der Erde als dem geteilten Grund von Wasser und Mineralien, Luft und Vögeln, Erde und Holz, Lebendigem und Nicht-Lebendigem, aktiver und passiver Materie beizutragen.

Future Ecologies handelt vom verschränkten Werden von Zeit, Raum und Materie, das tradiertes Wissen über die Relationen von Raum, Ort, Territorium und linearer Zeit in Frage stellt und die Zirkulation von Materie, Energie und Affekten beleuchtet. Die Buchreihe untersucht dabei auch die Bedeutung vergangener Ökologien und unerreichbarer oder nicht-nachhaltiger Zukünfte für kommende Ökologien. Sie problematisiert die ambivalenten Geschichten des Umgebungswissens, nicht zuletzt im Zusammenspiel mit Moderne und Kolonisierung. Die Lektüre der Arbeiten in dieser Buchreihe erlaubt, die vielen Facetten des ökologischen Denkens der Vergangenheit ebenso in den Blick zu nehmen wie seine so unterschiedlichen und mitunter widersprüchlichen politischen Implikationen und Effekte – und seine gelegentlich naiven Versprechungen. Über zukünftige Ökologie zu schreiben, bedeutet, nicht für gegeben zu halten, was Ökologie heißt.

Die Buchreihe tritt für ein relationales Denken ein, das sich der umweltlichen, ökonomischen, sozialen und individuellen Komplexitäten eines Pluriversums bewusst ist, das von gleichermaßen komplexen Technologien und Infrastrukturen getragen wird. Donna J. Haraway folgend nehmen wir an, dass in einer geteilten Welt „nichts mit allem, aber alles mit etwas verbunden ist". Diese Verbundenheit erzeugt und enthüllt unterschiedliche Skalierungsebenen der Verantwortung. Wir widmen diese Buchreihe allem die Erde bewohnenden Getier, das neue Formen des Lebens und Arten des Zusammenlebens ausprobieren und erfinden möchte, das fragt, auf welche Risiken wir uns einlassen können und wollen und von welchen Zukünften wir träumen. Wir laden zu Beiträgen ein, die die geopolitischen Ungleichheiten des Klimawandels und der kapitalistischen Extraktion thematisieren, die mit Politiken der (Nicht-)Nachhaltigkeit und ihrer Zukünfte, mit Technologien des Recyclings, mit nicht-anthropozentrischen Epistemologien und Praktiken der Welterzeugung umgehen.

Die Buchreihe *Future Ecologies* plädiert für ein interdisziplinäres Herangehen an die vielfältigen Aspekte der Ökologie. Wir laden Wissenschaftler:innen aus Disziplinen wie der Medien-, Kultur- und Literaturwissenschaft, der Anthropologie, des Designs, der Architektur und der Künste ein, Kollaborationen zwischen unterschiedlichen Stimmen, Praktiken und Wissensformen aufzubauen – heterogene Gemeinschaften der Praxis. Die Serie erscheint Open Access, um die gegenwärtigen Transformationen der Ökologien und Ökonomien der Wissensproduktion zu reflektieren.

[1]

Einleitung

Gottfried Schnödl und Florian Sprenger

Der baltische Biologe Jakob von Uexküll (1864–1944) gilt heute als Vordenker der Ökobewegung und wird als früher Vertreter eines dem Anthropozän angemessenen Weltbilds gelesen, auch wenn er sich selbst nie als Ökologe begriffen hat. Uexküll erscheint als Gewährsmann für den Respekt vor der Vielfalt menschlicher wie tierischer Umwelten und für einen ganzheitlichen Blick auf die Natur, der jedem Lebewesen seinen Platz zuweist. Sein Holismus nimmt jedes Lebewesen in seiner Einzigartigkeit ernst. Sein Werk steht für ein Unterlaufen von Subjekt-Objekt-Dualismen, für eine Abkehr vom mechanistischen Verständnis des Organismus als Reflexmaschine, für eine Zuwendung hin zu einer aktiven Hervorbringung der Welt, für ein anderes Nachdenken über nicht-menschliche Lebewesen, für einen, so scheint es, den Herausforderungen des Anthropozäns gewachsenen Anti-Anthropozentrismus.

Eine ganze Reihe mitunter sehr unterschiedlicher Ansätze – von der Philosophischen Anthropologie und dem Spekulativen Realismus über die Semiotik und die Kybernetik bis hin zur Robotik und zum Posthumanismus – haben sich Uexkülls Überlegungen angeeignet und sie auf verschiedene Weise weiterentwickelt. Uexkülls Provokation, Zecken, Schnecken oder Seeigeln eine bislang dem Menschen vorbehaltene Subjektivität zuzusprechen, entfaltet noch heute ihre Wirkung. Doch kommt all dies um den Preis eines strukturellen Konservatismus und einer identitären Logik, in der alles an seinem Platz bleiben und sich nichts vermischen soll – biologisch wie politisch. Zugespitzt gesagt: Uexkülls Umweltlehre ist im schlechten Sinn holistisch, anti-demokratisch und totalitär. Und vor allem ist Uexküll sehr viel tiefer in den Nationalsozialismus verstrickt als bisher angenommen.

Das vorliegende Buch fragt nicht danach, was uns Uexküll heute sagen könnte und warum wir Uexküll gerade jetzt lesen sollten. Es beschreibt seine Popularität vielmehr als Symptom innerhalb einer historischen Konstellation, die es zu rekonstruieren versucht. Es versteht die Plausibilität seiner Thesen nicht als Antwort, sondern als das, was es zu befragen gilt. Eine solche Vorgehensweise nimmt notwendigerweise Abstand von einer einfachen Anwendung seiner Theorien und von der Instrumentalisierung einzelner ihrer Bestandteile zur Beantwortung drängender Fragen. Sie zielt stattdessen auf den historischen Ort der Umweltlehre in der Gegenwart: Was macht es gerade heute sinnvoll – und vielleicht sogar aus politischen Gründen notwendig –, nach Uexkülls Umgebungen zu fragen? Angesichts der Nähe, die neurechte, identitäre und rassistische Strömungen unter dem Namen einer ‚konservativen Ökologie' heute auch zu Uexküll suchen, gewinnt diese Frage eine neue Brisanz. Sie betrifft über die Uexküll-Forschung hinaus die Frage, wie sich wissensgeschichtliche Auseinandersetzungen mit Ökologie in den politischen Debatten der Gegenwart positionieren wollen.

Die Umweltlehre – ebenso wie deren teils hochselektive Rezeption – wird im Folgenden in die Spannungen und Auseinandersetzungen der holistisch orientierten deutschsprachigen Biologie des ersten Drittels des 20. Jahrhunderts eingebettet – einer Zeit, in der biologische und politische Positionierungen zumindest in diesem Umfeld untrennbar verflochten waren. Den

Ausgangspunkt bilden entsprechend Uexkülls Bezugnahmen auf holistische und organizistische, d.h. Phänomene aus dem ganzheitlichen Zusammenwirken ihrer Elemente erklärende Strömungen innerhalb der Biologie und der Naturphilosophie, die angesichts der tiefgreifenden Konflikte dieser Zeit nur zu verstehen sind, wenn man zugleich in den Blick nimmt, wogegen sie sich richten. Der Holismus dieser Zeit – die Lehre, dass das Einzelne nur aus dem Zusammenhang des Ganzen erklärt werden kann – hat sehr unterschiedliche Formen angenommen und Uexkülls Umweltlehre zählt keineswegs zum Kern holistischer Theoriebildung.[1] Doch er verortet seine Lehre sowohl wissenschaftlich als auch politisch auf diesem Feld. Trotz der Besonderheiten der Umweltlehre macht es also Sinn, Uexküll als Holisten zu lesen, weil so sein Anti-Darwinismus, seine Ablehnung der Demokratie und schließlich seine Anbiederung an den Nationalsozialismus im Kontext von diskursiven Formationen nachvollziehbar werden, die heute erneut wirkmächtig sind. Es wird sich herausstellen, dass diese Aspekte tief in die Fundamente der Umweltlehre eingelassen sind und eine wichtige Rolle für seine gegenwärtige Popularität spielen – in allen Teilen des Spektrums von Uexkülls Leserschaft.

Uexkülls Umweltlehre ist, so werden wir zeigen, strukturell konservativ, führt zu einer ganzheitlich begründeten Ablehnung der Demokratie und entlädt sich in einer identitären Logik, in der alles planmäßig an seinem Ort ist und das, was sich am falschen Ort befindet, ausgeschlossen wird. Differenz ist für Uexküll nur

1 Der Holismus ist keine kohärente Philosophie, sondern zeichnet sich vor allem durch weltanschauliche Aspekte aus. Er ist wissenschaftlich umstritten und Schauplatz intensiver weltanschaulicher Auseinandersetzungen im Konflikt mit mechanistischen Perspektiven. Vgl. dazu D. C. Phillips, „Organicism in the Late Nineteenth and Early Twentieth Centuries," *Journal of the History of Ideas* 31, Nr. 3 (1970); Hilde Hein, „The Endurance of the Mechanism-Vitalism Controversy," *Journal of the History of Biology* 5, Nr. 1 (1972) sowie Donna J. Haraway, *Crystals, Fabrics, and Fields: Metaphors of Organicism in Twentieth-Century Developmental Biology* (New Haven: Yale University Press, 1976).

als Abweichung von Einheit und damit als Gefährdung von Ganzheit denkbar – und zwar auch dort, wo der Perspektivismus der Umweltlehre eine Vielfalt von Welten zu affirmieren scheint. Die Umweltlehre ist eine Lehre der richtigen Orte – und damit auch der falschen. Wer anders ist, gehört zu einer anderen Einheit, deren Ort anderswo ist. Uexkülls Biologie ist immer Politik, seine Umweltlehre immer Weltanschauung.

Genau diese Aspekte werden heute in der (Re-)Formierung einer aus der ‚Neuen Rechten' und der ‚Identitären Bewegung' gespeisten ‚konservativen Ökologie' erneut brisant.[2] Dort, wo sich diese Strömung – etwa bei Michael Beleites oder bei Alain de Benoist[3] – auf Uexküll bezieht, begreift sie sich als ganzheitlich, völkisch und damit politisch wie biologisch konservativ. Die Ideologie von ‚Blut und Boden' mehr oder weniger explizit aufnehmend und sich als Fortsetzung der ‚konservativen Revolution' der Zwischenkriegszeit verstehend, will diese ‚konservative Ökologie' die ‚Umwelt' als genuinen ‚Lebensraum' eines ‚Volkes' erfassen, sie in den ‚Heimatschutz' integrieren und so eine rassistische Bevölkerungspolitik zum Thema der Ökologie machen. Auf dem Boden der Umweltlehre wird die Vermischung von Umwelten als die größte Gefahr für die ganzheitliche Ordnung und den Zusammenhalt der postulierten, sowohl kulturellen wie biologischen Einheit des ‚Volkes' dargestellt: Jedem seine Umwelt, aber bitte nicht in unserem Lebensraum.

Die ‚konservative Ökologie' teilt viele anti-demokratische, antiliberale und anti-egalitäre Denkfiguren mit der Umweltlehre. Sie begreift sich als Fortsetzung der ‚konservativen Revolution'

2 Es handelt sich dabei nicht um eine fest umrissene Theorie mit eindeutigen Aussagen, sondern um den losen Zusammenhang einer politischen Bewegung, die die genannten Prämissen teilt und ihre Botschaft in Büchern, Zeitschriften, auf Webseiten, in Videos oder in Messenger-Kanälen verbreitet. Eine ausführliche Analyse folgt am Ende des ersten Kapitels.

3 Alain de Benoist, *View from the Right. Volume 1: Heritage and Ideas* (London: Arkos, 2017) sowie Michael Beleites, *Umweltresonan: Grundzüge einer organismischen Biologie* (Treuenbriezen: Telesma, 2014).

der Zwischenkriegszeit, zu deren Protagonisten Uexküll vom neurechten Vordenker Armin Mohler gezählt wird.[4] Dass die Umweltlehre heute erneut an rechte Positionen anschlussfähig ist, ist also kein Zufall.

Besondere Brisanz kommt den folgenden Überlegungen durch die Erschließung neuer Quellen zu: In den letzten Jahren sind historische Dokumente ediert worden, die Uexkülls Rolle im Nationalsozialismus in einem neuen Licht erscheinen lassen.[5] Dass er – zumindest bis 1934 – weitaus tiefer darin verstrickt war als bislang bekannt und dass er zu dieser Zeit versuchte, seine Staatsbiologie in eine Lehre vom ‚totalen Staat' des Nationalsozialismus auszuweiten, verändert unweigerlich den bislang dominierenden Blick auf seine Biographie.[6]

Uexküll ist lange Zeit – vor allem im Verweis auf die hagiographische Biographie seiner Frau Gudrun von 1964 – als argloser,

4 Vgl. Armin Mohler, *Die konservative Revolution in Deutschland 1918–1932: Ein Handbuch* (Darmstadt: Wissenschaftliche Buchgesellschaft, 1989), 79 und 313.

5 Auf Uexkülls problematische Aussagen zum Judentum, auf seine Lobpreisung Hitlers in der Neuauflage der *Staatsbiologie* von 1933 sowie auf seine Freundschaft mit dem Rassenhygieniker Houston Stewart Chamberlain ist in wichtigen Vorarbeiten hingewiesen worden, die auch die Verknüpfung von biologischen und weltanschaulichen Fragen zum Thema gemacht haben (E. Scheerer, „Organische Weltanschauung und Ganzheitspsychologie," in *Psychologie im Nationalsozialismus*, hrsg. v. C. F. Graumann (Berlin: Springer, 1985); Anne Harrington, *Reenchanted Science: Holism in German Culture from Wilhelm II to Hitler* (Princeton: Princeton University Press, 1999); Marco Stella und Karl Kleisner, „Uexküllian Umwelt as Science and as Ideology: The Light and the Dark Side of a Concept," *Theory in Biosciences* 129, Nr. 1 (2010); Geoffrey Winthrop-Young, „Afterword: Bubbles and Webs: A Backdoor Stroll through the Readings of Uexküll," in *A Foray into the Worlds of Animals and Humans: With a Theory of Meaning*, hrsg. v. Geoffrey Winthrop-Young (Minneapolis: University of Minnesota Press, 2010)). Die hier vorgestellten historischen Erkenntnisse untermauern diese in der Uexküll-Forschung oft zugunsten einer Rehabilitierung Uexkülls vernachlässigten Beobachtungen nicht nur, sondern zeigen eine bislang unbekannte Dimension der Verstrickung.

6 Vgl. zu Uexkülls Biographie die tabellarische Übersicht am Ende dieses Buches.

allenfalls zeitweise irrender, dem Regime aber doch in bestimmten Punkten opponierender, also letztlich unbescholtener und aufrechter konservativer Aristokrat beschrieben worden. Sein stellenweise aufblitzender Antisemitismus sei, so behauptet beispielsweise Giorgio Agamben, nur eine „kuriose Episode" in der Biographie dieses „so nüchterne[n] Wissenschaftlers" gewesen.[7] Angesichts der in diesem Buch erstmals systematisch zusammengeführten Archivmaterialien zu Uexkülls Rolle im Ausschuss für Rechtsphilosophie der tief im Nationalsozialismus verankerten Akademie für Deutsches Recht fällt dieses Bild in sich zusammen. Uexküll war kein „profitierender Statist"[8] und die in biographischen Darstellungen verbreitete Behauptung, er habe sich ab 1933 von der nationalsozialistischen Politik und Ideologie abgewandt[9], ist falsch. Die kolportierten Akte des Widerstands, die Uexküll seiner Frau und der an sie anschließenden Rezeption zufolge 1933 unternommen haben soll, erweisen sich beim Blick auf die neuen Quellen als nachträgliche Revisionen seiner Verstrickung. Uexküll hat sich aktiv an der Herausarbeitung einer nationalsozialistischen Rechtsphilosophie beteiligt und diese mit der Umweltlehre zu untermauern versucht. Seinen Antisemitismus begründet er seit den 1930er Jahren mit der These, dass die Umwelten der Juden in Deutschland nicht am richtigen Ort seien.

Wir präsentieren in diesem Buch aber nicht nur neue biographische Details. Unser Argument lautet vielmehr, dass die Umweltlehre nicht von dieser historischen Konstellation zu trennen ist. Sie kann nicht in einen fortschrittlichen und einen

7 Giorgio Agamben, *Das Offene: Der Mensch und das Tier* (Frankfurt am Main: Suhrkamp, 2003), 53.

8 Florian Mildenberger, „Überlegungen zu Jakob von Uexküll (1864–1944): Vorläufiger Forschungsbericht," *Österreichische Zeitschrift für Geschichtswissenschaften* 13, Nr. 3 (2002): 147.

9 So etwa Carlo Brentari, *Jakob von Uexküll: The Discovery of the Umwelt between Biosemiotics and Theoretical Biology* (Berlin: Springer, 2015), 39 sowie Francesca Michelini, „Introduction: A Foray into Uexküll's Heritage," in *Jakob von Uexküll and Philosophy: Life, Environments, Anthropology*, hrsg. v. Francesca Michelini und Kristian Köchy (London: Routledge, 2020).

problematischen Teil auseinandergebrochen werden. Uexkülls Anbiederung ist keine zeitweilige Verirrung eines ansonsten unbescholtenen Aristokraten. Seine politische Haltung baut auf seinen theoretischen Annahmen auf – seine *Staatsbiologie*, deren Neuauflage von 1933 Hitler auffordert, die Parasiten im Staatskörper zu bekämpfen, manifestiert diese Übereinstimmung, die allerdings viel weiter zurückreicht. Uexkülls bereits während des Ersten Weltkriegs nicht nur biologisch, sondern weltanschaulich begründeter Anti-Darwinismus ist mit seinem politischen Konservatismus deckungsgleich. Dieser fürchtet jegliche Veränderung des Ganzen und impliziert eine Vorstellung des Individuums, die mit liberalen oder egalitären Konzepten nicht, mit totalitären umso besser in Übereinstimmung zu bringen ist. Die Ablehnung der Evolutionstheorie ist für Uexküll identisch mit der Ablehnung der Demokratie als Herrschaft des Pöbels. Die identitäre Logik der Umweltlehre konvergiert von Beginn an mit Uexkülls Antisemitismus.

Dieser strukturelle Konservatismus ist das Scharnier zwischen der biologischen und der politischen Seite der Umweltlehre – und er lässt sich nicht aus ihr herausstreichen. Sie fürchtet jeden Wandel und zieht sich in die naturgegebene Unwandelbarkeit dessen zurück, was Uexküll *Planmäßigkeit* nennt. Die Welt, in der Bäcker nur Bäckerdinge tun und Schulz nur Schulzensdinge wahrnimmt, soll so bleiben, wie sie ist, weil sie nicht anders werden kann. Wenn Schulz nie Meyers Umwelt kennenlernt und „seine Welt mit Hilfe seiner Sinnesbrille"[10] wahrnimmt, wird Schulz sich damit zufriedengeben müssen, dass die Welt so ist, wie sie ist und sich nicht ändern lässt. Beide müssen ihren Ort in der Ganzheit des Staates finden, damit ihnen dieser die Sicherheit gibt, alles an seinem Ort zu bewahren. Eine Konfrontation mit dem, was anders ist, ist in dieser Welt nicht vorgesehen. Wer sich dieser

10 Jakob von Uexküll, „Zum Verständnis der Umweltlehre," *Deutsche Rundschau* 256, Nr. 7 (1938): 64.

Ordnung nicht fügt, wird von Uexküll spätestens 1933 als Parasit bezeichnet.

Im strukturellen Konservatismus der Umweltlehre ist von Beginn an jenes Weltbild angelegt, das 1933 mehr wird als ein Bild. Und sie lässt von Beginn an Platz für einen Antisemitismus, der nicht als offener Rassismus daherkommt, sondern sich im gediegenen Gewand der Umweltlehre als Anerkennung aller Umwelten ausgibt, aber denjenigen, die keinen Ort in dem Land haben, in dem sie leben, das Recht abspricht, sich dort aufzuhalten. Die Konsequenzen daraus zieht Uexküll, wenn er Adolf Hitler auffordert, das Problem der Vermischung von Umwelten zu lösen und den Parasiten, die Deutschland befallen haben, Einhalt zu gebieten – den Juden, der Presse und den Demokraten.[11] Selbst wenn sich der Nationalsozialismus als etwas anderes herausstellen sollte, als sich Uexküll in seiner Verachtung von Massenbewegungen, Moderne und Darwinismus gewünscht hat, nimmt er zumindest bis Sommer 1934 – alle Akten nach diesem Datum sind vernichtet – am Aufbau des nationalsozialistischen Staates teil und versucht, die Umweltlehre zum Fundament des von den Nazis angestrebten ‚totalen Staates' zu machen.

Zwar ist es bei Versuchen geblieben und Uexkülls Werk hat im Nationalsozialismus nie die Anerkennung erfahren, die er sich erhofft haben mag; zu unvereinbar erscheint es mit dem später dominierenden Sozialdarwinismus und dem Szientismus der NS-Biologie.[12] . Dies gilt auch für die Werke der meisten Vordenker aus dem Bereich der ‚konservativen Revolution', mit denen Uexküll teilweise in besagtem Ausschuss für Rechtsphilosophie zusammenarbeitet. Dennoch ist es wichtig, diese Zusammenhänge zu rekonstruieren, weil nur so Uexkülls Nähe zur ‚konservativen Revolution' der 1930er Jahre ebenso wie zur ‚konservativen Ökologie' der Gegenwart deutlich wird – und mithin all

11 Jakob von Uexküll, *Staatsbiologie: Anatomie – Physiologie – Pathologie des Staates*, 2. Auflage (Hamburg: Hanseatische Verlagsanstalt, 1933), 71.

12 Vgl. zur NS-Biologie Änne Bäumer, *NS-Biologie* (Stuttgart: S. Hirzel, 1990).

das, was man sich einhandelt, wenn man die Umweltlehre ohne Berücksichtigung sowohl ihrer politischen Verstrickungen als auch ihrer politischen Implikationen in Anspruch nimmt. Die Uexküll-Rezeption ist von der Annahme eines Risses in dessen Werk geprägt, der es möglich macht, die problematischen von den produktiven Teilen zu trennen und allein letztere weiterzuführen. Wir wollen zeigen, dass es einen solchen Riss nicht gibt. Das heißt nicht, dass man Uexküll nicht mehr mit Gewinn lesen könnte. Aber es heißt, dass man dabei die politischen Konsequenzen der Umweltlehre als immanente und auch für die Theorie wesentliche Aspekte in Betracht ziehen muss.

Die Berührungspunkte zwischen ganzheitlich-ökologischem und faschistischem Denken sind schon lange bekannt. Die Geschichte des Naturschutzes im Nationalsozialismus ist ebenso gut erforscht wie – unter dem Stichwort Ökofaschismus – die Rolle rechter Kräfte in den Umweltbewegungen der 1970er Jahre, insbesondere bei der Gründung der Grünen.[13] Angesichts der Gefahren, die darin liegen, Uexküll umstandslos zum Garanten der Vielfalt gleichberechtigter Umwelten zu machen, ist also ein neuer Blick auf diese Verbindungslinien geboten, um zu verstehen, was ‚konservative Ökologie' 1933 war und was sie heute ist.

Dabei wollen wir auf keinen Fall so verstanden werden, als würden wir Uexküll ‚canceln' wollen. Wir sind nicht nur den Debatten einer vermeintlichen ‚Cancel Culture' gegenüber außerordentlich skeptisch, sondern wollen gerade zur Lektüre Uexkülls anregen – aber zu einer anderen Lektüre als bisher. Um die Gemengelage zu verstehen, in der holistische Theorien heute an Positionen der Neuen Rechten anschlussfähig sind, ist es von entscheidender Bedeutung, die historischen Texte zu kontextualisieren – und dafür neu und anders zu lesen. Wenn in der Konsequenz

13 Vgl. beispielsweise Janet Biehl und Peter Staudenmaier, *Ecofascism Revisited: Lessons from the German Experience* (Porsgrunn: New Compass Press, [1995] 2011); Oliver Geden, *Rechte Ökologie: Umweltschutz zwischen Emanzipation und Faschismus* (Berlin: Elefanten, 1999); Joachim Radkau und Frank Uekötter, Hrsg., *Naturschutz und Nationalsozialismus* (Frankfurt: Campus, 2003).

theoretische Anschlüsse an die Umweltlehre nicht mehr umhin kommen, sich auch in den politischen Debatten der Gegenwart zu verorten, dann ist das in unserem Sinne.

Die drei Kapitel dieses Buches bieten entsprechend kritische Re-Lektüren der Umweltlehre, die von den neuen historischen Erkenntnissen ihren Ausgang nehmen. Im ersten Schritt werden ausgehend von einer Zusammenfassung der wichtigsten Motive Uexkülls – insbesondere des Ordnungsversprechens der Planmäßigkeit – dessen Verstrickungen in den Nationalsozialismus im Detail herausgearbeitet und auf die Gegenwart bezogen. Im zweiten Schritt folgt der Nachweis der zentralen Stellung dieser Planmäßigkeit innerhalb von Uexkülls Biologie und ihre diskursgeschichtliche Herleitung. Das Kapitel schließt mit einem Blick auf die Bedeutung dieser Denkfigur innerhalb der ‚konservativen Revolution', verstanden als Sammelbegriff für eine Vielzahl an unterschiedlichen Ausprägungen des Konservatismus in der Zwischenkriegszeit, die durchaus nicht alle im Nationalsozialismus aufgingen, ihm aber den Weg geebnet haben. Im dritten Schritt schließlich steht das Verhältnis von Umwelt und Umgebung im Mittelpunkt, um die Epistemologien des Umgebens herauszuarbeiten, die der Umweltlehre zugrunde liegen. So treten die Aporien hervor, die in der Annahme einer Pluralität und Multiplizität der Umwelten münden, obwohl dahinter eine unifizierende Planmäßigkeit steht. Am Schluss stellt sich erneut die Frage, wie eine neue Lektüre Uexkülls vor diesem Hintergrund vorgehen könnte, um sich gegen die Geister der Ökologie zu wappnen.

Die Frage nach *Uexkülls Umgebungen* stellt sich in der Gegenwart also in mehrfacher Hinsicht: Erstens rückt die Rede von Uexkülls Umgebungen das in den Fokus, was sich außerhalb der Umwelten befindet und diese umgibt. So stellt sich die Frage nach der Zugänglichkeit fremder Umwelten, nach Intersubjektivität, nach Veränderung und nach Vermischung, mithin nach den Epistemologien des Umgebens, die der Umweltlehre zugrunde liegen und die genannten Anschlüsse herstellen. Zweitens betreffen Uexkülls Umgebungen den historischen Zusammenhang, in dem er seine Thesen ausformuliert, sein philosophisches, biologisches und politisches Umfeld, seine Inspirationsquellen und Gegnerschaften, seine Verstrickungen und Widersprüche. Drittens stellt der Titel des Buches aber auch die Frage, was geschieht, wenn man Uexkülls Lehre von der einen Umgebung in eine andere überträgt, wenn man sie also in die Gegenwart überführt. Anders formuliert: Wie geht man heute und in Zukunft mit Uexküll um, wenn man um die Geschichte seiner Theorie ebenso weiß wie um ihre Anschlussfähigkeit an die alte und neue Rechte?

In der gegenwärtigen, Anthropozän genannten Situation des voranschreitenden, womöglich unaufhaltsamen Klimawandels stellt sich – neben allen anderen Herausforderungen – auch die Frage nach einer Beschreibungssprache für die Gegenwart. Unsere Lektüren Uexkülls bieten in dieser Hinsicht keine Lösung, zeigen sie doch, dass seine Umweltlehre keine Antworten für sich ständig wandelnde Probleme liefert. Ganz im Gegenteil: Uexkülls Ansatz sollte nur mit äußerster Vorsicht als Steinbruch verwendet werden, aus dem sich Theoriefragmente herausschlagen lassen, weil sonst die Gefahr besteht, dass die epistemologischen und politischen Probleme bestehen bleiben und allzu schnell in anderem Kontext reproduziert werden. Wir gehen von der Prämisse aus, dass Uexkülls Werk von Theorieströmungen durchflossen ist und politische Positionen bezieht, die dem, was in vielen seiner Wiederaneignungen angestrebt wird, mitunter diametral entgegenstehen. Es ist durchaus möglich, mit Uexküll Argumente für die genannte Vielheit möglicher Welten, für die Koexistenz gleichberechtigter Lebensformen und für das Unterlaufen anthropozentrischer Denkmuster zu entwickeln. Doch die Voraussetzung dafür sollte sein, die historischen Hintergründe der Entstehung und der Verbreitung der Umweltlehre genau zu rekonstruieren. Die damit verbundenen Probleme herauszuarbeiten – auch gegen die mitunter affirmativen Gesten der Uexküll-Rezeption – und zu zeigen, dass die politischen Konflikte, in denen Uexküll steht, heute in anderer Form erneut aktuell werden, ist das Ziel dieses Buches.

Heute rächt sich, dass die Ökologie so wenig über ihre Vergangenheit weiß: Sie war nie unschuldig, rein oder natürlich – und schon gar nicht bei einem aristokratischen, anti-darwinistischen, anti-demokratischen und ganzheitlich gesinnten Professor in den 1930er Jahren. Um ökologisches Wissen für die wichtigen Aufgaben der Zukunft in Anspruch zu nehmen und die in ihm angelegten Herausforderungen zu verstehen, ist eine sehr viel intensivere Auseinandersetzung mit der Geschichte der Ökologie nötig als bisher. Auf dieser Grundlage wäre es schließlich auch möglich, die gegenwärtige Popularität ökologischen Denkens in kulturwissenschaftlichen Debatten strenger auf die Geschichte der Ökologie hin zu befragen. Wenn heute die Neue Rechte sich ganzheitliches Denken – das mit ökologischem gleichgesetzt wird – auf die wehenden Fahnen schreibt, dann sollte dies in der akademischen Auseinandersetzung mit der Ökologie zu einer kritischeren Positionierung führen. In diesem Sinn ist die Aussage gemeint, die Ökologie sei nie unschuldig, rein oder natürlich gewesen. Sie war und ist Teil sozialer und politischer Prozesse.

[2]

Uexküll und der Nationalsozialismus – Planmäßigkeit und ,Ortlosigkeit'

Florian Sprenger

Uexkülls Verstrickungen in den Nationalsozialismus sind grundsätzlicher als bislang angenommen – und vor allem bestehen sie im Versuch, die Umweltlehre anschlussfähig an eine Ideologie von ,Blut und Boden' zu machen und zu einer organizistischen Theorie des ,totalen Staates' auszuweiten. Die Aufgabe der beiden anschließenden Kapitel wird es sein, die theoretischen Grundlagen dieser Anschlussfähigkeit und die Neigungstendenzen ganzheitlichen Denkens in Richtung Faschismus herauszuarbeiten. Zunächst sollen jedoch anhand von bislang in diesem Kontext unbearbeitetem Quellenmaterial die historischen Kontexte rekonstruiert und zugleich gezeigt werden, was die Umweltlehre dem Nationalsozialismus anbietet. Dafür müssen zunächst zentrale Begriffe Uexkülls in den ihnen eigenen Spannungen rekonstruiert werden, um dann seine bislang nur in Ansätzen erforschte Rolle im Nationalsozialismus in den Mittelpunkt zu rücken.

Zwar steht Uexküll der nationalsozialistischen Rassenpolitik ambivalent gegenüber – den Rassenbegriff hat er zunächst als zu darwinistisch abgelehnt[1] und durch den Begriff des ‚Volkes' ersetzt, aber dennoch bereits 1915 das „Rassenchaos"[2] als Gefahr der Kreuzung von ‚Menschenrassen' beschworen. Dennoch verquickt er den in seinen Schriften seit den frühen 1920er Jahren mehr oder weniger offen zutage tretenden Antisemitismus Anfang der 1930er Jahre mit einer immunitären Logik. Diese läuft darauf hinaus, die ‚heimatlosen' und damit ‚ortlosen' Juden als Parasiten aus dem Staat zu entfernen, um dessen inneren Schutz vor dem Fremden aufrechtzuerhalten. Als Mitglied des Ausschusses für Rechtsphilosophie der streng nationalsozialistischen Akademie für Deutsches Recht formt er seine Staatsbiologie in eine Lehre vom ‚totalen Staat' um. Dieser Staat soll organisch organisiert sein. In ihm ist nicht nur alles der Politik untergeordnet, sondern jeder Bestandteil hat seinen festen Ort im Ganzen.

Die Umweltlehre ist von Beginn an eine Lehre der richtigen Orte. Wenn jedes Subjekt über eine genuine Umwelt verfügt – die erste These der Umweltlehre – und diese Umwelten entsprechend einer als Prinzip der Natur gegebenen Planmäßigkeit in die Umgebung eingepasst sind – die zweite These der Umweltlehre –, dann bedeuten Veränderungen des Ortes Gefährdungen des Ganzen. Hinter dieser Lehre verbirgt sich ein struktureller Konservatismus, der nicht nur anti-moderne, anti-demokratische und antiliberale Ressentiments pflegt, sondern die Welt als eine Struktur erklärt, in der alles seinen natürlicherweise festgelegten Ort hat. Die Vermischung von Umwelten, die in Uexkülls theoretischer Biologie aus erkenntnistheoretischen Gründen unmöglich ist, soll auch in der Politik um jeden Preis vermieden werden.

Deswegen sind Fragen nach dem ‚richtigen Ort' einer Umwelt für Uexküll in der Biologie wie in der Politik so wichtig: Jedes

1 Zu Uexkülls Rassenvorstellungen vgl. die ausführliche Quellendarstellung im Anhang zur Neuauflage von *Umwelt und Innenwelt der Tiere*: Florian Mildenberger und Bernd Herrmann, „Nachwort," in *Umwelt und Innenwelt der Tiere*, hrsg. v. Florian Mildenberger und Bernd Herrmann (Berlin: Springer, [1909] 2014).

2 Jakob von Uexküll, „Volk und Staat," *Neue Rundschau* 26, Nr. 1 (1915): 54.

Lebewesen hat durch seine Umwelt seinen Ort in der Planmäßigkeit der Natur wie jeder Mensch in der Planmäßigkeit des organischen (und später ,totalen') Staates. Sich am falschen Ort zu befinden, bringt diese Ordnung in Gefahr. Die von Uexküll immer wieder für die Subjektivität der Umwelten verwendete Metapher der Seifenblase gibt davon Auskunft: Wer aus seiner Seifenblase auf die Welt blickt, sieht alles durch die Optik der Seifenblase.[3] Seifenblasen können sich nicht überlappen und sie platzen, wenn sie mit anderen Seifenblasen kollidieren. Jede Seifenblase umgibt ihren Ort und gibt ihrem Subjekt seine unverwechselbare Identität, die nicht vertauscht oder verändert werden kann, ohne die Seifenblase zu zerstören. Der Schaum, den die Blasen bilden können, ist ein flexibles, aber strukturell fixiertes Gefüge, in dem jede Zelle ihren festen Ort hat.

Die Frage nach dem richtigen oder falschen Ort jedes Lebewesens innerhalb des Ganzen dient in diesem Kapitel als Schlüssel, um die Verbindungen zwischen der Umweltlehre und Uexkülls Engagement für den Nationalsozialismus herauszuarbeiten. Denn 1933 schreibt Uexküll in seine Lehre die These ein, dass die Juden in Deutschland nicht am richtigen Ort sind – wiewohl sie ihre Umwelt haben –, weshalb „Adolf Hitler und seine Bewegung"[4] das „Rassenchaos"[5] bannen und das „parasitäre Netz"[6] der Juden aus dem Volkskörper entfernen sollen.

1. Umwelt und Umgebung

Jedes Lebewesen verfügt, so die Ausgangsthese Uexkülls, über eine „eigentümliche Umwelt [...], die sich mit dem Bauplan des

3 Vgl. Jakob von Uexküll, *Theoretische Biologie* (Berlin: Paetel, 1920), 69.

4 Jakob von Uexküll, *Staatsbiologie: Anatomie – Physiologie – Pathologie des Staates*, 2. Auflage (Hamburg: Hanseatische Verlagsanstalt, 1933), 71.

5 Uexküll, „Volk und Staat," 54.

6 Brief von Uexküll an Richard Chamberlain, 10. April 1921, zitiert nach Anne Harrington, *Reenchanted Science: Holism in German Culture from Wilhelm II to Hitler* (Princeton: Princeton University Press, 1999), 231.

Tieres wechselseitig bedingt."[7] In seinem Buch *Theoretische Biologie* von 1920 formuliert er diese Grundannahme wie folgt: „Die Außenwelt bietet den Lebewesen eine bestimmte Anzahl räumlich und zeitlich getrennter Eigenschaften zur Auswahl dar und gewährt dadurch den Tieren die Möglichkeit, sich aus ihnen eine ärmere oder reichere Umwelt zu schaffen."[8] Jedes Lebewesen bewegt sich demnach in einer genuinen Umwelt, weil es abhängig von seiner biologischen Ausstattung eine andere Innenwelt bewohnt, andere Objekte aus der Umgebung oder Außenwelt, sogenannte Merkmalsträger, in seiner Merkwelt wahrnimmt und in seiner eigenen Wirkwelt anders auf Reize zu reagieren in der Lage ist.

Uexküll stützt sich auf die von Johannes Müller 1826 entwickelte These, die besagt, dass sinnliche Wahrnehmung auf für das jeweilige Sinnesorgan spezifischen Nervenimpulsen beruht. Wahrnehmung stellt demnach eine mentale Repräsentation der jeweils stimulierten Nerven dar.[9] In dieser Annahme sieht Uexküll den physiologischen Beleg der These Kants, dass die Wahrnehmung keinen Zugang zur Welt verschafft. Er geht jedoch einen Schritt weiter: Jedes Lebewesen habe einen eigenen Apparat zur Verarbeitung von Reizen und deswegen eine eigene Umwelt. Was in Müllers vitalistischem Lebensenergiebegriff die Spezifik eines Reizes für ein Sinnesorgan ist, wird bei Uexküll zur durch die Sinnesorgane hervorgebrachten Umwelt: „Damit ist aber bereits das Tor erschlossen, das zu den Umwelten führt, denn

7 Jakob von Uexküll, *Umwelt und Innenwelt der Tiere* (Berlin: Springer, [1909] 2014), hrsg. v. Florian Mildenberger und Bernd Herrmann, 4. Die Begriffsgeschichte von *Umwelt* hat Georg Toepfer ausführlich dargestellt, den Begriff allerdings gleichbedeutend mit *milieu* und *environment* verwendet: Georg Toepfer, „Umwelt," in *Historisches Wörterbuch der Biologie*, hrsg. v. Georg Toepfer, Band 3 (Stuttgart: Metzler, 2011), 560–607. Vgl. zur Geschichte des Umweltbegriffs auch Geoffrey Winthrop-Young, „Afterword: Bubbles and Webs: A Backdoor Stroll through the Readings of Uexküll," in *A Foray into the Worlds of Animals and Humans: With a Theory of Meaning*, hrsg. v. Geoffrey Winthrop-Young (Minneapolis: University of Minnesota Press, 2010).

8 Uexküll, *Theoretische Biologie*, 218.

9 Vgl. ebd., 117–120.

alles, was ein Subjekt merkt, wird zu seiner Merkwelt, und alles, was es wirkt, zu seiner Wirkwelt. Merkwelt und Wirkwelt bilden gemeinsam eine geschlossene Einheit, die Umwelt."[10] Anstatt Zugang zur Realität zu verschaffen, verwandeln die Sinnesorgane Reize in Bedeutungsträger, deren Form und Gehalt abhängig von den Bauplänen des Organismus sind. Hierin liegt der konstruktivistische Anteil der Umweltlehre: Es gibt keinen privilegierten physiologischen Zugang zur Außenwelt. Das Lebewesen verfügt lediglich über das, was Uexküll als Funktionskreis bezeichnet, d.h. die Kopplung von Merk- und Wirkorganen, die Uexküll als Modell aller Beziehungen zwischen Subjekten und Umwelten ausarbeitet. Der Funktionskreis ersetzt das von Uexküll als Kontrast zugespitzte Reflexmodell, in dem das Lebewesen auf einen Reiz von außen reagiert und ein determiniertes Verhalten zeigt, durch eine zirkuläre Struktur, in der Wahrnehmung und Verhalten im Funktionskreis ineinanderfließen.[11]

Aus dieser von Uexküll seit den 1910er Jahren immer weiter verfeinerten, vor allem aber populärwissenschaftlich aufgearbeiteten Grundlage folgt ein Forschungsprogramm, das Organismen nicht mehr als isolierte Entitäten behandelt, sondern sie als Bestandteile der wechselseitigen Verschränkung von Organismus und Umgebung begreift, also, in den Worten Christina Wesselys,

10 Jakob von Uexküll und Georg Kriszat, *Streifzüge durch die Umwelten von Tieren und Menschen* (Berlin: Springer, 1934), VIII. Vgl. dazu auch Gregor Schmieg, „Die Systematik der Umwelt: Leben, Reiz und Reaktion bei Uexküll und Plessner," in *Das Leben im Menschen oder der Mensch im Leben? Deutsch-französische Genealogien zwischen Anthropologie und Anti-Humanismus*, hrsg. v. Thomas Ebke und Caterina Zanfi (Potsdam: Universitätsverlag Potsdam, 2017), 358.

11 Wie Carlo Brentari gezeigt hat, ersetzt Uexküll in der zweiten Auflage von *Umwelt und Innenwelt der Tiere* das Kapitel über den Reflex mit einem Kapitel über den Funktionskreis, der auch als Vorläufer kybernetischer Rückkopplung interpretiert wird (vgl. Carlo Brentari, *Jakob von Uexküll: The Discovery of the Umwelt Between Biosemiotics and Theoretical Biology* (Berlin: Springer, 2015), 97f).

auf „Umgebungswissen" ausgelegt ist.[12] Dieses Wissen wird, das demonstrieren Uexkülls größtenteils vor 1920 unternommene Experimentalstudien, zunächst nur am lebendigen Tier gewonnen, dessen beobachtbares Verhalten damit in den Mittelpunkt rückt.[13] Die daraus entwickelte Umweltlehre wird seit der Zwischenkriegszeit zur Grundlage von Uexkülls theoretischer Biologie.

Die weltanschaulichen Fragen dieser Theorie werden bereits deutlich: Uexkülls Ansatz beruht darauf, dass jedes Lebewesen in einer einzigartigen und nur ihm selbst zugänglichen Welt lebt. Die Welt, in der wir leben – in der ich lebe –, ist also immer nur ein Ausschnitt aus einer Vielzahl möglicher individueller Umwelten, die einander unzugänglich bleiben. Jede Zecke lebt in ihrer Zecken-Umwelt, jeder Seeigel in seiner Seeigel-Umwelt und jede Schnecke in ihrer Schnecken-Umwelt. Zwar sind die Umwelten einzelner Arten durch die Analogie ihrer Merkorgane ähnlich, sie können jedoch nie übereinstimmen. Jedes Lebewesen hat, darin liegt Uexkülls Kant grundlegend transformierender Kantianismus, eigene Bedingungen der Möglichkeit von Erkenntnis in Form seiner Merkorgane. Hinsichtlich der Position innerhalb der Theorie analog, aber strukturell von Kants Anschauungsformen zu unterscheiden, bestimmen sie die Formen von Raum und Zeit und alles, was das Lebewesen erkennt, d.h. was Teil seiner Umwelt wird und was nicht. Daraus folgt ein Lebensbegriff, der nicht auf das Individuum und eine Hierarchie der Lebensformen abzielt, sondern das Prinzip des Lebens in allen seinen Erscheinungsformen gleichermaßen am Werk sieht. Uexkülls

12 Vgl. Christina Wessely, „Wässrige Milieus: Ökologische Perspektiven in Meeresbiologie und Aquarienkunde um 1900," *Berichte zur Wissenschaftsgeschichte* 36, Nr. 2 (2013): 128. Vgl. dazu auch Kijan M. Espahangizi, *Wissenschaft im Glas: Eine historische Ökologie moderner Laborforschung* (Dissertation ETH Zürich, 2010).

13 Uexküll gilt daher als einer der Begründer der Verhaltensforschung und wird beispielsweise von Konrad Lorenz rezipiert (vgl. Carlo Brentari, „Konrad Lorenz's Epistemological Criticism towards Jakob von Uexküll," *Sign Systems Studies* 37, Nr. 3/4 (2009)).

Vitalismus speist sich aus dieser planmäßigen Gleichrangigkeit der Umwelten an ihrem jeweiligen Ort. Das Prinzip des Lebens ist für Uexküll die Planmäßigkeit der Umwelten. Durch sie erhalten alle einzelnen Elemente ihren Ort im Ganzen.

Dieser Annahme liegt, in Entsprechung zu Kants unerkennbarem Ding-an-sich, die Unterscheidung von Umwelt und Umgebung zugrunde, mit der Uexküll 1909 erstmals seinen Umwelt-Begriff umreißt[14]: Die Umgebung ist, vom ‚objektiven' Standpunkt betrachtet, der geographische, physikalische Raum, aus dem sich Umwelten zusammensetzen. Sie umfasst die Existenzbedingungen des Organismus, die diesem nicht direkt zugänglich sein müssen, wie etwa Klima, Bodenbeschaffenheit, Licht oder Luftfeuchtigkeit. Die Umgebung ist jedoch nicht das, was in den Umwelten erkannt wird, welche immer nur bestimmte Ausschnitte oder Perspektiven auf die Umgebung beinhalten.

Stärker als verwandte, aber nicht deckungsgleiche Umgebungsbegriffe wie *environment* oder *milieu* bezieht der von Uexküll zwar nicht erfundene, aber geprägte Begriff *Umwelt* die Rolle eines Subjekts ein, um das sich eine Welt konstituiert. Daher sollten diese Begriffe nicht gleichgesetzt werden, denn sie transportieren jeweils eigene Kausalitäten der Wechselwirkung zwischen Umgebendem und Umgebenem, eigene räumliche und zeitliche Verhältnisse und eigene Horizonte dessen, was über Umgebungen sagbar ist – mithin eigene Epistemologien des Umgebens. Uexkülls Umweltbegriff ist unter diesen Begriffen derjenige, der die subjektive Konstitution der Umwelt durch das umgebene Subjekt am stärksten macht und so jedem Lebewesen einen spezifischen Ort gibt. Damit stellen sich Fragen, die sich im anschließenden Kapitel als Schlüssel zu Uexkülls Epistemologie des Umgebens erweisen werden: Wie gelangt man an den ‚objektiven' Standpunkt, von dem aus die Umgebung und indirekt auch andere Umwelten zugänglich sind? Wie sind überhaupt Umwelten beobachtbar, also wissenschaftlich erforschbar, wenn

14 Vgl. Uexküll, *Umwelt und Innenwelt der Tiere.*

sie rein subjektiv sind? Uexküll entwickelt eine Methodik, die sich an diesem Problem abarbeitet, es im Lauf der Zeit immer wieder neu – mitunter auch widersprüchlich – formuliert und immer wieder daran scheitert, es zu lösen.[15]

Dass die Vielzahl von Umwelten keine Kakophonie, sondern eine Harmonie bildet – durchaus im engeren musikalischen Sinn, den Uexküll häufig ins Spiel bringt[16] –, liegt ebenfalls an dem, was Uexküll als Planmäßigkeit bezeichnet. Sein Holismus sorgt dafür, dass das Ganze der Natur einer Ordnung entspricht, die mehr ist als die Summe ihrer Teile, aber in jedem ihrer Teile ihre Wirkung entfaltet.[17] Das Primat des Ganzen zieht sich dabei durch all die Ebenen, die Uexkülls Theorie berührt – von der einzelnen Umwelt-Seifenblase bis zur ‚Subjekt-Natur'.

Die Setzung einer objektiven Umgebung für alle Lebewesen, die Negation ihrer jeweiligen Subjektivität und die Ausblendung von Verhalten als Beobachtungskategorie sind für Uexküll charakteristische Merkmale der mechanistischen Biologie seiner Zeit. Diese resultiert in einer rein deterministischen Konzeption von Lebewesen als Reiz-Reaktions-Maschinen.[18] Planmäßigkeit in

15 Zu Epistemologien des Umgebens im Allgemeinen vgl. Florian Sprenger, *Epistemologien des Umgebens: Zur Geschichte, Ökologie und Biopolitik künstlicher Environments* (Bielefeld: Transcript, 2019).

16 Vgl. dazu Veit Erlmann, „Klang, Raum und Umwelt: Jakob von Uexkülls Musiktheorie des Lebens," *Zeitschrift für Semiotik* 34, Nr. 1/2 (2012) sowie Sara A. Schroer, „Jakob von Uexküll: The Concept of Umwelt and its Potentials for an Anthropology Beyond the Human," *Ethnos* 6, Nr. 3 (2019).

17 Uexkülls Lebenslauf ist, dies macht die Biographie Mildenbergers deutlich, keineswegs eindeutig auf die Entwicklung einer ganzheitlichen Theorie ausgerichtet. Gerade seine zu Beginn des 20. Jahrhunderts erschienenen Arbeiten sind facettenreicher und deuten auch andere Denkbewegungen an, die allerdings in den späteren Texten zunehmend wegfallen. Gerade als holistischer Biologe, der Uexküll in zunehmendem Maße wird, verwickelt er sich in die politischen und philosophischen Debatten der 1930er Jahre (vgl. Florian Georg Mildenberger, *Umwelt als Vision: Leben und Werk Jakob von Uexkülls (1864–1944)* (Wiesbaden: Steiner, 2007)).

18 Dass kaum ein Biologe diese zugespitzte Form des Mechanismus und Determinismus je vertreten hat, ist typisch für die überaus polemische Debatte zwischen Holismus und Mechanismus.

Uexkülls Sinn ist mit einem solchen Ansatz nicht erfassbar. Von dieser Abgrenzung her wird die Umweltlehre als Versuch lesbar, die Biologie auf neue Grundlagen zu stellen und holistisch zu fundieren. Die Radikalität, mit der Uexküll diese anti-anthropozentrische Subjektivität der Umwelt, die keinerlei Priorität des Menschen kennt, zur erkenntnistheoretischen Grundlage der Biologie und darüber hinaus zur Weltanschauung macht, erhebt ihn in den Augen des zeitgenössischen, aber auch des gegenwärtigen Publikums – wenn auch vor allem außerhalb seiner Disziplin – zum Vorreiter eines neuen Denkens des Menschen in der Natur.[19]

2. Das Ordnungsversprechen der Planmäßigkeit

Für Uexküll ist die Natur einem universellen Prinzip unterworfen, welches er *Planmäßigkeit* nennt. Sie äußert sich in einer Harmonie zwischen der Struktur des Organismus, die Uexküll auch als Bauplan bezeichnet, und der Struktur der Umwelt. Sie entsprechen sich stets. Die Planmäßigkeit ist das Prinzip, das jedem Individuum – Mensch wie Tier – seinen Ort in der Natur und in der Gesellschaft gibt. Sie hält alle Umwelten an ihrem Ort und sorgt

19 Entsprechend anschlussfähig ist die Umweltlehre an die Philosophische Anthropologie, wie etwa die tiefgehende Auseinandersetzung mit Uexküll zeigt, die Helmuth Plessners schon 1927 vornimmt. Das Konzept der „Positionalität der exzentrischen Form“ durchstößt allerdings gerade die Grenzen der Seifenblasen, denn es sieht in der Umweltlehre eine Chance, die Dichotomie von Subjekt und Objekt durch die Verschränkung von Mensch und Umwelt aufzulösen (vgl. Helmuth Plessner, *Die Stufen des Organischen und der Mensch: Einleitung in die philosophische Anthropologie* (Berlin: De Gruyter, [1928] 1975), 63–69; dazu auch jüngst Katharina Block, *Von der Umwelt zur Welt: Der Weltbegriff in der Umweltsoziologie* (Bielefeld: transcript, 2015); Benjamin Bühler, *Ökologische Gouvernementalität: Zur Geschichte einer Regierungsform* (Bielefeld: transcript, 2018); sowie Kristian Köchy, „Helmuth Plessners Biophilosophie als Erweiterung des Uexküll-Programms," in *Zwischen den Kulturen: Plessners „Stufen des Organischen" im zeithistorischen Kontext*, hrsg. v. Kristian Köchy und Francesca Michelini (Freiburg: Verlag Karl Alber, 2016).

dafür, dass diese Umwelten einander verborgen bleiben, weil sie planmäßig so in die Umgebung eingepasst sind, dass Anpassung unnötig ist. Evolution ist aus diesem Grund überflüssig. Die aus ihr folgende, zufällige und planlose Ordnung der Natur ist mit der Umweltlehre nicht vereinbar. Während evolutionär angepasste Lebewesen von ihrer Umgebung geprägt werden und ihr passiv unterworfen sind, bringen im Sinne Uexkülls eingepasste Lebewesen ihre Umwelt aktiv hervor. Analog transportiert der Begriff des *milieus* für Uexküll liberales und demokratisches Gedankengut, weil er ein deterministisches Verhältnis der Umgebung zum passiv geprägten Individuum impliziert, diesem also keinerlei Eigenständigkeit zubilligt. Deshalb grenzt Uexküll das *milieu* vom deutschen Begriff der Umwelt ab, der gegen die Demokratie gewappnet sei und als einziger Umgebungsbegriff die Planmäßigkeit erfassen könne.[20] In der Umwelt bestimme das Subjekt und sei nicht äußeren Kräften unterworfen. Gleichzeitig entbehrt, wie das folgende Kapitel zeigt, die hiermit aufgebrachte Vorstellung von Subjektivität jeder Spontanität und fällt selbst mit dem naturgegebenen Prinzip der Planmäßigkeit in eins.[21] In Uexkülls Umwelt treffen sich damit subjektivistisch-relativistische und deterministische Denkfiguren. Und zwar nicht, um sich gegenseitig abzuschwächen. Die beiden, scheinbar gegenläufigen Tendenzen sind in diesem Konzept auf die Spitze getrieben. Uexkülls Planmäßigkeit lässt das Leben gleichzeitig als radikal subjektivistisch und als völlig determiniert erscheinen.

Uexküll setzt seine Lehre damit auf ein grundsätzlich anderes Fundament als die zu dieser Zeit ebenfalls diskutierten Erklärungsmodelle der Ordnung von Kontingenz durch Naturgesetze

20 Vgl. Wolf Feuerhahn, „A Specter Is Haunting Germany – the French Specter of Milieu: On the Nomadicity and Nationality of Cultural Vocabularies," *Contributions to the History of Concepts* 9, Nr. 2 (2014).

21 Das Zusammenfallen von Uexkülls „Subjekt" mit seiner „Planmäßigkeit" betont auch Maurizio Esposito, „Kantian Ticks, Uexküllian Melodies, and the Transformation of Transcendental Philosophy," in *Jakob von Uexküll and Philosophy: Life, Environments, Anthropology*, hrsg. v. Francesca Michelini und Kristian Köchy (London: Routledge, 2020), 39.

oder der Veränderung von Arten durch evolutionären Zufall. Die Planmäßigkeit ist in allen Erscheinungsformen der Natur präsent und ihre Erkenntnis das eigentliche Ziel der Biologie. Sie steht in Kontrast zur angeblichen Planlosigkeit des Darwinismus, welche die Ordnung der Natur nicht erklären könne. Sie fungiert mithin als das, was Julian Jochmaring einen „vitalistischen Joker"[22] nennt, denn sie gibt allem seinen Ort innerhalb der Ordnung der Natur, die ihrerseits nur aus der Beobachtung der Einpassung der Lebewesen erschlossen werden kann.

Die Planmäßigkeit herrscht nicht nur über die Erscheinungsformen der Natur, sondern bestimmt auch die gesellschaftlichen Organisationsformen des Menschen. Uexkülls *Staatsbiologie – Anatomie, Physiologie, Pathologie des Staates* erscheint 1920 in der ersten Fassung als separater Anhang zu Uexkülls Buch *Theoretische Biologie*, das bereits ein Kapitel über den Staat als Organismus enthält. Die *Staatsbiologie* ist ein Projekt der Naturalisierung, das nicht nur alle Institutionen zu Organen innerhalb eines Staatskörpers erklärt, sondern auch Verhältnisse zwischen Klassen, Ethnien und Geschlechtern als natürliche und damit planmäßige Gegebenheiten versteht. Das Buch nimmt seinen Ausgangspunkt von einer Pathologie des Verfalls in einer aus der Planmäßigkeit ausbrechenden Gesellschaft. An diesem Buch zeigen sich alle Gefahren biologistischer Übertragungen biologischer auf gesellschaftliche Sachverhalte – und insbesondere der Planmäßigkeit als Ordnungsversprechen, das Uexküll auch als „Weltmacht"[23] bezeichnet.

Die *Staatsbiologie* entwirft einen reaktionären Organizismus, in dem der Staat als Lebewesen mit einem monarchischen Oberhaupt als Gehirn präsentiert wird, dem unterschiedliche Stände als ausführende Organe unterstellt sind. Die von Uexküll

22 Julian Jochmaring, „Im gläsernen Gehäuse: Zur Medialität der Umwelt bei Uexküll und Merleau-Ponty," in *Gehäuse: Mediale Einkapselungen*, hrsg. v. Christina Bartz et al. (München: Fink, 2017), 261.

23 Jakob von Uexküll, „Biologische Briefe an eine Dame, Brief 4–12," *Deutsche Rundschau*, Nr. 179 (1919): 281.

propagierte Hierarchie des Staates ist biologisch begründet. Entsprechend versucht die *Staatsbiologie* – brisant zugespitzt in der zweiten Auflage von 1933 – den Staat wie die Natur zurück in einen Zustand zu führen, in dem alles wie in einem „vielgestaltige[n] Wabenwerk von Umweltzellen"[24] organisiert ist. In dieser statischen, aber planmäßigen Ordnung sind alle Veränderungen des Ortes einer Umwelt Gefährdungen der Stabilität. Die Anatomie des Staates besteht für Uexküll in einer streng geordneten Hierarchie der Berufe, die idealiter nicht nur einem Status in einer angestrebten ständischen Ordnung entspricht,[25] sondern als Kette von Umwelten verstanden wird: Jeder Bürger – Uexküll spricht nur von Männern – hat innerhalb des Staatsorganismus eine spezifische Aufgabe – und zwar nur diese. Jeder hat seinen definierten Ort und muss an diesem bleiben, um den Fortbestand des Staates nicht zu gefährden. Jeder Beruf besitzt demnach eine eigene Merk- und Wirkwelt, die ihn inkompatibel mit anderen Positionen macht: „Vergleicht man eine jede Umwelt, die je ein einzelnes, menschliches Individuum umschließt, mit der Zelle einer Honigwabe, so bildet das ganze Organ ein riesiges Wabenwerk, an dem kein Baustein vernichtet werden darf. [...] Die Frage ist nur, ob man die einzelnen Individuen, die in den verschiedenen Umwelten drinstecken, wie der Honig in den Waben, miteinander vertauschen kann, ohne daß das Ganze Schaden erleidet."[26] Uexkülls Antwort auf diese Frage lautet: Nein. Die Organisation des Staates, die notwendigerweise auf eine monarchische Umwelt in ihrem Mittelpunkt ausgerichtet sei,[27] bildet in diesem Sinn die Umgebung der individuellen

24 Jakob von Uexküll, *Staatsbiologie: Anatomie – Physiologie – Pathologie des Staates*, 1. Auflage (Paetel: Berlin, 1920), 24.

25 Die Standesgesellschaft wird – wie auch die Ganzheitlichkeit des Staatsorganismus – zeitgleich auch in anderen Staatskonzepten der ‚konservativen Revolution' propagiert, etwa von Othmar Spann (vgl. Othmar Spann, *Der wahre Staat – Vorlesungen über Abbruch und Neubau des Staates* (Leipzig: Quelle und Meyer, 1921)).

26 Uexküll, *Staatsbiologie*, 1920, 21.

27 Ebd., 23.

Umwelten und gibt ihnen ihren angestammten und unveränderlichen Ort. Ein Berufswechsel ist eine Verletzung der Aufgaben, die jeder einzelne im Organismus des Staates hat. Versuche, den angestammten Ort zu verlassen, sind biologisch unmöglich und gefährden den Staat. Der Bäcker backt, der Schneider näht und der Minister regiert. „Ein jeder von ihnen lebt in einer anderen Berufswelt, in die er langsam hineinwächst und die schließlich so eng zu ihm gehört wie sein eigener Körper."[28] Die Familie ist dabei die biologische Voraussetzung für die Fortexistenz des Staates.

Entsprechend beschwört Uexküll angesichts der Pressefreiheit und dem konstatierten Ruin des Pflichtbewusstseins ein Verfallsszenario der Staatsorgane herauf. Die *Staatsbiologie* impliziert mithin eine gesellschaftliche Komplexität ohne Aushandlung oder Vermittlung, indem sie die Abgeschlossenheit der Umwelten und die damit verbundene Subjektivität zum Ordnungsmodell erhebt, das die Planmäßigkeit der Natur als Ordnung aller Umwelten auch auf gesellschaftlicher Ebene manifestiert. Diese Ordnung ist unmittelbar: Jede Vermittlung, jede Aushandlung, jede Wahl, also Demokratie, würde sie stören: „Dem Staat, der in festen Naturbegebenheiten wurzelt, Gesetze vorschreiben zu wollen, ist kindisch. Seine Gesetzmäßigkeit kann man wohl erforschen, aber nicht ändern."[29] Da Austausch zwischen den abgeschlossenen Umwelten nicht direkt möglich ist, kommt dieser Staat ohne auf der Basis von individuellen Interessen gebildeten Gemeinschaften aus – Uexkülls Angriffe auf die freie Presse als „größte[m] Feind"[30] der Gesellschaft zeigen deren Bedrohungspotential für diese Ordnung. Die ökonomischen Funktionen von Arbeit und Eigentum, auch Theorien des Gesellschaftsvertrags und gewerkschaftliche Organisationsformen, spielen für Uexküll keine Rolle.

28 Jakob von Uexküll, „Die Universitäten als Sinnesorgane des Staates," *Ärzteblatt für Sachsen, Provinz Sachsen, Anhalt und Thüringen* 13, Nr. 1 (1934): 145.

29 Jakob von Uexküll, „Die Biologie des Staates," *Nationale Erziehung* 6, Nr. 7/8 (1925): 180.

30 Uexküll, *Staatsbiologie*, 1933, 67.

An ihre Stelle tritt der organische „Stoffwechsel mit seiner Funktionsregel“[31]. Solidarität erscheint daher als Versuch, kollektiv aus der planmäßig gegebenen Position auszubrechen. Die Masse ist gefährlich, weil sie aus ihren Umwelten herausdrängt. Gefordert und gleichzeitig als naturgegeben vorausgesetzt ist stattdessen eine Einpassung in die ständische Ordnung. So ruft Uexküll das Bild der Menschenkette auf, durch deren Hände etwa das Korn auf dem Land geht, um als Brot in der Stadt anzukommen. Nur die Kette gibt den Umwelten der einzelnen Berufe ihren Raum – im Gegensatz zur Masse, in der jeder ständig seinen Ort wechselt und keine Ordnung realisiert werden kann. Für die bürgerliche Republik hat Uexküll nur Verachtung übrig.

In dieser Konvergenz von Naturgegebenem und gesellschaftlich Gefordertem zeigt sich Uexküll als Biologe der ‚konservativen Revolution'. Weil die Subjekte ihren Ort nicht verlassen können und sollen, ihr Sein und Denken nicht verändern und sich auch nicht diskursiv auf irgendetwas einigen können, braucht es den Staat als Instanz einer höheren, mit eigenen, planmäßigen (und also in Uexkülls Sinn „subjektiven“) Gesetzen ausgestatteten Ebene, von welcher der Zugriff auf die Umgebung der Umwelten ausgeht. Die Planmäßigkeit können nur Monarchen sowie ihm nahestehende adlige Staatsbeamte gewährleisten. „Daraus ergibt sich, dass notwendigerweise die einzige Organisationsform, die jeder Staat aufweisen muss, die Monarchie ist.“[32] Der Monarch stellt damit das Pendant des in seiner jeweiligen Umwelt uneingeschränkt herrschenden Subjekts dar. Demokratie ist für Uexküll aus biologischen Gründen eine unmögliche und aus politischen Gründen eine ungeeignete Staatsform.

Damit spricht Uexküll 1920 dem Staat – und damit dem Ganzen – den Primat gegenüber dem Volk zu. Während sich das Volk aus Familien-Umwelten zusammensetzt, besteht der Staat aus Berufs-Umwelten. Die Unterscheidung von Volk und Staat hebt

31 Ebd., 67.

32 Uexküll, *Staatsbiologie*, 1920, 18.

Uexküll in den ab 1933 an die Neuauflage der *Staatsbiologie* anschließenden Arbeiten zugunsten der ,Totalität des Staates' tendenziell auf. In ihr wirken Volk und Staat als organische Einheit zusammen. Weil die „Insassen der Staatswaben nur einen Bruchteil ihres Lebens in ihren beruflichen Umwelten verbringen"[33], sind Volk und Staat zwar nicht identisch. Beides zusammenwirken zu lassen aber ist die Aufgabe eines organischen und ,totalen' Staates.

Auf den ersten Blick bietet sich eine biographische Erklärung dieser Ideen an. Uexküll war als vertriebener baltischer Landadeliger und ehemaliger feudaler Großgrundbesitzer „Mitglied einer Herrschaftsschicht, die nach innen einen mittelalterlichen Ständestaat zu erhalten suchte und sich nach außen allein am absolutistischen Herrschaftsprinzip der zaristischen Autokratie orientierte"[34]. Das in seinen Schriften immer wieder hervortretende Selbstverständnis ist von dieser gesellschaftlichen Position – und der Schmach ihres Verlustes – geprägt. Eine rein biographische Erklärung kann die enge epistemologische Verschränkung der holistischen Umweltlehre mit einer bestimmten Ausprägung des Nationalsozialismus und die von Mildenberger konstatierte „zunehmend rechtskonservative Haltung"[35] Uexkülls in den 1920er Jahren jedoch nicht hinreichend erklären – dafür braucht es die in diesem Buch vorgeschlagene, wissenshistorische Perspektivierung.

33 Ebd., 24.

34 Florian Mildenberger und Bernd Herrmann, „Nachwort," in *Umwelt und Innenwelt der Tiere*, 269. In Folge der Russischen Revolution und des Ersten Weltkriegs verliert Uexküll die Familienbesitztümer im Baltikum und seine Ersparnisse. Mildenbergers und Herrmanns naheliegende, aber nicht ausreichende Erklärung lautet, dass der Verlust der materiellen Basis in der Zwischenkriegszeit zu einer zeitweisen Radikalisierung seines Antisemitismus geführt haben (Mildenberger, *Umwelt als Vision*, 241). Auch Harrington leitet aus der Biographie Uexkülls seinen Antisemitismus und seine Ablehnung der Demokratie ab (vgl. Harrington, *Reenchanted Science*, 38f).

35 Mildenberger, *Umwelt als Vision*, 110.

Erst so wird einsichtig, dass Uexküll seine Verachtung gegenüber demokratischen und egalitären Organisationsformen, seinen „Ekel [...] beim Anblick des politischen Meinungskampfes in Presse und Parlament"[36] nicht nur politisch, sondern biologisch begründet. Demokratie ist demnach biologisch dysfunktional, weil sie der organischen Ganzheit des Staates widerspricht. Die demokratische Gleichheit aller Individuen ist mit der von Uexküll propagierten organischen Ordnung (und das heißt: der ständischen Hierarchie) nicht vereinbar, in der jeder Teil eine spezifische Aufgabe hat, die nur am jeweiligen Ort geleistet werden kann: „Man kann auf einer Orgel, die aus lauter gleichen Orgelpfeifen besteht, keine Symphonie spielen, weil alle den gleichen Ton von sich geben. Ebenso kann man aus einem Volke, das aus lauter ähnlichen Individuen besteht, keinen Staat schaffen."[37] Da sie sich auf Tatsachen und nicht auf Meinungen stützt, affirmiert Uexküll bereits 1923 die „aristokratische Weltanschauung der modernen Wissenschaft. [...] Wir sind waschechte Aristokraten geworden, indem wir uns nur der Führung der Besten und nicht mehr der Mehrheit anvertrauen."[38] Dass Uexküll hier Wissensproduktion mit politischen Begriffen erklärt, zeigt, dass sein Aristokratismus keine von seinem wissenschaftlichen Selbstverständnis trennbare Angelegenheit ist. Eine demokratische Vereinnahmung der Wissenschaft ist für Uexküll nur als Herrschaft des Pöbels denkbar. In diesem Sinne fordert er die stete Unterordnung unter die Autorität: „Wo in aller Welt gibt es ein gemeinsames Arbeiten gleicher oder freier Faktoren? Zwang und Unterordnung sind die Grundbedingungen jedes gedeihlichen Zusammenwirkens."[39] Diese Hierarchie wiederum kann nur durch eine organische Ordnung gesichert werden, wie sie die Staatsbiologie entwirft,

36 Uexküll, „Die Biologie des Staates," 181.

37 Uexküll, „Volk und Staat," 62.

38 Jakob von Uexküll, „Die Aristokratie in Wissenschaft und Politik," *Das Gewissen*, 5. März 1923, 9: 1.

39 Ebd.

um letztlich „die Demokratie dem wohlverdienten Fluche der Lächerlichkeit"[40] preiszugeben.

Mit dem gleichen Argument protestiert Uexküll 1918 gegen das allgemeine Wahlrecht zur Wahl der verfassungsgebenden Nationalversammlung im Januar 1919. Er begründet seine Ablehnung damit, dass die „gewählten Männer weder Volksvertreter noch Staatsvertreter" sind: „Sie sind weiter nichts als Massenvertreter."[41] Demokratie führt nur zum Chaos der Massen, die „durch kein gemeinsames Ideal, kein gemeinsames Heiligtum zu einem Ganzen verbunden sind"[42] und daher keinen stabilen Staat und kein starkes Volk repräsentieren können. Das Wahlgesetz ist „völlig blind für das Gefüge des Staatskörpers und kann daher nur Unheil anstiften".[43] Die wählende Masse gleicht „einem gehirnlosen Tiere, das die Dummheit in ihrer reinsten Form verkörpert."[44] Erst die *Staatsbiologie*, die Uexküll zwei Jahre später entwirft, könne die organische Ordnung der Stände und Umwelten im Staat und im Volk ganzheitlich herleiten und so – als Vorbild der Politik – zu politischer Stabilität führen. Folgerichtig verweigert sich Uexküll dem ‚Massenritual' der Wahl – aus biologischen Gründen: „Deshalb fordern die Biologen eine Ausnahmeklausel im Wahlgesetz, in dem sie nur ein frivoles Attentat auf das Leben des Staates erblicken können. Sich durch die Ausübung des Wahlrechtes zu Mitschuldigen zu machen, verbietet ihnen ihr Gewissen."[45]

Die Gefahren des Biologismus treten an diesen Beispielen aus den politisch-biologischen Schriften Uexkülls deutlich hervor. Er fundiert seine Forderungen nicht normativ, sondern stets mit

40 Ebd.

41 Jakob von Uexküll, „Biologie und Wahlrecht," *Deutsche Rundschau* 174, Nr. 1 (1918): 202.

42 Jakob von Uexküll, „Trebitsch und Blüher über die Judenfrage," *Deutsche Rundschau*, Nr. 193 (1922): 97.

43 Uexküll, „Biologie und Wahlrecht," 202.

44 Ebd., 203

45 Ebd.

Verweis auf die von ihm untersuchten biologischen Sachverhalte: aus Forderungen Uexkülls werden Forderungen der Natur. Die *Staatsbiologie* ist nicht nur ein normativer politischer Entwurf (bzw. die daraus resultierende Pathologie des existierenden Staates). Sie erhebt den Anspruch, den Staat als biologisches Gefüge zu beschreiben, das der gleichen Planmäßigkeit unterworfen ist wie die Natur. Während in dieser die unvergleichlichen Umwelten aller Lebewesen miteinander fortbestehen, kann ein lebensfähiger, d.h. organischer Staat nur existieren, wenn er sich diese Planmäßigkeit zum Vorbild nimmt und sie als biologische Ordnung realisiert.[46] Andernfalls muss er – so das Gesetz des Lebens – zugrunde gehen. Alle Abweichungen von dieser Ordnung sind Gefährdungen des Lebens des Ganzen.

So wie die These der Unvereinbarkeit der Welt des Bäckers und der Welt des Ministers der Umweltlehre entspringt, so ist auch die Lebensfähigkeit eines Staates von der Beachtung der Unvereinbarkeit unterschiedlicher Umwelten abhängig. Diese Unvereinbarkeit wiederum resultiert in der planmäßigen Ordnung aller Umwelten an ihren Orten. Uexkülls Schriften sind von einem Ordnungsversprechen durchzogen, dem zufolge alles seinen Ort hat. Wenn alles seinen Ort hat, folgt aus diesem Versprechen auch, dass das, was sich nicht am richtigen Ort befindet, verschwinden muss, um die Ordnung nicht zu gefährden. Eine identitäre Logik ist, wie sich zeigen wird, die Folgen dieses Ordnungsversprechens. Diese Prämisse hat konkrete politische Forderungen zur Folge, die in der Neuauflage der *Staatsbiologie* von 1933 explizit werden und Uexkülls Mitarbeit im Ausschuss für Rechtsphilosophie zugrunde liegen.

46 Wie Jonathan Beever und Morten Tønnessen gezeigt haben, unterläuft Uexküll mit der egalitären Beschreibung der Gleichwertigkeit aller Umwelten das methodische Problem normativer Ableitungen aus biologischen Beobachtungen, setzt an deren Stelle aber das nicht minder problematische Konzept der Planmäßigkeit (vgl. Jonathan Beever und Morten Tønnessen, „‚Darwin und die englische Moral‘: The Moral Consequences of Uexküll's Umwelt Theory," *Biosemiotics* 6, Nr. 3 (2013): 443).

Dieses Ordnungsversprechen kann man selbst als Umgebungskonzept verstehen: Eine Umgebung – dies ist schon im antiken Begriff *periechon* für *um etwas herum* angelegt – ist nicht nur ein Raum, der sich um etwas herum befindet, sondern gibt dem, was sie umgibt, seinen Ort, indem sie dieses umgibt.[47] Die Dyade von Umgebendem und Umgebenem – bei Uexküll von Umwelt und Subjekt – ist eine Relation, in der die eine Seite so auf die andere Seite bezogen ist, dass ihr natürliches Verhältnis den Ort des Umgebenen bestimmt. Uexkülls Umweltlehre formuliert dieses Ordnungsprinzip der auf eine spezifische Weise umgebenden und damit ortsgebenden Umwelt für die Biologie und für die Politik aus – im Rahmen einer Epistemologie des Umgebens, in der das umgebene Subjekt seine Umwelt hervorbringt und damit durch seine biologische Ausstattung den eigenen Ort planmäßig einnimmt. Zwar gibt es, dieser Gedanke wird um 1933 in den Schriften Uexkülls explizit, kein Lebewesen ohne Umwelt, aber es gibt sehr wohl Menschen, die nicht am richtigen Ort sind, die also mit ihrer Umwelt nicht an den Ort passen, an dem sie sich befinden: die Juden.

3. Uexküll und der Nationalsozialismus

Das in der Umweltlehre angelegte, vom Subjekt her gedachte Ordnungsversprechen stellt eine gesellschaftliche wie biologische Welt in Aussicht, in der das Ganze über seinen Teilen steht, deren Ort im Ganzen aber nur bestimmt werden kann, weil die Teile planmäßig geordnet sind. Dieser Ansatz ist tief in einer Zeit verankert, in der Ordnung zum zentralen gesellschaftlichen Thema wird. Die holistischen und vitalistischen Theorien, die im deutschsprachigen Raum in der Zwischenkriegszeit unter beständigem

47 Vgl. Leo Spitzer, „Milieu and Ambiance," in *Essays in Historical Semantics* (New York: Vanni, 1948) sowie Werner Hamacher, „Amphora (Extracts)." *Assemblage* 20, April (1993). Für Spitzer ist diese räumliche Dimension des Umgebens im Zuge der neuzeitlichen wissenschaftlichen Untersuchung der kausalen Wechselwirkungen zwischen beiden Seiten in den Hintergrund gerückt, womit die ‚Wärme' und ‚Tiefe' von *periechon* verloren gegangen sei.

Rückgriff auf ältere, naturphilosophische und biologische Ganzheitsvorstellungen entstehen, sind Teil dieser historischen Situation und bieten durch ihre Weltanschauung Lesarten der zeitgenössischen Gegenwart ebenso an wie Lösungen für die Zukunft. Mit ihrer Abneigung gegen Liberalismus und Individualismus sowie ihrem strukturellen Konservatismus kann sich die holistische Tradition nicht ausreichend gegen totalisierende oder gar totalitäre Gesten, gegen die Ausblendung von Differenzen und somit auch nicht gegen die völkischen Konzepte nationalsozialistischer Biologie wappnen.[48] Auch Uexküll unterliegt gerade in den frühen 1920er Jahren der „Verzauberungskraft, die von völkischen Idealen auf die holistischen und romantischen Tendenzen der Wissenschaft in Deutschland zu Beginn des 20. Jahrhunderts ausging"[49]. Zwar schwächt sich diese Begeisterung, wie Mildenberger gezeigt hat, zwischen 1925 und 1933 ab und Uexküll verfolgt das Projekt einer Staatsbiologie zu dieser Zeit auch nicht weiter.[50] Doch da er diese Gedanken in das Fundament der Umweltlehre einbaut, können sie 1933 mit neuer Vehemenz zurückkehren. Am Beispiel Uexkülls zeigt sich, dass zwischen Holismus und Nationalsozialismus in den 1930er Jahren häufig Wahlverwandtschaften bestehen.[51] Ganzheitliches Denken muss

48 Vgl. Änne Bäumer, *NS-Biologie* (Stuttgart: S. Hirzel, 1990); Jozef Keulartz, *Struggle for Nature: A Critique of Radical Ecology* (London: Routledge, 1998); Harrington, *Reenchanted Science*; Mitchell G. Ash, *Gestalt Psychology in German Culture, 1890–1967: Holism and the Quest for Objectivity* (Cambridge: Cambridge University Press, 2007). Zum Holismus im Allgemeinen vgl. D. C. Phillips, „Organicism in the Late Nineteenth and Early Twentieth Centuries," *Journal of the History of Ideas* 31, Nr. 3 (1970) sowie Garland E. Allen, „Mechanism, Vitalism and Organicism in Late Nineteenth and Twentieth-Century Biology: The Importance of Historical Context," *Studies in History and Philosophy of Science Part C: Studies in History and Philosophy of Biological and Biomedical Sciences* 36, Nr. 2 (2005).

49 Andreas Weber, *Die Natur als Bedeutung* (Würzburg: Königshausen & Neumann, 2003), 78.

50 Vgl. Mildenberger, *Umwelt als Vision*, 111.

51 Auf diese Nähe haben Marco Stella und Karel Kleisner bereits 2010 deutlich hingewiesen. Die neue Quellenlage erlaubt es, ihre Warnungen zu schärfen (vgl. Marco Stella und Karel Kleisner, „Uexküllian Umwelt as Science and as

nicht notwendigerweise faschistisch werden und faschistisches Denken ist keineswegs notwendigerweise ganzheitlich. Beide zeigen aber eine Neigungstendenz. Diese Beobachtung legt mit Blick auf die Gegenwart besondere Vorsicht nahe.

3.1 Ideologien des Holismus

1933 – im Jahr der überarbeiteten Neuauflage der *Staatsbiologie* – unterzeichnet die Riege der bedeutenden deutschen Holisten das *Bekenntnis der Professoren an den deutschen Universitäten und Hochschulen zu Adolf Hitler und dem nationalsozialistischen Staat*: der Jan Smuts-Herausgeber Adolf Meyer-Abich, der vor und nach dem Krieg eine außerplanmäßige Professur für Philosophie und Geschichte der Naturwissenschaft in Hamburg innehat und mit Uexküll befreundet ist[52], Richard Woltereck[53], Hermann Weber, seit 1933 Mitglied der NSDAP und Vorstand des Reichsbunds für Biologie, sowie Jakob von Uexküll.[54] Wie ein Blick auf die Schriften

Ideology: The Light and the Dark Side of a Concept," *Theory in Biosciences* 129, Nr. 1 (2010) sowie E. Scheerer, „Organische Weltanschauung und Ganzheitspsychologie," in *Psychologie im Nationalsozialismus*, hrsg. v. C. F. Graumann (Berlin: Springer, 1985)).

52 Vgl. Brentari, *Jakob von Uexküll*, 35. Zu den Verbindungslinien, aber auch Brüchen zwischen Meyer-Abichs Holismus und dem Nationalsozialismus vgl. Kevin S. Amidon, „Adolf Meyer-Abich, Holism, and the Negotiation of Theoretical Biology," *Biological Theory* 3, Nr. 4 (2008) sowie Ryan Dahn, „Big Science, Nazified? Pascual Jordan, Adolf Meyer-Abich, and the Abortive Scientific Journal Physis," *Isis* 109, Nr. 4 (2018).

53 Vgl. Richard Woltereck, *Grundzüge einer allgemeinen Biologie: Die Organismen als Gefüge/Getriebe, als Normen und als erlebende Subjekte* (Stuttgart: Enke, 1932). Zu Woltereck ausführlich Jonathan Harwood, „Weimar Culture and Biological Theory: A Study of Richard Woltereck (1877–1944)," *History of Science* 34, Nr. 3 (1996) sowie Sabine Brauckmann, „From the Haptic-Optic Space to our Environment: Jakob von Uexküll and Richard Woltereck," *Semiotica* 134, Nr. 1/4 (2001).

54 Die Frage, ob die genannten Biologen Nationalsozialisten waren und zu jedem Zeitpunkt hinter dem Regime standen, ist dabei nebensächlich, denn sie lenkt den Blick weg von der Anschlussfähigkeit ihrer Thesen an die Ideologie dieser Zeit. In den Worten Thomas Potthasts: „Die ‚synthetische' Vision der Ökologie passte sich mittels Bezügen zur Biologie als Weltanschauung und vor allem durch Gleichsetzung von ‚Lebensgemeinschaft

der genannten Professoren zeigt, handelt es sich dabei nicht nur um Opportunismus. Karl Friederichs spricht 1937 in Ökologie als Wissenschaft von der Natur oder biologische Raumforschung von der Verbundenheit des Volkes mit seinem Raum und bezeichnet die Ökologie als „Lehre von Blut und Boden“[55]. Ähnliche Gedanken äußert August Thienemann, der nicht als Unterzeichner des *Bekenntnisses* geführt wird, aber seinen Holismus auf die Linie des Nationalsozialismus bringt. Er verwandelt – mit direktem Bezug auf Uexküll – die ökologische Prämisse, dass man Organismen nur in ihrem Wechselspiel miteinander sowie mit ihrer Umgebung erklären kann, ebenfalls in eine Lehre von ‚Blut und Boden‘ und sieht darin einen Schritt zur Verwirklichung einer nationalsozialistischen Biologie: „Wenn es heute heißt: ‚Die Biologie ist ein Kernstück der nationalsozialistischen Weltanschauung‘, so bedeutet das für den Biologen nicht nur Freude über die Anerkennung einer lang erstrebten Position, sondern vor allem ernste, schwere Aufgabe.“[56] Analog schreibt Weber 1942 mit Bezug auf Uexküll: „Das Begriffspaar ‚Organismus und Umwelt‘ [...] bedeutet

und Lebensraum‘ mit ‚Blut und Boden‘ und dem Beharren auf ‚Gemeinschaft als Lebensform der Natur‘ in den Nationalsozialismus ein, ohne sich auf der theoretischen Ebene dem biologistisch-deterministischen Rassismus vollständig anzuschließen.“ (Thomas Potthast, „Wissenschaftliche Ökologie und Naturschutz: Szenen einer Annäherung,“ in *Naturschutz und Nationalsozialismus*, hrsg. v. Joachim Radkau und Frank Uekötter (Frankfurt: Campus, 2003), 238.) Ute Deichmann betont, dass es – im Gegensatz zu anderen Wissenschaften – in der Biologie zu keinem massenhaften Exodus etablierter Forscher kam, weil sich weite Teile des Faches der neuen Ausrichtung anschlossen (vgl. Ute Deichmann, *Biologen unter Hitler: Porträt einer Wissenschaft im NS-Staat* (Frankfurt am Main: Fischer, 1995)).

55 Karl Friederichs, *Ökologie als Wissenschaft von der Natur oder biologische Raumforschung* (Leipzig: Barth, 1937), 91. Vgl. zu einer historischen Einordnung Friederichs vgl. Deichmann, *Biologen unter Hitler*, 124.

56 August Thienemann, *Leben und Umwelt* (Leipzig: Barth, 1941), 74. 1956 erscheint, wie Thomas Potthast gezeigt hat, August Thienemanns 1939 erstmals veröffentlichtes Buch *Grundzüge einer allgemeinen Ökologie* um zahlreiche in der NS-Rhetorik gehaltene Abschnitte gekürzt in der Reihe *Rowohlts Deutsche Enzyklopädie* (vgl. Thomas Potthast, „Wissenschaftliche Ökologie und Naturschutz,“ in *Naturschutz und Nationalsozialismus*, 252 sowie Kurt Jax, „‚Organismic‘ Positions in Early German-Speaking Ecology and its (Almost)

in der Sprache der Biologen nichts anderes als in der Sprache der Politik das Wort von ‚Blut und Boden', also keine Antithese, sondern im Gegenteil den Ausdruck eines engen Zusammenhangs, eines naturnotwendigen und gesetzmäßigen Ineinandergreifens zweier höchst komplexer Gefüge."[57] Hans Böker, der an einer holistischen Anatomie-Lehre arbeitet, wird 1934 Fördermitglied der SS.[58] Meyer-Abich verkündet 1939, dass der Holismus „das Erkenntnisprogramm unserer Generation am klarsten zu umreißen in der Lage ist", die an „entscheidenden Wendepunkten der abendländischen Geistesgeschichte" stehe.[59]

Der deutschsprachige Holismus der Jahre vor dem Krieg fordert, alle individuellen Interessen dem Ganzen unterzuordnen – ob in der Biologie oder der Politik. Eine solche Sprache der Ganzheit versuchen die holistischen Biologen und Ökologen der Zwischenkriegszeit der Politik mehr oder weniger aktiv bereitzustellen. Auch Uexküll bietet mit der Neuauflage seiner *Staatsbiologie* seinen Konservatismus als ganzheitliche Weltanschauung für

Forgotten Dissidents," *History and Philosophy of the Life Sciences* 42, Nr. 4 (2020): 9).

57 Hermann Weber, „Organismus und Umwelt," *Der Biologe*, Nr. 11 (1942): 57. Vgl. zu Weber ausführlich Stella und Kleisner, „Uexküllian Umwelt as Science and as Ideology".

58 Vgl. Alejandro Fábregas-Tejeda, Abigail Nieves Delgado und Jan Baedke, „Reconstructing ‚Umkonstruktion': Hans Böker's Organism-Centered Approach to Evolution," *Classics in Biological Theory*, Nr. 16 (2021).

59 Adolf Meyer-Abich, „Hauptgedanken des Holismus," *Acta Biotheoretica* 5, Nr. 2 (1940): 89f. Zu dieser Zeit ist Meyer-Abich in Ciudad Trujillo am Deutsch-Dominikanischen Institut in der Dominikanischen Republik tätig und möchte die ehemaligen Kolonien, deren Lebensräume er erforscht, mit einer neuen Generation von Wissenschaftlern in naher Zukunft wieder besetzen, wie er in einem Bericht an das Kolonialpolitische Amt der NSDAP schreibt: „Nun ist gewiß mit gutem Grund, nämlich um der Verschleuderung wertvollen deutschen Blutes vorzubeugen, vor Jahren von kompetenter Seite einmal der Standpunkt vertreten worden, daß von deutscher Seite aus nur verheiratete Beamte in die Kolonien geschickt werden dürften." Meyer-Abich, Adolf: „Gedanken über die Organisation der wissenschaftlichen Forschung in den Kolonien," 12. November 1940, zitiert nach: Deichmann, *Biologen unter Hitler*, 106.

die neue Bewegung in der Hoffnung an, dass in der politischen Konstellation des Nationalsozialismus biologisches Wissen zur Grundlage politischer Entscheidungen werde.

Der Nationalsozialismus ist für die genannten Holisten, die das Feld der wissenschaftlichen Auseinandersetzung in Deutschland dominieren, zumindest Mitte der 1930er Jahre ein Versprechen auf eine von Demokratie, Individualismus und Liberalismus gereinigte Zukunft, in der das Ganze über dem Einzelnen steht. Für den Nationalsozialismus ist der Holismus attraktiv, weil er ein Gegenmodell zum als jüdisch verstandenen mechanistischen Konzept der Natur anbietet.[60] Dass die Nationalsozialisten mit dem Reichsjagdgesetz von 1934 und dem Reichsnaturschutzgesetz von 1935 versuchen, durch eine in ihren Maßnahmen durchaus innovative Naturpolitik (von „Umwelt" ist dabei noch keine Rede) Natur und Volk zusammenzudenken, ist historisch bereits gut untersucht.[61] Die Nationalsozialisten haben, darauf weisen Ludwig Trepl und Anette Voigt hin, den Naturschutz nicht erfunden, sondern ihn als eine bestehende konservative Bewegung inkorporiert. Der Naturschutz des Nationalsozialismus ist darauf ausgelegt, ‚Heimat' durch die Umwandlung annektierter Gebiete herzustellen. Er muss daher mit der Idee einer unveränderlichen und gegebenen ‚Heimat' brechen: „Spezifisch nationalsozialistisch war also nicht die Idee des Heimatschutzes, sondern die Idee des Herstellens von deutschen Heimatlandschaften in eroberten Gebieten."[62] Auf der Grundlage der ‚Blut und Boden'-Ideologie

60 Vgl. ausführlich Harrington, *Reenchanted Science.*

61 Vgl. zur Umweltpolitik des Nationalsozialismus Anna Bramwell, *Blood and soil: Richard Walther Darré and Hitler's Green Party* (Abbotsbrook: Kensal Press, 1985); Joachim Radkau und Frank Uekötter, Hrsg., *Naturschutz und Nationalsozialismus* (Frankfurt: Campus, 2003) sowie Franz-Josef Brüggemeier, Mark Cioc und Thomas Zeller, Hrsg., *How Green Were the Nazis? Nature, Environment, and Nation in the Third Reich* (Athens: Ohio University Press, 2005).

62 Ludwig Trepl und Annette Voigt, „Von einer Kulturaufgabe zur angewandten Ökologie: Welche Verwissenschaftlichung hat der Naturschutz nötig?" *Jahrbuch des Vereins zum Schutz der Bergwelt* 73 (2008): 168; Hervorhebungen im Original). Da dies erst Ende der 1930er Jahre möglich wird, spielen diese

dienen die von den Nazis verabschiedeten Gesetze nicht nur dem Schutz gefährdeter Lebensräume, sondern begreifen diese stets als Lebensräume des deutschen Volkes. Die ‚Blut und Boden'-Ideologie, die das verbindende Element der sich anbiedernden Holisten ist, entsteht bereits im späten 19. Jahrhundert und begründet – etwa in den seit 1930 gestellten Forderungen des späteren Reichsministers für Ernährung und Landwirtschaft Richard Walther Darré, Blut und Boden wieder zu vereinen – die Exklusivität des deutschen Bodens für deutsches Blut.[63] Daraus wiederum folgt, dass sie von allem Fremden gereinigt werden müssen. Wie Margit Bensch betont, handelt es sich dabei nicht um eine Theorie der Anpassung an die Natur, sondern um die Forderung nach der Aneignung des natürlichen Raums durch ein gestaltendes Subjekt als Teil des Ganzen des Volkes – und genau dieser Gedankengang ist in der Umweltlehre Uexkülls enthalten.[64]

Aus der ganzheitlichen Betrachtung der Natur folgt die Notwendigkeit, alles auszuschließen, was nicht zu dieser Ganzheit gehört – mithin eine in ihren Extremformen eugenische Auslese, die sich insbesondere gegen die liberalen, ‚überzivilisierten', urbanen Lebensformen wendet, die den Boden unter den Füßen verloren hätten. Vor allem aber ist diese Denkfigur zutiefst antisemitisch, weil sie dem als ‚bodenlos' charakterisierten jüdischen Volk das Recht entzieht, auf deutschem Boden zu leben und es als parasitär beschreibt. Solche Überlegungen finden sich schon bei Autoren wie dem Philosophen Ludwig Klages, dem Architekten und späteren NSDAP-Reichstagsabgeordneten Paul

Bruchlinien bei Uexküll noch keine Rolle. Ob die nationalsozialistischen Vordenker wirklich ausschließlich so biologistisch argumentierten wie Trepl und Voigt nahelegen und nicht auch kulturalistisch, müsste an anderer Stelle weiter diskutiert werden.

63 Anne Bramwell hat die Politik Darrés als Vorläufer grüner Umweltpolitik beschrieben: Bramwell, *Blood and Soil*.

64 Vgl. Margit Bensch, „Blut und Boden: Welche Natur bestimmt den Rassismus," in *Landschaftsentwicklung und Umweltforschung*, hrsg. v. Stefan Körner et al. (Berlin: Schriftenreihe im Fachbereich Umwelt und Gesellschaft, TU Berlin, 1999).

Schultze-Naumburg oder dem Begründer des Heimatschutzes Ernst Rudorff, die heute als Vordenker der Neuen Rechten zitiert werden.[65] Sie ziehen sich aber auch – oft weniger radikal, dafür aber philosophisch abgesichert – durch die Schriften der genannten Holisten.

Auch Uexküll buchstabiert als Teil dieser anti-modernen, demokratiefeindlichen Traditionslinie diese Denkfigur in seiner Umweltlehre immer wieder aus. Er fordert 1933 ebenfalls die Unterordnung des Einzelnen unter den dann ab 1934 so genannten ‚totalen Staat', der von allen Parasiten gereinigt werden müsse. Besonders deutlich wird diese Rhetorik an seinem in den 1920er Jahren geführten Briefwechsel mit dem Rassenhygieniker Houston Stewart Chamberlain, den Anne Harrington ausführlich analysiert hat. Harrington zeigt, dass Uexküll in den unveröffentlichten Briefen zu radikaleren politischen Stellungnahmen neigt, mitunter auch zu Antisemitismus und Antizionismus, die er in seinen publizierten Schriften unter dem Deckmantel der Umweltlehre verschwinden lässt.[66]

So beschwört Uexküll 1921 in einem Brief an Chamberlain das von Juden gebildete „parasitäre Netz, das überall die staatlichen

65 Schultze-Naumburg und Rudorff gründen 1904 den *Deutschen Bund Heimatschutz*, der eine enge Verbindung mit der völkischen Bewegung pflegt und der Natur- und Heimatschutzpolitik der Nazis als Vorbild dient (vgl. Thomas Bogner, „Zur Bedeutung von Ernst Rudorff für den Diskurs über Eigenart im Naturschutzdiskurs," in *Projektionsfläche Natur: Zum Zusammenhang von Naturbildern und gesellschaftlichen Verhältnissen*, hrsg. v. Ludwig Fischer (Hamburg: Hamburg University Press, 2004)).

66 Vgl. Harrington, *Reenchanted Science*, 33ff und Jutta Schmidt, „Jakob von Uexküll und Houston Stewart Chamberlain: Ein Briefwechsel in Auszügen," *Medizinhistorisches Journal* 10, Nr. 2 (1975) sowie die Belege in Florian Mildenberger und Bernd Herrmann, „Nachwort," in *Umwelt und Innenwelt der Tiere*, 295 sowie 308f. Die von Uexküll 1928 unter dem Titel *Natur und Leben* herausgegebenen Schriften Chamberlains umfassen vor allem naturmythische Texte, die eine biologistische Gesellschaftslehre implizieren. Antidemokratismus, Antisemitismus und Ganzheitlichkeit gehen dabei Hand in Hand (vgl. Houston Stewart Chamberlain, *Natur und Leben*, hrsg. v. Jakob von Uexküll (München: Bruckmann, 1928)).

Gebilde zersetzt und die Völker in gährende [sic!] Stoffhaufen verwandelt“[67]. Die im Brief offen antisemitische Rhetorik des auszurottenden Parasiten wird in Uexkülls Schriften um 1920 erstmals aktiviert – ohne Bezug auf die Juden – und 1933 in der Neuauflage der *Staatsbiologie* nach einer Phase relativer Zurückhaltung erneut aufgerufen.

Auf den ersten Blick ist dieser Antisemitismus ambivalent, denn 1933 protestiert Uexküll in einem unbeantworteten Brief an die Witwe des 1927 verstorbenen Chamberlain, Richard Wagners Tochter Eva, gegen die Entlassung jüdischer Kollegen wie Ernst Cassirer und Otto Cohnheim bzw. Kestner aus dem Hamburger Universitätsdienst.[68] Doch wie sich zeigen wird, ist Uexkülls Eintreten für seine jüdischen Kollegen von der Umweltlehre gedeckt: Auch die Umwelten der Juden verdienen Respekt, selbst wenn sie am falschen Ort sind. Uexkülls Briefe sind Ausdruck einer keineswegs oppositionellen Haltung. Vielmehr zeigen sie die Anschlussfähigkeit der Umweltlehre an die Staatslehre des Nationalsozialismus, die ab 1933 konkret wird.

Dennoch bleiben die Anbiederungsversuche der Holisten letztlich erfolglos und ihr Ansatz – einschließlich der Umweltlehre – erreicht nie den Einfluss innerhalb der Wissenschaften des Nationalsozialismus, den sich ihre Protagonisten wünschen.[69] Die Ökologie ist zu dieser Zeit keineswegs eine etablierte Wissenschaft, sondern Angriffen von verschiedenen Seiten ausgesetzt,

67 Brief von Uexküll an Richard Chamberlain, 10. April 1921, zitiert nach Harrington, *Reenchanted Science*, 231.

68 Brief von Uexküll an Eva Chamberlain vom 5. Mai 1933, zitiert in Schmidt, „Jakob von Uexküll und Houston Stewart Chamberlain,“ 127. Kestner gilt Uexkülls Widmung in *Streifzüge durch die Umwelten von Tieren und Menschen* von 1934.

69 Mildenberger schreibt dazu: „Insgesamt ist zu vermuten, dass aufgrund der Expansionskriege des ‚Dritten Reiches‘ und der Rolle der Biologie als führende wissenschaftliche Disziplin zur Untermauerung des Staatszwecks eine statisch angelegte Umweltlehre gänzlich inakzeptabel erschien.“ Mildenberger, *Umwelt als Vision*, 202.

insbesondere aus der Experimentalwissenschaft.[70] Auch Uexküll scheint sich, wie so viele andere Protagonisten der ‚konservativen Revolution', vom Nationalsozialismus etwas anderes erhofft zu haben – populistischen Massenbewegungen steht er als Aristokrat von Beginn an skeptisch gegenüber und den nationalsozialistischen Rassebegriff sowie die Eugenik lehnt er aufgrund ihres vermeintlichen Darwinismus ab. Das hindert ihn jedoch nicht daran, sich aktiv und institutionell eingebunden an der Ausarbeitung einer nationalsozialistischen Rechtsphilosophie für einen organisch verstandenen und aus der Umweltlehre abgeleiteten ‚totalen Staat' zu beteiligen.

3.2 Die Metapher des Parasiten und die Strategien der Anbiederung

1933 überarbeitet Uexküll die 1920 erstmals erschienene *Staatsbiologie* in der Hoffnung, eine neue Leserschaft zu erschließen und die in der Zwischenzeit ausgebrochenen „völlig neue[n] Krankheiten des Staates"[71] zu untersuchen. Im besten Fall sollen diese mit Hilfe der an die Macht gekommenen neuen Bewegung geheilt werden. Die Rezepte zu dieser Heilung sind Teil der *Staatsbiologie*: Eine Umbildung des Staates, die diesen als Organismus versteht, in dem alles seinen Ort im Ganzen hat und Parasiten sowie Krankheitsherde bekämpft werden müssen. Seit 1933 bricht sich in Uexkülls Schriften erneut ein Antisemitismus Bahn, der allerdings nicht als offene Aggression, sondern als gediegene Umweltlehre daherkommt.

Die beiden Auflagen der *Staatsbiologie* sind bis auf wenige Stellen identisch. Diese neuen Aussagen verdeutlichen einige der Hoffnungen, die sich Uexküll unter dem neuen Regime macht, aber auch einige seiner Befürchtungen. Die folgendne Rekonstruktion

70 In der streng nationalsozialistischen Vereinszeitschrift des Deutschen Biologenverbandes haben ökologische, holistische und organizistische Positionen allerdings einen festen Platz (vgl. etwa Friedrich Alverdes, „Organizismus und Holismus," *Der Biologe* 5, Nr. 4 (1936)).

71 Uexküll, *Staatsbiologie*, 1933, Vorwort.

der Unterschiede zwischen den beiden Auflagen hilft also, Uexkülls Engagement in Ausschuss für Rechtsphilosophie zu verorten und insbesondere die Rolle der Parasiten-Metapher in seinem Antisemitismus besser zu verstehen.

Im Kapitel über die Pathologie des Staates kürzt Uexküll den Abschnitt über das „Verwachsen der Staatsgewebe" um einige Absätze über den „bandförmigen Schmarotzer"[72] des Fabrikarbeiters als „gefährlichen Feind des Staates"[73], der sich – so der Stand 1920 – „zum Herren des Landes"[74] gemacht habe. Diese Verachtung gegenüber den Arbeitern scheint 1933 angesichts der Erfolge der NSDAP nicht mehr angebracht und wird von Uexküll durch folgende Sätze ersetzt: „Über ein Jahrzehnt haben wir es mitansehen müssen, wie die verschiedensten staatswidrigen Querverbindungen jede Regelung im Staatsinteresse hintertrieben haben. Hoffen wir, dass jetzt der Tag gekommen ist, der die einzelnen Staatsorgane wieder lebendig macht."[75] Im anschließenden Abschnitt über die Auflösung der Staatsorgane ergänzt Uexküll, dass „keine noch so drakonische Diktatur [...] die Auflösung wieder gutmachen kann."[76] Und schließlich folgt vor dem Abschnitt über die Parasiten, d.h. über die „fremdrassigen Einwohner eines Staates"[77], zunächst der 1920 noch pessimistisch formulierte Satz „Daher ist der Untergang der europäischen Staaten nur eine Frage der Zeit."[78] 1933 ergänzt Uexküll: „Für Deutschland ist die Gefahr nur durch Adolf Hitler und seine Bewegung gebannt worden."[79]

72 Uexküll, *Staatsbiologie*, 1920, 42.
73 Ebd.
74 Ebd.
75 Uexküll, *Staatsbiologie*, 1933, 62.
76 Ebd.
77 Uexküll, *Staatsbiologie*, 1920, 49 sowie Uexküll, *Staatsbiologie*, 1933, 72.
78 Uexküll, *Staatsbiologie*, 1920, 49 sowie Uexküll, *Staatsbiologie*, 1933, 71.
79 Ebd. Entsprechend rezensiert auch Ernst Lehmann, der Vorsitzende des auf Parteilinie operierenden Biologenverbandes, 1934 die Neuauflage der *Staatsbiologie* und dreht die Rollen um – auch wenn er die Umweltlehre 1938 ablehnt (vgl. Florian Mildenberger und Bernd Herrmann, „Nachwort," in *Umwelt und Innenwelt der Tiere*, 308). In Lehmanns Darstellung führt Hitler

Den Abschnitt über die Parasiten des Staates, um den es im Folgenden gehen wird, ergänzt Uexküll in der Neuauflage um rassentheoretische Überlegungen zur Abwehr der „Überschwemmung einzelner Organe durch die Angehörigen einer fremden Rasse“[80]. Er rechtfertigt das Vorgehen des „Staatsleiters“[81] gegen die „Rassenerkrankungen des Staates“[82], betont aber auch, dass bei „Rassenerkrankungen des Volkes [...] die absolute Reinrassigkeit des Volkes“[83] kein Heilmittel für das Gedeihen des Staates sei. Diese Äußerungen können als Hinweis auf die Bedeutung ethnischer Vielstimmigkeit gelesen werden: „Ein Kapellmeister, der alle Hörner aus seinem Orchester ausschalten wollte, würde dadurch sein Orchester schwer schädigen.“[84] Doch auch hier versteckt sich hinter der Kritik am Determinismus der Rassenlehre ein umwelttheoretisches Argument, das die Planmäßigkeit als unhintergehbare Ordnung etabliert. Mit Bezug auf die Mendelsche Vererbungslehre führt Uexküll aus, dass sich bei „Rassenkreuzung“[85] keine Eigenschaften mischen und keine minderwertigen Individuen entstehen würden, wie die NS-Ideologie annimmt, sondern dass „ebenso wie die schlechten Eigenschaften der Minderwertigen auch die guten Eigenschaften der Hochwertigen in den Nachkommen zum Vorschein kommen werden.“[86] Während also aus Sicht der Genetik nichts gegen Mischehen einzuwenden sei, könnten diese aus Sicht der Umweltlehre unter Umständen

das aus, was Biologen wie Uexküll schon lange fordern: „Was ist doch der letzte Grund der Umwälzung, die Adolf Hitler brachte: Er zog die Folgerungen aus der Erkenntnis, dass es notwendig sei, den Staat wieder auf die Grundlage organischen Lebens zu stellen. [...] Es ist eine doppelte Freude zu sehen, wie die Lenker des Staates heute daran sind, die biologischen Gegebenheiten zur Richtschnur ihrer Handlungen zu machen.“ Ernst Lehmann, „Rezension J. v. Uexküll, Staatsbiologie,“ *Der Biologe* 3, Nr. 1 (1934): 25.

80 Uexküll, *Staatsbiologie*, 1933, 73.

81 Ebd.

82 Ebd.

83 Ebd.

84 Ebd.

85 Ebd.

86 Ebd., 75.

sehr wohl problematisch, aber auch sehr heilsam sein. Die Ausgangsbedingung ist dabei, dass zwar unterschiedliche Menschen unterschiedliche Umwelten haben, diese aber alle gleichwertig seien, weil – gemäß Uexkülls biologischer Lehre – eine Hierarchie von Umwelten nicht mit deren Planmäßigkeit vereinbar sei.[87]

Besonders deutlich wird diese vermeintliche Toleranz an seinen Bemerkungen zur Religion, mit der er die Probleme einer Mischehe begründet: „Der fromme Christ, der sich in einer Barockkirche der Andacht hingibt, wird sich von einer jüdischen Synagoge ebenso abgestoßen fühlen, wie der fromme Jude von einer Barockkirche."[88] Eine Ko-Existenz gleichwertiger Umwelten sieht anders aus als die hier herbeigeschriebene Abstoßung, die weniger auf Toleranz, sondern, wie im folgenden Kapitel zu zeigen sein wird, auf Ausschluss und Agonalität verweist. Uexküll sagt zwar, dass „nur die Achtung vor der fremden Persönlichkeit und ihrer Umwelt"[89] zu einem gelingenden Zusammenleben führen kann. Dies sei aber nur möglich, wenn man die Planmäßigkeit erkenne, die hinterrücks eine Hierarchie der Umwelten einführt: „Nicht die Summe von Tönen macht die Melodie und nicht die rassenmäßig gegebene Summe der Eigenschaften macht die Persönlichkeit, sondern der Plan, der sie verbindet, und der wird für jede menschliche Persönlichkeit neu geschaffen."[90]

87 So schreibt Uexküll bereits 1922 in seinem Aufsatz „Leben und Tod": „In ihrer Stellung zur Planmäßigkeit sind sich alle Menschen gleich." (Jakob von Uexküll, „Leben und Tod," *Deutsche Rundschau*, Nr. 190 (1922): 180.) Ihre Umwelten hingegen sind, wie Uexküll direkt im Anschluss am Beispiel der Begegnung mit einem Massai in Ostafrika erläutert, völlig verschieden. Zwischen den Umwelten von Völkern macht Uexküll hier keine Rangunterschiede – wohl aber zwischen der „verödeten Welt" von Menschen, die nur nach Besitz streben und dem „Reichtum und der Mannigfaltigkeit der Natur" (ebd.), die dem Kind und dem in der Natur lebenden Menschen zugänglich sind.

88 Uexküll, *Staatsbiologie*, 1933, 75.

89 Ebd., 76.

90 Ebd.

Uexkülls Umweltlehre läuft also nicht auf eine Anerkennung des Anderen, sondern auf eine Unüberschreitbarkeit des je Eigenen hinaus. Dieses Eigene wird zwar prinzipiell auch dem Anderen zugestanden, es muss jedoch in jedem konkreten Fall gegenüber dem eigenen Eigenen zurücktreten: dass man nicht aus seiner Haut bzw. Umwelt kann, ist ein innerhalb dieser Lehre unumstößliches Postulat. Jede Religion – so das Beispiel aus der *Staatsbiologie* – hat ihre eigene Umwelt und ihren eigenen Ort, die eben nicht mit anderen Umwelten und anderen Orten übereinstimmen können. Daraus ist, dies legt das obige Zitat nahe, leicht der Schluss zu ziehen, dass Deutschland kein Ort für Synagogen sei.

Bereits 1915 beschwört Uexküll die später durchaus problematisierte genetische Gefahr der Kreuzung von Menschenrassen: „Bei Vermischung von Individuen verschiedener Rassen kann entweder eine neue planmäßige Zusammenfassung von Genen vor sich gehen und derart einzelne hochwertige Individuen oder eine neue Rasse entstehen. In den meisten Fällen werden aber in sich und unter sich schlecht zusammenpassende Individuen die Folge sein, die man in Anlehnung an Chamberlain als Rassenchaos charakterisieren kann."[91] 1933, so scheint es, ist dieses Chaos erreicht. Es resultiert jedoch nicht aus genetischer Vermischung, sondern aus der Vermischung von Umwelten. Doch die Rettung ist 1933 näher als 1920: „Für Deutschland ist die Gefahr nur durch Adolf Hitler und seine Bewegung gebannt worden."[92] Diese Worte geben das neue Programm der *Staatsbiologie* vor. Als wesentliches Merkmal der anstehenden Politik benennt Uexküll die Entfernung von „Parasiten" aus dem Staatskörper – eine immunitäre Rhetorik, die im Kontext dieser Zeit und vor allem der zitierten Briefe eindeutig antisemitische Konnotationen hat, auch wenn Uexküll das Judentum in seinem Buch nicht direkt als parasitär bezeichnet: „Niemand wird es daher einem Staatsleiter

91 Uexküll, „Volk und Staat," 54.

92 Uexküll, *Staatsbiologie*, 1933, 71.

verübeln, wenn er der Überfremdung der Staatsorgane durch eine fremde Rasse Einhalt gebietet."[93]

Auch wenn Uexküll nur von „Einhalt gebieten" und nicht von Vernichtung spricht, legt die Rhetorik des Parasitären nahe, die Juden so zu behandeln wie man Parasiten behandeln würde. Im Rahmen einer organischen Staatslehre ist diese Bezeichnung nicht einfach nur ein metaphorischer Vergleich – so wie keine Eigenschaft des Staates in diesem Text, der sich jede bloß analogische Deutung des Begriffs Staatsorganismus verbittet[94] –, sondern eine Charakterisierung spezifischer biologischer Merkmale. Um zu verstehen, wie die *Staatsbiologie* ab 1933 das nationalsozialistische Programm auf eigene Weise umsetzt – nicht in allen Details, aber doch in der Herstellung eines ‚totalen Staats' im Sinne der NSDAP –, ist es wichtig, diese Rhetorik in den Mittelpunkt zu rücken. Sie verrät die tiefe Verbindung der Umweltlehre mit einem aristokratischen Konservatismus, der vom Nationalsozialismus zwar mehr und im Detail mitunter anderes erwartet, ihm aber prinzipiell mehr als wohlwollend gegenüberstand – und die sich bietende Gelegenheit zur Mitwirkung ergriffen hat.

Die Rhetorik des Parasitären passt auf den ersten Blick nicht zur Gleichberechtigung der Umwelten in der Umweltlehre. Diese Dissonanz sollte hellhörig machen. Zwar sind alle Umwelten gleichberechtigt, doch gerade weil sie planmäßig ihren Ort im organischen Ganzen haben, dürfen sie sich nicht vermischen. Was nicht an den Ort deutscher Umwelten gehört – d.h. in jene Umgebung, die die Umwelt umgibt –, muss verschwinden, um die Ordnung des Staates nicht zu gefährden.

Als Biologe spricht Uexküll nicht unreflektiert von Parasiten, sondern weiß um deren spezielle Lebensbedingungen. Ein parasitäres Lebewesen befindet sich – ebenso wie ein symbiotisches – stets neben, in oder auf etwas anderem, das ihm seinen Ort gibt.

93 Ebd., 73.
94 Ebd., 5.

Parasitismus als Lebensform geht stets mit einem räumlichen Nachbarschaftsverhältnis des Umgebens einher.[95] Etymologisch stammt der Begriff von *para* für *neben* und *sitos* für *Nahrung* oder *Getreide*. Ursprünglich bezeichnet *parasitos* einen Priester, der bei einer Opfergabe als Vertreter einer Gemeinde dem Mahl der Götter beiwohnt. Der *parasitos* nimmt an der Speisung der Götter teil, um das Ritual zu vervollständigen, ohne etwas dazu beizutragen. In der griechischen Komödie ist der Parasit ein Bettler, der für eine Mahlzeit eine Tischgesellschaft unterhält.[96] Als biologischer Begriff wird Parasit nach ersten Nennungen im 16. Jahrhundert erst Anfang des 19. Jahrhunderts systematisch entwickelt. Im Rahmen der Erforschung insbesondere von Insekten bezeichnet er, wie Georg Toepfer herausgearbeitet hat, zunächst ein einseitiges Verhältnis, in dem der Parasit auf Kosten des Wirts lebt.[97] Der Begriff wird immer weiter aufgefächert, so dass letztlich unklar wird, ob es eine allgemeine Form von Parasitismus überhaupt gibt, obwohl es sich um eine der häufigsten Lebensformen handelt.

Außerhalb der Biologie dient der Begriff spätestens seit dem 18. Jahrhundert, und damit nicht zufällig mit dem Beginn der Entwicklung des modernen Nationalstaats, dem Transport antisemitischer Stereotype.[98] Mit seiner Hilfe wird den Juden ebenso wie den Sinti und Roma unterstellt, es sei ihnen in der Diaspora unmöglich, einen eigenen Staat zu bilden und sie müssten daher parasitär werden, wo immer sie auftauchen. Einschlägig dafür sind die Schriften Johann Gottfried Herders, dessen rhetorische

95 Vgl. zum Umgebungswissen der Symbiose Florian Sprenger, „Neben-, Mit-, In- und Durcheinander: Zur Wissensgeschichte der Symbiose," *Zeitschrift für theoretische Soziologie* 9, Nr. 2 (2020).

96 Vgl. zur Begriffsgeschichte von *Parasit* Heiko Stullich, „Parasiten, eine Begriffsgeschichte," *Forum interdisziplinäre Begriffsgeschichte* 2, Nr. 1 (2013).

97 Vgl. Georg Toepfer, „Parasitismus," in Toepfer, *Historisches Wörterbuch der Biologie*, 3.

98 Vgl. zur Geschichte dieser Metapher Alexander Bein, „‚Der jüdische Parasit': Bemerkungen zur Semantik der Judenfrage," *Vierteljahreshefte zur Zeitgeschichte* 13, Nr. 2 (1965).

Figuren bis in die Nazi-Zeit immer wieder aktualisiert werden: „Das Volk Gottes, dem einst der Himmel selbst sein Vaterland schenkte, ist Jahrtausende her, ja fast seit seiner Entstehung eine parasitische Pflanze auf den Stämmen anderer Nationen; Ein Geschlecht schlauer Unterhändler beinahe auf der ganzen Erde, das trotz aller Unterdrückung nirgends sich nach eigener Ehre und Wohnung, nirgends nach einem Vaterlande sehnt."[99]

Die Metapher des Parasiten verändert sich, wie Andreas Musolff gezeigt hat, Ende des 19. Jahrhunderts mit der Entstehung der Idee eines „Volkskörpers", der als Ganzer von Parasiten befallen werden kann und eng mit holistischem und organizistischem Denken verbunden ist.[100] Auf dieser Grundlage werden auch zoologisches und vor allem infektologisches Wissen ins Spiel gebracht, um die „Volksparasiten" zu bekämpfen. Im Kontext einer Rhetorik der Reinheit müssen die Parasiten ausgerottet werden, um die Ganzheit und Immunität des Volks- oder Staatskörpers zu schützen. Die Maßnahmen der Ausrottung sind durch die Verquickung mit biologischem Wissen um die Bekämpfung von Parasiten bereits angelegt.

Uexküll widmet zwar der Zecke die wohl eindringlichsten Passagen in seinen *Streifzügen durch die Umwelten von Tieren und Menschen*, verwendet in der *Staatsbiologie* Parasiten dennoch als Negativfolie. Es lohnt sich daher, einen Blick auf die Umgebungsrelationen von Uexkülls Parasiten zu werfen, um zu verstehen, wie die Zecke zugleich eine Umwelt haben und ‚ortlos' sein kann – und was dies für die Übertragung auf das Judentum bedeutet. Gerade weil die Zecke, so führt Uexküll aus, als Parasit nicht ohne ihren Wirt existieren kann, ist sie besonders stark in ihre Umwelt eingepasst, diese Umwelt aber sehr arm. Uexküll reichen lediglich

99 Johann Gottfried Herder, *Ideen zur Philosophie der Geschichte der Menschheit: Dritter Teil* (Riga und Leipzig: Johann Friedrich Hartknoch, 1787), 98. Im Unterschied zum Antisemitismus des 20. Jahrhunderts hofft Herder auf die Integration der Juden in die europäischen Staaten.

100 Vgl. Andreas Musolff, *Metaphor, Nation and the Holocaust: The Concept of the Body Politic* (London: Routledge, 2010), 121f.

drei Merk- und Wirkmale, um ihre Umwelt zu charakterisieren: Wärme, Buttersäure und der mechanische Reiz der Hautoberfläche des Wirtstieres. „Die ganze reiche, die Zecke umgebende Welt schnurrt zusammen und verwandelt sich in ein ärmliches Gebilde, das der Hauptsache nach aus 3 Merkmalen und 3 Wirkmalen besteht – ihre Umwelt. Die Ärmlichkeit der Umwelt bedingt aber gerade die Sicherheit des Handelns, und Sicherheit ist wichtiger als Reichtum."[101] Diese Ähnlichkeit ist aber nur möglich, weil die Zecke einen Wirt hat. Um langfristig zu überleben und sich fortzupflanzen, ist sie auf ihn angewiesen. Ohne ihn verliert sie ihren Ort in der Ordnung der Natur – und der Wirt kann ihr ihren Ort entziehen. Die Lebensform von Parasiten ist demnach stets durch eine Abhängigkeit geprägt: Ihre Umwelt kann einfach sein, weil sie auf ein anderes Lebewesen als Umwelt orientiert ist.

Von einer Faszination für die ärmliche, aber sichere Umwelt von Parasiten ist in der *Staatsbiologie* schon 1920, nach dem Ersten Weltkrieg und vor dem Hintergrund einer omnipräsenten Dolchstoßlegende, die ebenfalls den Feind im Inneren aufzufinden sucht, nichts zu spüren. Die Analogie zwischen biologischen Parasiten und Völkern geht in der *Staatsbiologie* über eine Überlebensstrategie hinaus. Parasiten sind bei Uexküll nicht nur Juden, sondern alle, die ihren Ort im Staat verweigern, also fremde „Völker", aber auch Demokraten und Liberale. In der Erstauflage der *Staatsbiologie* bezeichnet Uexküll die deutschen Fabrikarbeiter als „bandförmige Schmarotzer"[102], während der Begriff des Parasiten nur dort fällt, wo es um fremde Völker geht – einschließlich der Juden. Im Gegensatz zum Organismus wird ein Volk nicht zum Parasiten, um sich am Leben zu halten, sondern weil dies seinem Charakter entspreche. Uexküll erläutert

101 Uexküll und Kriszat, *Streifzüge durch die Umwelten von Tieren und Menschen*, 8. Genau diesen Gedanken nimmt Giorgio Agamben später auf (vgl. Giorgio Agamben, *Das Offene: Der Mensch und das Tier* (Frankfurt am Main: Suhrkamp, 2003), 47f). Die „Ärmlichkeit", von der Uexküll spricht, steht im Widerspruch zur Gleichrangigkeit der Umwelten.

102 Uexküll, *Staatsbiologie*, 1920, 42.

dies anhand des „Volksparasiten"[103] England: „Ist ein Staat seinem Wesen nach ein Parasit, so ist das auf den Volkscharakter zurückzuführen. Selbstverständlich ist nicht jeder Bewohner eines parasitären Staates selbst ein Parasit. Ebensowenig wie jede Zelle eines Blutegels selbst ein kleiner Blutegel ist. Aber wie die Keimzellen eines Blutegels immer zu einem Blutegel auswachsen, so ist zwar der einzelne Engländer kein Parasit, und doch wird, wo immer Engländer einen Staat gründen, dieser notwendig ein Parasit werden."[104] Die Evolutionstheorie, so erklärt Uexküll in seinem 1917 zur Hochphase des Ersten Weltkriegs erschienenen Text „Darwin und die englische Moral", wurde in England anders aufgenommen als in Deutschland, weil sich die Umwelten der Nationen unterscheiden und diese Theorien folglich unterschiedlich wahrnehmen. Vor allem der Parlamentarismus und die Idee des *common sense* sind für Uexküll problematisch. Er führt die zahlreichen Verbrechen der Engländer an Millionen von Indern und Iren an, die Deutschland nie begangen hätte, weil es nie versuchen würde, den Rest der Welt zu versklaven. Dies sei nur in einem Land mit Parlamentarismus und freier, international ausgerichteter Presse möglich.[105]

Parasitismus ist für Uexküll also nicht nur eine biologische Tatsache, sondern bestimmt auch die Politik: Jedes Volk hat, so die dominante, vom Anthropogeographen Friedrich Ratzel (1844–1904) inspirierte Grundidee der späteren nationalsozialistischen Geopolitik, einen genuinen Lebensraum, mit dem es derart verbunden ist, dass es in anderen Lebensräumen nur überleben kann, wenn es stark genug ist, sie sich Untertan zu machen.[106] Die siegende Rasse kann sich auch fremde Länder zur

103 Ebd., 51.

104 Ebd., 53.

105 Vgl. dazu Jakob von Uexküll, „Darwin und die englische Moral," *Deutsche Rundschau*, Nr. 173 (1917) sowie Uexküll, *Staatsbiologie*, 1920, 51.

106 Diese Argumentation wird im Nationalsozialismus darwinistisch fortgeschrieben: Im Kampf ums Überleben in einer harten Umwelt bestehen nur Rassen mit gutem Erbgut, während minderwertige Rassen dem Anpassungskampf ausweichen und zu ‚ortlosen' Nomaden werden oder durch Selektion

 ‚Heimat' machen. In dieser Geopolitik von ‚Blut und Boden' ist jedes Volk, das nicht an seinem Ort lebt, ein Parasit, wenn es ihm nicht gelingt, den Ort so zu verwandeln, dass er zu einem neuen Lebensraum wird. Auch wenn Uexküll nicht direkt auf Ratzel Bezug nimmt, ist die Verbindung des geographischen Orts mit einer angestammten Umwelt von zentraler Bedeutung für die Übertragung der Umweltlehre auf den Staat.

Wie Roberto Esposito in seinen Arbeiten zur immunitären Biopolitik herausgestellt hat, erarbeitet Uexküll 1933 nicht nur eine abstrakte Theorie der Staatsorgane.[107] In der Neuauflage spricht er nicht über irgendeinen Staat wie 1920, sondern schildert seine konkrete Wahrnehmung der Lage Deutschlands 1933. Uexküll entwirft bereits 1920 das Panorama eines neuen deutschen Staates, der von „Volksparasiten" ebenso wie von den Krankheiten des Liberalismus und der Demokratie gereinigt werden müsse: „Es ist somit ein Zustand eingetreten, der auch in unserem Körper eintreten würde, wenn an Stelle der Großhirnzellen die Mehrzahl der Körperzellen zu beschließen hätte, welche Impulse den Nerven zu übermitteln sind. Einen solchen Zustand nennt man ‚Blödsinn'."[108] 1933 fordert er als Gegenmittel gegen die konkrete Gefährdung Deutschlands die Bildung von ‚Staatsärzten', die diese Krankheiten und Parasiten bekämpfen sollen – mithin eine immunitäre Biopolitik, die alles Andersartige aus dem Staatskörper tilgen will und auch die Instrumente dazu benennt.[109] Der Schutz vor Parasiten erscheint als Selbstverteidigung.

aussterben (vgl. Peter Weingart, Jürgen Kroll und Kurt Bayertz, *Rasse, Blut und Gene: Geschichte der Eugenik und Rassenhygiene in Deutschland* (Frankfurt am Main: Suhrkamp, 1992)). Solche Ansätze finden sich beim Anti-Darwinisten Uexküll selbstredend nicht.

107 Roberto Esposito, *Bíos: Biopolitics and Philosophy* (Minneapolis: University of Minnesota Press, 2008), 17.

108 Uexküll, *Staatsbiologie*, 1920, 46.

109 Vgl. zur Metaphorik des ‚kranken Staats' – ohne Bezug auf Uexküll – auch Musolff, *Metaphor, Nation and the Holocaust*.

Andersartigkeit ist für Uexküll die Nicht-Eingepasstheit in eine bestimmte Umgebung. Anders sind alle, die nicht an diesen Ort gehören, d.h. nicht mit ‚seinem Blut und seinem Boden' verwachsen sind. ‚Ortlosigkeit', wie man diese Lage nennen könnte, ergibt sich entweder aus dem Verlassen der zustehenden Wabenzellen-Umwelten im Staat – das Übel der Demokratie – oder ist im „Volkscharakter"[110] angelegt. Wenn auf diese Weise nicht nur einzelne Lebewesen, sondern ein ganzes Volk so ‚ortlos' wird wie die Juden in der Diaspora, gefährdet dies die organische Ordnung des Staates, in dem sich das ‚ortlose' Volk aufhält. Jemand, der im Staat keinen Ort hat bzw. dem der Ort entzogen wird, bringt dessen Ordnung notwendigerweise ins Wanken, denn diese Ordnung besteht aus der organischen Anordnung von umgebenden Orten. Jede Umwelt befindet sich irgendwo, aber nicht jede Umwelt darf in dieser immunitären Logik ihren Ort dort haben, wo sie ist.

Unter diesen Vorzeichen ist auch Uexkülls Charakterisierung des Judentums in seinen Briefen und an anderen Stellen seines Werkes zu lesen, etwa in seinem 1936 erschienenen ‚Erinnerungsbuch' *Niegeschaute Welten – Die Umwelten meiner Freunde.*[111] In seinen ersten Jugendeindrücken von Begegnungen mit Juden sind alle Elemente des Parasitismus versammelt, obwohl Uexküll den Begriff nicht verwendet: „Ein völlig fremdes Volk lebte hier eingesperrt in dem sonst eng von Deutschen und Letten bewohnten Lande. Ein eng zusammengedrängtes Stadtvolk, nur durch lose wirtschaftliche Beziehungen mit dem Lande ver-

110 Uexküll, *Staatsbiologie*, 1920, 52.

111 Für die von Gudrun von Uexküll vorgebrachte Behauptung, dieses Buch sei zwar nicht verboten, aber sein Verkauf eingeschränkt worden und es hätte nicht in Schaufenstern gezeigt werden dürfen, konnte kein Beleg gefunden werden (vgl. Gudrun von Uexküll, *Jakob von Uexküll, seine Welt und seine Umwelt* (Hamburg: Wegner, 1964), 176). In der *Liste des schädlichen und unerwünschten Schrifttums* von 1938 wird das Buch nicht aufgeführt. Brentari macht aus dieser unbelegten Behauptung ein „officially banned" (vgl. Brentari, *Jakob von Uexküll*, 42; ebenso Juan M. Heredia, „Jakob von Uexküll, an Intellectual History," in Köchy und Michelini, *Jakob von Uexküll and Philosophy*, 30).

knüpft. Man hätte dieses Volk in seiner Gesamtheit herausheben und anderswohin verpflanzen können, ohne das Antlitz des Landes zu verändern."[112] Uexküll greift mit diesem Bild direkt die „parasitische Pflanze"[113] auf, von der Herder spricht. In gepflegten Worten hegt Uexküll hier den Antisemitismus der 1930er Jahre und erzählt weitere Geschichten über die „kleinen Umwelten" der „einfachen Juden"[114], die den gängigen Stereotypen entsprechen. Die Juden sind zu Gast bei einem freundlichen Wirtsvolk, stellen sich aber alsbald als parasitär heraus.[115] Sie werden als Profiteure eines Tausches beschrieben, in den sie selbst nichts einbringen. Der Schritt, dass sich der Wirt – trotz aller Sympathien, die er für einzelne Exemplare der fremden Rasse hegen mag – seines Parasiten entledigt und den vermeintlichen Missbrauch seiner Gastfreundschaft beendet, ist darin bereits angelegt. Eben weil die jüdische Bevölkerung als Parasit verstanden wird, kann sie in Uexkülls Darstellung so gut vertrieben werden: Sie wird an einen anderen Ort verpflanzt genauso leben können, sich aber auch dort parasitär ausbreiten.[116]

Der Bericht über die Juden in Russland endet mit einem Gespräch mit einem jüdischen Kommilitonen während Uexkülls Studienzeit in Dorpat (heute Tartu). Dieser erhofft sich einen „rücksichtslosen Antisemitismus", um die Juden, „die sich den Wirtsvölkern

112 Jakob von Uexküll, *Niegeschaute Welten: Die Umwelten meiner Freunde. Ein Erinnerungsbuch* (Berlin: Fischer, 1936), 160.

113 Herder, *Ideen zur Philosophie der Geschichte der Menschheit*, 98.

114 Uexküll, *Niegeschaute Welten*, 161.

115 Zur Figur des Juden-als-Gast vgl. Manfred Schneider, „Der Jude als Gast," in *Gastlichkeit: Erkundungen einer Schwellensituation*, hrsg. v. Peter Friedrich und Rolf Parr (Heidelberg: synchron, 2009).

116 Der rechte Historiker Johannes Rogalla von Bieberstein verweist 2002 in seinem Pamphlet über jüdischen Bolschewismus auf einen an diese Aussage anschließenden Satz, um sein vermeintlich positives Verhältnis zu den Juden zu erklären: „Auf den frommen, gesetzestreuen Juden kann man sich auch heute verlassen, aber vor einem abtrünnigen, glaubenslosen Juden soll man sich hüten." Uexküll, *Niegeschaute Welten*, 166, zitiert in Johannes Rogalla von Bieberstein, *„Jüdischer Bolschewismus" – Mythos und Realität*, 4. Aufl. (Schnellroda: Edition Antaios, 2004), 30.

angeglichen haben", daran zu erinnern, dass sie „ein Volk sind und unter einem Gott eine gemeinsame Aufgabe zum Wohle der Menschheit zu erfüllen haben."[117] Indem sich Uexküll diese Position aneignet und sie in seiner Erzählung von einem Juden sprechen lässt, übernimmt er diese verquere Selbstbezichtigung. Allem „Wohl der Menschheit" zum Trotz spricht aus ihr nichts als blanker Antisemitismus, an dem die Juden als ‚ortloses' Volk selbst schuld seien und der ihnen in letzter Konsequenz nur nutzen werde.[118]

Geoffrey Winthrop-Young hat vorgeschlagen, die Charakterisierung der Juden in Uexkülls Briefen als ‚Umweltvergessenheit' zu lesen, als „an inability to grasp and experience one's own preordained environment that is both brought about and glossed over by vague appeals."[119] Man kann darüber streiten, ob die Analogie zu Heideggers Begriff der ‚Seinsvergessenheit' treffend ist. Doch vor dem Hintergrund der zitierten Passage macht dieser Begriffsvorschlag deutlich, dass das jüdische Volk für Uexküll zwar wie alle Lebewesen über eine Umwelt verfügt, aber die Tatsache vergessen hätte, dass es zwar in einer Umwelt lebt, jedoch keinen Ort hat. Wenn nun aber im organischen ‚totalen Staat', zu dem Deutschland ab 1933 werden soll, die Umwelt an den Ort gebunden ist, den jemand sowohl räumlich-geographisch als auch innerhalb der Ordnung einnimmt, dann hat das Fehlen dieses Ortes bzw. sein Entzug konkrete politische Folgen. Eine Vermischung der Umwelten ist um jeden Preis zu vermeiden.[120]

117 Uexküll, *Niegeschaute Welten*, 167.

118 Brentari hingegen bezeichnet diese Aussagen als „words of appreciation for the Russian Jews." (Brentari, *Jakob von Uexküll*, 42).

119 Geoffrey Winthrop-Young, „Afterword," in *A Foray into the Worlds of Animals and Humans*, 229. Ich danke Erhard Schüttpelz für die Diskussion der folgenden Ideen.

120 Diesen Gedanken Uexkülls aufnehmend und tierische mit menschlichen Rassen gleichsetzend schreibt der streng nationalsozialistische Holist Hermann Weber 1939: „Tritt Rassenmischung ein, so wird dagegen für die entstehende Mischpopulation die Gefahr um so größer, je verschiedener die spezifische Organisation beider Rassen ist, je verschiedener also die rassischen Umwelten sind, denn Umwelt bedeutet innerhalb einer bestimmten Umgebung die

Die ,Ortlosigkeit' des ,entwurzelten' ,Volkes' der Juden ist also nicht nur der Verlust eines gegebenen Ortes – ihrer ,Heimat' –, sondern bringt die biologisch-politische Ordnung überall dort in Gefahr, wo sie sich erneut niederlassen. Die Radikalisierung einzelner Juden – d.h. ihre Begeisterung für Marxismus und Sozialismus – erklärt Uexküll mit dem ursprünglichen Verlust ihrer natürlichen Umwelt (so wie auch Deutsche nur durch einen Ausstieg aus ihrer Umwelt zu Marxisten oder Sozialisten werden können). Da sie keinen eigenen Ort haben, brauchen sie einen Wirt, der ihnen einen Ort gibt, können also nur Parasiten werden. Ein ,ortloses' Volk ist dieser Logik zufolge notwendigerweise ein parasitäres Volk. Während die Engländer sehr wohl einen eigenen Ort haben, aber im Kolonialismus andere Orte parasitär besetzen, fehlt den Juden jeder eigene Ort. Ihre „Bodenlosigkeit"[121], von der Heidegger in den *Schwarzen Heften* spricht, bedeutet nicht nur, dass sie staats- und ,ortlos' sind, sondern für Uexküll auch, dass sich ihre Umwelten zwar irgendwo befinden, aber keinen eigenen Ort haben. Mit ihnen ist also nicht nur kein organischer ,totaler Staat' zu machen – sie haben schlicht keinen Ort in dessen räumlicher Hierarchie –, sondern sie müssen verschwinden, weil es keinen Ort für sie gibt. In der Biologie Uexkülls unmöglich, sind sie seiner Politik unerträglich. Sie stellen die Ordnung in Frage, in der alles an seinem Ort ist. Die historischen Konsequenzen dieses Gedankens sind evident, auch wenn Uexküll, das sei erneut betont, nicht davon spricht, die Juden zu vernichten.

Umgebungsaneignung. [...] Sind dagegen die Rassen sehr verschieden und unter sehr ungleichen Bedingungen räumlich getrennt gewachsen, so kann durch die Vermischung die besser ausgerüstete nur verlieren, selbst wenn man die Wertung nur nach der Umgebungseignung vornimmt." (Hermann Weber, „Der Umweltbegriff der Biologie und seine Anwendung," *Der Biologe* 8, Nr. 7/8 (1939): 257.) Weber fordert die „Auslese und Ausmerzung durch gesetzgeberische Maßnahmen", um die „lebensgesetzliche Bindung" von Umwelt und Mensch zum Wohl der „völkischen Wirklichkeit" (ebd., 259) zu sichern. Weber konstatiert weiter, dass „zur Umwelt eines nordischen Menschen [...] ein Vorgesetzter" gehört (ebd., 261).

121 Martin Heidegger, *Schwarze Hefte 1938/39* GA 95 (Frankfurt am Main: Klostermann, 2014), 97.

Die typische NS-Rhetorik der *Staatsbiologie* steht in Uexkülls Variante auf dem Boden der Umweltlehre und begründet eine rassistische Politik mit der These der Unvereinbarkeit unterschiedlicher, aber gleichwertiger Umwelten.[122] Uexkülls Antisemitismus und Rassismus berufen sich nicht auf die ,Minderwertigkeit' fremder Rassen, sondern er spricht ihnen eine Gleichwertigkeit zu, die jedoch von der ,Ortlosigkeit' aufgehoben wird, die Judentum, Demokratie, Internationalismus und Liberalismus mit sich bringen. Uexküll verweigert sich zwar, darauf hat Mildenberger hingewiesen, dem zeitgenössischen Rassismus, der postulierten Menschenrassen unterschiedliche angeborene Eigenschaften zuschreibt.[123] Er begründet jedoch, so kann man gegen Mildenbergers These zeigen, einen Rassismus, der jeder Rasse ihre Umwelt zuweist, deren Abgrenzung fordert und Umwelten an geographische Orte bindet, manchen Umwelten aber den Ort – und damit sowohl ihre biologische Möglichkeit wie ihre politische Berechtigung – entzieht.

Nun mag man einwenden, dass Uexküll in der Tat jüdische Freunde hatte und seine jüdischen Professoren-Kollegen zu verteidigen suchte.[124] In einer Rezension zu Chamberlains Buch *Mensch und Gott* macht Uexküll 1922 deutlich, dass er zwischen ,semitischer' und ,arischer' Weltanschauung keine Hierarchie sieht und fordert, die „moralischen Qualitäten des Gegners nicht mehr in Zweifel zu ziehen"[125]. Ebenso erkennt er an, darauf hat Mildenberger hingewiesen, dass es Juden gibt, die „in weit tieferem Sinne Deutsche [sind] als all die vielen Tausende[n]

122 Mildenberger hat diese Überlegungen auch in den Arbeiten von Uexkülls ehemaligem Mitarbeiter Lothar Gottlieb Tirala, seit 1933 Professor für Rassenhygiene in München, nachgewiesen (vgl. Florian Mildenberger, „Race and Breathing Therapy: The Career of Lothar Gottlieb Tirala (1886–1974)," *Sign Systems Studies* 32, Nr. 1–2 (2004)).

123 Vgl. Florian Mildenberger, „Überlegungen zu Jakob von Uexküll (1864–1944): Vorläufiger Forschungsbericht," *Österreichische Zeitschrift für Geschichtswissenschaften* 13, Nr. 3 (2002).

124 Vgl. Mildenberger, *Umwelt als Vision*, 158.

125 Jakob von Uexküll, „Mensch und Gott," *Deutsche Rundschau*, Nr. 190 (1922): 86.

reinrassiger Arier, die dem internationalen Wahngebilde nachstreben"[126]. Dass Uexküll dies in einer grundsätzlich zustimmenden Rezension zutiefst antisemitischer Bücher von Arthur Trebitsch und Hans Blüher schreibt, macht diese Aussage jedoch mindestens ambivalent. Auch 1933 beruft sich Uexküll eben nicht auf die ‚Minderwertigkeit' der Juden oder andere antisemitische bzw. rassistische Stereotypen, sondern auf ihre ‚Ortlosigkeit'. Uexkülls Antisemitismus ist keiner der großen Angriffe auf eine vermeintlich unterlegene Rasse, sondern in seiner Umweltlehre verankert. Deshalb steht auch seine Unterstützung jüdischer Kollegen nicht im Widerspruch zu seinem Antisemitismus: Die Umwelten der Juden kann er voll und ganz anerkennen. Ihre ‚Ortlosigkeit' führt dennoch zur Forderung, dass der Führer ihnen Einhalt gebiete. Indem Uexküll die Eigenschaften des Parasiten umwelttheoretisch formuliert auf das Judentum überträgt, kann er zugleich dessen Umwelt Respekt zollen und es wegen seiner ‚Ortlosigkeit' als zu vertreibendes Volk beschreiben.[127] Mit diesem rhetorischen Kniff unterstützt Uexküll die faschistischen Maßnahmen des Regimes, ohne sich die Hände schmutzig zu machen. Deshalb kann folgende Forderung nur wenige Seiten nach dem Aufruf an Hitler stehen, die Parasiten zu vertreiben: „Die Achtung vor der fremden Persönlichkeit und ihrer Umwelt ist die einzige

126 Uexküll, „Trebitsch und Blüher über die Judenfrage," 97. Auch zitiert in Florian Mildenberger und Bernd Herrmann, „Nachwort," in *Umwelt und Innenwelt der Tiere*, 296.

127 Michel Serres hat in seinem Buch über den Parasiten die These aufgestellt, dass es den Wirt nur gibt, weil es den Parasiten gibt, ihre Ko-Existenz also keineswegs einseitig ist. Serres' Versuch der Umdeutung des Parasiten gewinnt gerade im Kontext der hier verfolgten Geschichte an Brisanz, denn sie zeigt die innere Abhängigkeit des Wirts von dem, dessen er sich entledigen will (vgl. Michel Serres, *Der Parasit* (Frankfurt am Main: Suhrkamp, 1987)). Diesen Gedanken hat Jonathan Inda anhand der Beschreibung von Migranten als Parasiten weiter ausgeführt: „What this means is that the host and the parasite are each already inhabited, so to speak, by the other as a difference within." (Jonathan Inda, „Foreign Bodies: Migrants, Parasites, and the Pathological Nation," *Discourse* 22, Nr. 3 (2000): 54.)

Grundlage, auf der sich menschenwürdige Umgangsformen entwickeln können."[128]

3.3 Der Ausschuss für Rechtsphilosophie

Die Neuauflage der *Staatsbiologie* kann als Versuch verstanden werden, von den Nazis gelesen zu werden. Der strukturelle Konservatismus der Umweltlehre wird mit einer Variante der rassistischen Rhetorik des Faschismus verquickt und resultiert in einer identitären Logik, die heute erneut aufgenommen wird: Jedem Volk seine Umwelt. Zwar setzt sich Uexküll vom völkischen Denken ab und propagiert stattdessen die Rückkehr zum preußischen Beamtenstaat sowie einer Monarchie bzw. später einem Führerprinzip ohne Parlament und mit Beamten aus dem Adelsstand, denen er sich als ehemaliger feudaler Großgrundbesitzer zugehörig fühlt. Doch der Versuch, den Nationalsozialisten seine holistische Lesart der *Staatsbiologie* mit all ihren konkreten politischen Konsequenzen für Parasiten, die Presse, Gewerkschaften, Demokraten und Liberale anzubiedern, ist offensichtlich.

Uexkülls erste direkte Begegnung mit dem Nationalsozialismus ist zunächst unerfreulich, wenn man den Worten Gudrun von Uexkülls glauben darf. Ihr zufolge schreibt Joseph Goebbels im *Völkischen Beobachter* einen Artikel über eine Tagung in Hamburg – vermutlich handelt es sich um den XII. Kongress der Deutschen Gesellschaft für Psychologie, der vom 12. bis 16. April 1931 stattfand und auf dem Uexküll seine Arbeiten zum Duftfeld des Hundes vorstellte.[129] Goebbels bezeichnet demnach Uexkülls Forschungen als „Kötereien eines deutschen Professors"[130] und prangert die Irrelevanz solcher Forschung an, die nicht zur Fortentwicklung des deutschen Reichs beitrage. Eine sorgfältige Recherche nach diesem Artikel im *Völkischen Beobachter*

128 Uexküll, *Staatsbiologie*, 1933, 76.

129 Vgl. Jakob von Uexküll, „Das Duftfeld des Hundes," in *Bericht über den XII. Kongreß der Deutschen Gesellschaft für Psychologie in Hamburg vom 12.–16. April 1931*, hrsg. v. Gustav Kafka (Jena: Gustav Fischer, 1932).

130 Vgl. Gudrun von Uexküll, *Jakob von Uexküll, seine Welt und seine Umwelt*, 169.

war nicht erfolgreich, so dass Goebbels Aussagen nicht belegt werden konnten. In einem Eintrag aus Goebbels Tagebüchern vom 19. Mai 1930 gibt es einen Hinweis darauf, dass es eine persönliche Begegnung mit Uexküll gegeben haben könnte: „Zum Abendessen bei Frau v. Dircksen. Hofprediger Döring habe ich nun ganz gewonnen. Ebenso einen Prinz Reuß, der uns sofort kapierte. Dagegen gab ich es auf bei einem ‚Baron' Uexküll, der ein wahrhaftiger weißer Jude ist. Da ist jedes Wort der Aufklärung zwecklos."[131]

Zwar legt Gudrun von Uexküll nahe, dass ihr Mann zur *persona non grata* geworden sei, doch die Akten des Reichsforschungsrats sowie der Notgemeinschaft der Deutschen Wissenschaft belegen, dass auch seine Forschungen zu Blindenhunden weiter gefördert wurden. 1935 werden von 1200 beantragten Reichsmark 700 bewilligt, um „die Sprache des Hundes" zu erforschen – genau jenes Thema, das Goebbels angeblich kritisiert. Auch eine Schmalfilm-Kamera aus den Beständen der DFG wird an Uexküll übertragen. Bis 1942 wird keiner der acht Anträge auf Sachbeihilfe abgelehnt, die unter Uexkülls Namen vom Institut für Umweltforschung gestellt werden.[132] Man kann also sehr wohl davon sprechen, dass Uexküll bzw. nach dessen Pensionierung die Mitarbeiter des von ihm aufgebauten Instituts, auch in

131 Joseph Goebbels, *Tagebücher: Teil 1. Aufzeichnungen 1923–1941, Band 2/I Dezember 1929–Mai 1931*, hrsg. v. Elke Fröhlich (München: Saur, 2008), 159, Eintrag vom 19. Mai 1930. Als ‚weiße Juden' wurden seit den 1930er Jahren vor allem Wissenschaftler diffamierend bezeichnet, die zwar nicht durch ihre Abstammung oder Religion als jüdisch angesehen wurden, denen aber eine ‚jüdische Gesinnung' und insbesondere ein als jüdisch identifiziertes Forschungsgebiet zugesprochen wurde. Prominentestes Beispiel ist Werner Heisenberg, der Einsteins Relativitätstheorie als interessant erachtet hatte. Vgl. Hermann, Armin. „Physik und Physiker im Dritten Reich." In *Wissenschaft, Gesellschaft und politische Macht*, hrsg. von Erwin Neuenschwander (Basel: Birkhäuser, 1993).

132 Vgl. Akte zu Jakob von Uexküll, Bundesarchiv Berlin-Lichterfelde, R 26-III (Siegel BDC) sowie BArch R 73/15316 (https://invenio.bundesarchiv.de/invenio/direktlink/0b0b4054-f28b-46f6-8d67-e0dfe8650a3b/).

problematischen Zeiten problemlos Fördermittel beantragen konnten.

Trotz dieses Konflikts hat Uexkülls Strategie zumindest in einer Hinsicht Erfolg. Nur ein Jahr nach der Neuauflage wird er von Hans Frank, vor dem Krieg Reichsführer des Nationalsozialistischen Rechtswahrerbundes, während des Krieges Generalgouverneur von Polen und nach dem Krieg als einer der Hauptangeklagten in den Nürnberger Prozessen zum Tode verurteilt, in den Ausschuss für Rechtsphilosophie der Akademie für Deutsches Recht berufen – als eines von siebzehn Mitgliedern gemeinsam mit unter anderem Martin Heidegger, Alfred Rosenberg (ebenfalls in den Nürnberger Prozessen zum Tode verurteilt), Erich Rothacker und Carl Schmitt, aber auch des Nationalsozialismus unverdächtigen Professoren wie dem Neukantianer Rudolf Stammler oder dem Völkerrechtler Viktor Bruns.[133] Dieser Ausschuss – der

133 Zwischen einigen Mitgliedern des Ausschusses gibt es ein enges Netz aus Verbindungslinien, die insbesondere in den Jahren 1933 und 1934 wirksam sind: Heidegger beruft sich bekanntermaßen bereits in seiner Vorlesung Grundbegriffe der Metaphysik von 1929/1930 intensiv auf Uexküll (vgl. Christina Vagt, „‚Umzu Wohnen': Umwelt und Maschine bei Heidegger und Uexküll," in *Ambiente: Das Leben und seine Räume*, hrsg. v. Thomas Brandstetter und Karin Harrasser (Wien: Turia + Kant, 2010)), aber an vielen anderen Stellen auch auf Rothacker, mit dem er über Jahrzehnte in einem Briefwechsel steht. Rothacker wiederum erweitert 1934 in seiner kulturanthropologischen *Geschichtsphilosophie* die Umweltlehre auf den Menschen und entwirft die These, dass zwischen Lebensstil, Kultur und Lebensraum eine enge Korrelation besteht (vgl. Erich Rothacker, *Geschichtsphilosophie* (München: Oldenbourg, 1934), 91). Kulturgeschichte ist für Rothacker ein Kampf der Lebensstile und, da diese als Eigenschaften von Rassen gelten, ein Rassenkampf. Das Engagement Rothackers, seit 1933 Mitglied der NSDAP, ist seit langem bekannt (Volker Böhnigk, „Die nationalsozialistische Kulturphilosophie Erich Rothackers," in *Philosophie im Nationalsozialismus*, hrsg. v. Hans J. Sandkühler (Hamburg: Meiner, 2009)). So unterzeichnet er die am 3. März 1933, zwei Tage vor den Reichstagswahlen, im Völkischen Beobachter erschienene Erklärung *Die deutsche Geisteswelt für Liste 1*, die im November 1933 vom *Bekenntnis der deutschen Professoren zu Adolf Hitler* mit den Unterschriften aller bedeutenden Holisten fortgeführt wird. Carl Schmitt wiederum wird von Heidegger und Rothacker intensiv gelesen und schreibt 1942 in *Land und Meer*: „Nun ist aber der Mensch ein Wesen, das

einzige unter den fast sechzig Ausschüssen der Akademie, dem Frank persönlich vorsteht – verfolgt die rechtsphilosophische Begleitung der Umsetzung des nationalsozialistischen Programms durch einen neuen, dem „Deutschtum" angemessenen Rechtskodex. Zwar gibt es keine kohärente, von allen Mitgliedern des Ausschusses geteilte Auffassung des nationalsozialistischen Staates – und keineswegs haben sich später alle Mitglieder in dieser Richtung betätigt –, doch allen Eingeladenen wird von Frank und Emge zugetraut, zur Entwicklung einer solchen Rechtsphilosophie beizutragen.

Da die Akten des Ausschusses bereits 1938 weitestgehend zerstört wurden, kann dessen Arbeit nur aus Fragmenten in den Akten der Akademie für Deutsches Recht sowie entsprechendem Archivmaterial aus dem Nietzsche-Archiv in Weimar, dem Hauptstaatsarchiv in München sowie dem Bundesarchiv in Berlin rekonstruiert werden. Seit 2019 liegen die Berliner Akten in einer von Werner Schubert besorgten kritischen Edition vor. Diese Dokumente machen es möglich, Uexkülls Rolle erstmals im Detail zu rekonstruieren. Hinzu kommt die Quellenarbeit, die Miriam Wildenauer und Kaveh Nassirin anhand der verbliebenen Akten und späteren Aussagen des stellvertretenden Leiters des Ausschusses, des zu dieser Zeit in Jena lehrenden und die „historisch-kritische Ausgabe" der Schriften Nietzsches leitenden

nicht in seiner Umwelt aufgeht. Er hat die Kraft, sein Dasein und Bewußtsein geschichtlich zu erobern." (Carl Schmitt, *Land und Meer: Eine weltgeschichtliche Betrachtung* (Stuttgart: Klett-Cotta, [1942] 2008), 14. Ich danke Friedrich Balke für diesen Hinweis.) Schmitt, der die Rassengesetze später rechtswissenschaftlich zu legitimieren sucht, hatte seine Teilnahme an der Eröffnungsveranstaltung zwar zugesagt, wird in der Anwesenheitsliste jedoch nicht geführt, was auch ein Treffen mit Heidegger unwahrscheinlich macht (vgl. Werner Schubert, „Einleitung," in *Akademie für Deutsches Recht, 1933–1945. Protokolle der Ausschüsse: Weitere Nachträge (1934–1939)*, hrsg. v. Werner Schubert, Band XXIII (Berlin: De Gruyter, 2019), 11). Mildenberger weist darauf hin, dass Uexküll den Exilbalten Rosenberg zu dieser Zeit möglicherweise bereits persönlich kannte, zumal Rosenberg auch die von Uexküll in seinen Briefen an Chamberlain zitierten *Protokolle der Waisen von Zion* übersetzt (Mildenberger, *Umwelt als Vision*, 109).

Rechtsphilosophen Carl Emge, unternommen haben.[134] Die Rekonstruktion dieses Materials zeigt, dass das aus der wissenschaftshistorischen Forschung auch in die weitere Auseinandersetzung mit Uexküll übernommene Bild von dessen Rolle in dieser Zeit unhaltbar ist.

Vor allem im Zuge der Debatten um die NS-Verstrickungen Martin Heideggers wurde der bis dahin nur unter Historikern diskutierte Ausschuss – trotz des Mangels an Quellen – in den letzten Jahren zum Gegenstand einer intensiven Debatte, die sich an der Frage entzündete, ob der Ausschuss – und damit Heidegger – direkt in die Entstehung der Nürnberger Rassengesetze und deren spätere Umsetzung involviert war.[135] Ein Einfluss auf diese im September 1935 verabschiedeten Gesetze lässt sich jedoch nicht belegen[136] und für Tätigkeiten nach 1934 fehlt es mangels Archivmaterial

134 Vgl. Miriam Wildenauer, „Grundlegendes über den Ausschuss für Rechtsphilosophie der Akademie für Deutsches Recht," letzte Aktualisierung 11. Mai 2019, letzter Zugriff 15. August 2020, https://entnazifiziert.com/ und Kaveh Nassirin, „Martin Heidegger und die ‚Rechtsphilosophie' der NS-Zeit." *FORVM*, letzter Zugriff 15. August 2020, http://forvm.contextxxi.org/martin-heidegger-und-die.html. Zu Emge vgl. Stephan Günzel, „Philosophie des Führens: Carl August Emge in Jena und Weimar," in *Angst vor der Moderne: Philosophische Antworten auf Krisenerfahrungen: Der Mikrokosmos Jena 1900–1940*, hrsg. v. Klaus-Michael Kodalle (Würzburg: Königshausen & Neumann, 2000) sowie Christian Tilitzki, „Der Rechtsphilosoph Carl August Emge: Vom Schüler Hermann Cohens zum Stellvertreter Hans Franks," *Archiv für Rechts- und Sozialphilosophie* 89, Nr. 4 (2003).

135 Vgl. François Rastier, „Heidegger, théoricien et acteur de l'extermination des juifs?," *The Conversation*, letzte Aktualisierung am 1. November 2017, letzter Zugriff 15. August 2020, https://theconversation.com/heidegger-theoricien-et-acteur-de-lextermination-des-juifs-86334; Kaveh Nassirin, „Den Völkermördern entgegengearbeitet?," *FAZ*, 11.07.2018; Nassirin, „Martin Heidegger und die ‚Rechtsphilosophie' der NS-Zeit" sowie Sidonie Kellerer und François Rastier, „Den Völkermördern entgegen gearbeitet," *FORVM*, letzter Zugriff 15. August 2020, http://forvm.contextxxi.org/den-volkermordern-entgegen.html.

136 So schon Hans-Rainer Pichinot, *Die Akademie für deutsches Recht: Aufbau und Entwicklung einer öffentlich-rechtlichen Körperschaft des Dritten Reichs* (Dissertation Universität Kiel, 1981), 62ff.

an Beweisen.[137] Über das Ende des Ausschusses gibt es unterschiedliche Angaben: Offiziell wird er auf Franks Anweisung hin 1938 aufgelöst und Frank selbst am 20. August 1942 von Hitler aller Ämter enthoben.[138] Es existiert aber eine seit ihrer Publizierung durch Wildenauer 2017 viel diskutierte Mitgliederliste, die Wildenauer zufolge aufgrund der Bezeichnung Rosenbergs als Reichsminister auf die Zeit nach dem 17. Juli 1941 datiert sein muss. Diese Liste weist auf ein Fortbestehen bis mindestens 1941, höchstens aber bis Januar 1943 hin, beweist jedoch keine tatsächlich abgehaltenen Treffen.[139] Ob und in welcher Form der Ausschuss zu dieser Zeit noch aktiv war, lässt sich aus diesem Dokument demnach nicht rekonstruieren. Ein Fortbestehen kann angesichts der Geheimhaltung vieler Aktivitäten der Akademie für Deutsches Recht aber auch nicht gänzlich ausgeschlossen werden. Entsprechend umstritten ist die Rolle der erwähnten, auf zwölf Personen geschrumpften Namensliste, auf der Uexküll nicht mehr geführt wird. Diese Liste belegt zumindest, dass ihr unbekannter Ersteller sich auch Anfang der 1940er Jahre noch mit dem Ausschuss auseinandergesetzt hat und die Verfügbarkeit der Mitglieder durch Häkchen angezeigt wurde. In welcher Form und vor allem mit welchem Einfluss auf die Politik der Ausschuss noch nach 1934 gewirkt haben könnte, ist jedoch unklar.

137 Vgl. Dennis LeRoy Anderson, *The Academy for German Law: 1933–1944* (New York: Taylor & Francis, 1987), 138, 347, 578 sowie Werner Johe, *Die gleichgeschaltete Justiz: Organisation des Rechtswesens und Politisierung der Rechtsprechung 1933–1945, dargestellt am Beispiel des Oberlandesgerichtsbezirks Hamburg* (Hamburg: Christians, 1983), 29. Johe beruft sich allerdings, wie Kellerer und Rastier einwenden, auf Franks Selbstauskünfte von 1946 (vgl. Kellerer und Rastier, „Den Völkermördern entgegen gearbeitet").

138 Vgl. Werner Schubert, „Einleitung," in *Akademie für Deutsches Recht*, 14. Zu Franks Enthebung vgl. Nassirin, „Martin Heidegger und die ‚Rechtsphilosophie' der NS-Zeit".

139 Für die Gründe, die gegen eine weitere Aktivität des Ausschusses sprechen, vgl. ebd. Im Januar 1943 wird der Ausschuss in einer offiziellen Liste der beendeten Ausschüsse der Akademie geführt (vgl. Wildenauer, „Grundlegendes über den Ausschuss für Rechtsphilosophie der Akademie für Deutsches Recht," Teil 9.1.2).

Während Sidonie Kellerer und François Rastier aus dieser Namensliste auf eine Beteiligung des Ausschusses und damit insbesondere Heideggers an den Rassengesetzen und ihrer Umsetzung geschlossen haben, interpretiert Kaveh Nassirin sie als eine Liste möglicher Gutachter und widerspricht Kellerers und Rastiers Deutung.[140] Es könne sich nicht um eine Anwesenheitsliste handeln, weil der Psychiater Max Mikorey zu dieser Zeit an der Front stationiert und Rosenberg derart tief mit Schmitt verfeindet gewesen sei, dass eine Zusammenarbeit zu diesem Zeitpunkt unwahrscheinlich erscheine.

Wie dem auch sei: Uexküll, der 1936 pensioniert wird, 1940 nach Capri emigriert und dort 1944 stirbt, dürfte dabei keine Rolle mehr gespielt haben und wird auf der späten Liste auch nicht mehr geführt. Seine Bedeutung für die Frühzeit des Ausschusses im Jahr 1934 ist in der Uexküll-Forschung bislang jedoch ignoriert worden.[141] Diese Rolle zu rekonstruieren, bedeutet auch, das durch Uexkülls Frau Gudrun in ihrer 1964 erschienen Biographie ihres Mannes gemalte Bild von dessen Arglosigkeit zu widerlegen – und damit die wichtigste Quelle, auf die sich Teile der Uexküll-Forschung bis heute berufen.

Auf die Einladung durch Frank sowie seinen Stellvertreter Emge schreibt Uexküll ein mit ‚Heil Hitler' unterzeichnetes Antwortschreiben und erkundigt sich nach den bevorstehenden Aufgaben des Ausschusses. Implizit bezieht er sich auf die *Staatsbiologie*: „Da der Staat meiner Überzeugung nach ein lebendes Wesen ist, würde ich die Begründung einer Akademie, die sich der Gesundheitspflege des Staates widmet, ganz besonders freudig

140 Vgl. Rastier, „Heidegger, théoricien et acteur de l'extermination des juifs?" sowie Nassirin, „Martin Heidegger und die ‚Rechtsphilosophie' der NS-Zeit".

141 In der historischen Forschung, aber auch in der Auseinandersetzung mit Heidegger, ist spätestens seit den 1980er Jahren bekannt, dass Uexküll an diesem Ausschuss beteiligt war (vgl. Victor Farías, *Heidegger and Nazism* (Philadelphia: Temple University Press, 1990), 205f.).

begrüßen."[142] Der Schritt von der Gesundheitspflege zur Parasiten-Rhetorik ist hier nicht mehr fern. In einem Bestätigungsschreiben über seine Teilnahme vom 28. April 1934 äußert Uexküll den Wunsch, bei der Eröffnungsveranstaltung einen zwanzigminütigen Vortrag mit dem Titel „Der Staat und die Universitäten" zu halten.[143]

Das erhaltene Protokoll der Eröffnungssitzung am 3. Mai 1934 im Weimarer Nietzsche-Archiv sowie zeitgenössische Berichte in der *Thüringischen Staatszeitung* vom 4. Mai 1934 und in der *Frankfurter Zeitung* vom 5. Mai 1934 belegen Uexkülls Teilnahme. Im öffentlichen Teil halten Frank und Rosenberg Eröffnungsvorträge vor zahlreichen geladenen Vertretern der Politik. Frank formuliert dort den Anspruch des von der Presse bejubelten „Kampfausschuss[es] des Nationalsozialismus"[144]: „Der Staatsbegriff des Nationalsozialismus wird von uns neugebaut auf Einheit und Reinheit des deutschen Menschentums, formuliert und verwirklicht im Recht und im Führerprinzip."[145] Er stellt als Ergebnis des Ausschusses in Aussicht, „die Rechtsentwicklung des nationalsozialistischen Staates von der geistigen Erkenntnis der Notwendigkeiten des deutschen Volks ausgehen zu lassen und nicht ein freies Recht im Sinne des Liberalismus zu dulden."[146] Und weiter: „Das Fundament unserer Gesetzesschöpfung sollen die naturgesetzlichen Notwendigkeiten des Deutschtums sein."[147] Frank

142 Aus der Akte Emges im Archiv der Akademie für Deutsches Recht, Bundesarchiv (R 61/30), zitiert nach Wildenauer, „Grundlegendes über den Ausschuss für Rechtsphilosophie der Akademie für Deutsches Recht," Teil 3.5.6.

143 Aus der Akte Emges im Archiv der Akademie für Deutsches Recht, Bundesarchiv (R 61/30), zitiert nach ebd. Ich danke Miriam Wildenauer für die Weiterleitung des genannten Briefes.

144 Anonym, „Thüringische Staatszeitung vom 4.5.1934," in Schubert, *Akademie für Deutsches Recht*, 54.

145 Hans Frank, „Ansprache von Hans Frank," in Schubert, *Akademie für Deutsches Recht*, 48. Ebenfalls Frankfurter Zeitung vom 5. Mai 1934, auch zitiert in Farías, *Heidegger and Nazism*, 271.

146 Hans Frank, „Ansprache von Hans Frank," in Schubert, *Akademie für Deutsches Recht*, 47.

147 Ebd.

denkt den Ausschuss, so kann man seinen Vortrag auslegen, von der angestrebten Legitimierung der zukünftigen Rassengesetze als erstem Schritt zu einem neuen Recht her – selbst wenn dem womöglich nicht alle Mitglieder des Ausschusses zugestimmt hätten. Insbesondere soll der Ausschuss ein neues Konzept des ‚totalen Staates' entwerfen. Dieser Anspruch konvergiert mit Uexkülls Anbiederungsversuchen in der Neuauflage der *Staatsbiologie* und der Ausschuss wird durch die Einladung Uexkülls um eine biologistische Staatslehre ergänzt. Die Uexküll zugedachte Aufgabe im Ausschuss ist klar erkennbar, wenn Emge im Anschluss an Franks und Rosenbergs Ausführungen die geplante Aufteilung des Ausschusses in Unterausschüsse erläutert. Eine dieser Arbeitsgruppen soll sich mit dem Verhältnis von Rasse und Leben beschäftigen: „Der Organismus-Gedanke ist in seiner Bedeutung für das Recht fruchtbar zu machen."[148]

Vom angekündigten Vortrag Uexkülls ist in den Akten und Zeitungsberichten keine Rede. Er könnte allerdings während der internen Arbeitstagung gehalten worden sein.[149] Bemerkenswerterweise gibt es eine weitere Quelle, die in einem Spannungsverhältnis zu den Akten steht: Gudrun von Uexküll berichtet in der erwähnten Biographie ihres Mannes von einem Vortrag in Weimar an diesem Tag, ohne den Rechtsausschuss oder den Grund der Einladung zu erwähnen. Die Episode wird auch in der Literatur zu Uexküll gerne zitiert, um aus ihr die Arglosigkeit und Unschuld Uexkülls abzuleiten: Bei einem Vortrag im Nietzsche-Archiv, so Gudrun von Uexkülls Darstellung, habe ihr Mann auf Einladung der Akademie für Deutsches Recht in Anwesenheit Elisabeth Förster-Nietzsches die kurz zuvor vollzogenen Maßnahmen gegen jüdische Hochschullehrer kritisiert. Gudrun von Uexküll schreibt:

148 Carl A. Emge, „Ansprache von Prof. Dr. C.A. Emge, Weimar," in Schubert, *Akademie für Deutsches Recht*, 52.

149 Vgl. Anonym, „Niederschrift für die Sitzung vom 3.5.1934," in Schubert, *Akademie für Deutsches Recht*.

> Aber da Uexküll sich nie an Veranstaltungen beteiligt hatte, die auch nur entfernt den Zwecken des Dritten Reiches dienen konnten, machte er seine Zusage davon abhängig, ob man von ihm eine Meinungsäußerung erwarte, oder ob lediglich beabsichtigt sei, ihm ‚Weisungen' zu erteilen. Von Weisungen sei keine Rede, hieß es in der Antwort, sondern man erbäte einen Vortrag – ganz nach eigenem Ermessen.[150]

Die erhaltenen Briefe zwischen Uexküll und Emge belegen, dass diese Aussage nicht stimmt. Es gab keine Nachfragen zu Weisungen oder Meinungen. Die Initiative zu diesem Vortrag – der, wann auch immer er stattgefunden hat, wenig später publiziert wurde – ging von Uexküll selbst aus. Er musste seine Redefreiheit nicht erstreiten. Und dass er gegen die Entlassung jüdischer Professoren protestiert, ist allenfalls die halbe Wahrheit.

An dieser Stelle verweist Gudrun von Uexküll auch darauf, dass Hitler zu dieser Zeit begonnen habe, „den Rechtsstaat und die Demokratie zu zerstören"[151], verschweigt aber, dass zumindest die Zerstörung der Demokratie exakt dem Programm der *Staatsbiologie* entsprach und der Aufbau einer neuen Staatskonzeption Aufgabe des Ausschusses war. Sie schreibt weiter:

> Am Abend fanden die Vorträge statt. [Die Eröffnungsveranstaltung begann um 16 Uhr – F.S.] Aber als Uexküll zum eigentlichen Anliegen seiner Ausführungen gekommen war, zeigte es sich, dass offenbar nicht die geringste Absicht bestand, irgendeine von der Parteilinie abweichende Meinung auch nur anzuhören. Schon bald nach den ersten einleitenden Worten verfinsterten sich die Gesichter. Doch Uexküll fuhr unbekümmert fort: ‚Heutzutage gilt es als Kriterium der Lebenstüchtigkeit, dass man einen Faustschlag mit einem Faustschlag vergelten kann. Dies gilt aber, wie der Biologe weiß, nur für die effektorischen Organe. Das

150 Gudrun von Uexküll, *Jakob von Uexküll, seine Welt und seine Umwelt*, 174.
151 Ebd.

> Auge, das ein Faustschlag trifft, kann nur erblinden, aber es kann nicht zurückschlagen. Die Hochschulen aber haben die Aufgabe, Augen des Staates zu sein...' Hier wurde Uexküll jäh unterbrochen mit der fadenscheinigen Begründung: er habe sich zu weit vom Programm des Abends entfernt. Als Uexküll erklären wollte, weshalb die Universitäten als ‚Sinnesorgane des Staates' anerkannt und geschützt werden müssten, erhob sich der Vorsitzende Frank. Er verstand zwar nicht genau, wovon die Rede war, aber er missbilligte es und protestierte. – Nach diesem Zwischenfall betrachtete Uexküll die Tagung als für ihn beendet und wollte gehen. Doch Alfred Rosenberg forderte ihn auf, noch zu einem Gespräch unter vier Augen zu ihm in das Hotel ‚Elefant' zu kommen. Bei dieser Gelegenheit machte Uexküll Rosenberg den Vorschlag, er solle sich einmal eingehender mit Chamberlain befassen, der doch früher von ihm bewundert worden sei. Um der Partei nicht nur ein Programm, sondern auch eine Ethik zu geben, empfahl er ihm, Chamberlains ‚Worte Christi' zu lesen. Rosenberg war peinlich berührt. Auf diesem Gebiet, sagte er, habe er sich von Chamberlain sehr weit entfernt.[152]

Auch an diesem Zitat ist der entscheidende Punkt nachweislich falsch: Uexküll hat sich auch nach der Eröffnungsveranstaltung noch für das – nunmehr in allen Facetten offengelegte – nationalsozialistische Programm des Ausschusses engagiert, die Umweltlehre zu diesem Zweck in Stellung gebracht und sie sogar in eine Lehre vom ‚totalen Staat' umgebaut. Darüber hinaus nennt Rosenberg Uexküll, wie Mildenberger gezeigt hat, in seinen im Kontext der Nürnberger Prozesse niedergeschriebenen, nach seiner Hinrichtung veröffentlichten Aufzeichnungen von 1945/1946 Uexküll gemeinsam mit Karl Ernst von Baer und Adolf von Harnack einen „bahnbrechenden Vertreter der neuen Umweltforschung".[153]

152 Ebd.

153 Alfred Rosenberg, *Letzte Aufzeichnungen: Ideale und Idole der nationalsozialistischen Revolution* (Göttingen: Plesse, 1955), 45. Auch zitiert in Mildenberger,

Wie Wildenauer gezeigt hat, berichtet 1960 auch Emge, nach dem Krieg unbehelligt, dass es im Zusammenhang mit der Eröffnungsveranstaltung des Ausschusses zu einem Streit zwischen Uexküll und Rosenberg gekommen sei. Diese Auseinandersetzung habe dem Ausschuss ein Ende bereitet. Emges Darstellung unterscheidet sich jedoch deutlich von der von Gudrun von Uexküll und vertauscht die Rollen:

> Als wir uns an die Arbeit begaben, erschien Alfred Rosenberg und trug sein bekannt unreifes Zeug vor. Die Folge davon war, dass ihn nach der Sitzung Uexküll im Hotel aufsuchte, um auf die Unmöglichkeit seiner Auffassungen aufmerksam zu machen. Eine heftige Auseinandersetzung zwischen dem berühmten Gelehrten aus alter Kulturschicht von hohem wissenschaftlichen Rang mit dem homo novus und Dilettanten! Damit war jener Arbeitsgruppe der Todesstoß versetzt. Sie konnte nie mehr zusammen kommen.[154]

Über einen abgebrochenen Vortrag fällt bei Emge kein Wort.

Es ist möglich, dass einer der Berichte oder auch beide falsch sind. Es können jedenfalls nicht beide stimmen. In beiden Fällen gibt es Gründe, die Geschichte möglichst positiv für die jeweilige Seite erscheinen zu lassen. An Emges Zitat ist in diesem Kontext dreierlei relevant: Erstens hat Emge zufolge nicht Rosenberg Uexküll zum Gespräch gebeten, sondern dieser hat jenen aufgesucht. Zweitens ist die von Emge bei der Beschreibung des Ausschusses vermiedene Nennung der zu dieser Zeit noch lebenden Heidegger und Schmitt taktischer Art. Auch dass er Uexküll in den

Umwelt als Vision, 296.

154 Carl A. Emge, „Erinnerungen eines Rechtsphilosophen an die Umwege, die sich schließlich doch als Zugänge nach Berlin erwiesen, an die dortige rechtsphilosophische Situation und Ausblicke auf Utopia," in *Studium Berolinense: Aufsätze und Beiträge zu Problemen der Wissenschaft und zur Geschichte der Friedrich-Wilhelms-Universität zu Berlin*, hrsg. v. Georg Kotowski, Eduard Neumann und Hans Leussink (Berlin: De Gruyter, 1960), 75f., auch zitiert von Wildenauer, „Grundlegendes über den Ausschuss für Rechtsphilosophie der Akademie für Deutsches Recht," Teil 1.

Vordergrund rückt, könnte mit dessen in der Nachkriegszeit nicht problematisierten Rolle zusammenhängen. Drittens schließlich – und das ist entscheidend – ist Emges Aussage über das Ende des Ausschusses nachweislich ebenso falsch wie Gudrun von Uexkülls Aussage über den Abgrund zwischen den Nazis und ihrem Mann.

Aus diesen Behauptungen ist bislang auf Uexkülls Arglosigkeit geschlossen worden. Gudrun von Uexkülls Vorgabe entsprechend wird er anhand dieser Episode in der Forschungsliteratur vom Verdacht freigesprochen, in der Nähe des Nationalsozialismus zu stehen.[155] Die Brisanz der Episode – dass Uexküll nicht nur zu einem Vortrag eingeladen war, sondern als Mitglied des unerwähnten Ausschusses, der Grund der Einladung, die Anbiederung Uexkülls und auch das anschließende Engagement – bleibt dabei im Dunkeln. Da Uexküll in den folgenden Monaten durchaus noch an Aktivitäten des Ausschusses teilnimmt, sind Emges und Gudrun von Uexkülls Behauptungen eines Widerstands Uexkülls insofern gravierend, als der von Frank formulierte Anspruch auf einen Einfluss auf die nationalsozialistische Rechtspolitik im Raum steht, es für eine direkte Involvierung des Ausschusses aber keine Belege gibt. Die Rolle Uexkülls ist jedoch durch weitere

155 Die Episode wird übernommen etwa in Charlotte Helbach, *Die Umweltlehre Jakob von Uexkülls: Ein Beispiel für die Genese von Theorien in der Biologie des 20. Jahrhunderts* (Dissertation RWTH Aachen, 1999), 93; Mildenberger, *Umwelt als Vision*, 160; Florian Mildenberger und Bernd Herrmann, „Nachwort," in *Umwelt und Innenwelt der Tiere*, 309; Thomas Potthast, „Lebensführung (in) der Dialektik von Innenwelt und Umwelt: Jakob von Uexküll, seine philosophische Rezeption und die Transformation des Begriffs ‚Funktionskreis' in der Ökologie," in *Das Leben führen? Das Konzept Lebensführung zwischen Technikphilosophie und Lebensphilosophie*, hrsg. v. Nicole Karafyllis (Berlin: Edition Sigma, 2014), 198; Brentari, *Jakob von Uexküll*, 38f sowie Juan M. Heredia, „Jakob von Uexküll, an Intellectual History," in *Jakob von Uexküll and Philosophy*. Boria Sax und Peter Klopfer gehen noch einen Schritt weiter: „Uexküll does not explicitly support any political agenda. [...] Jakob von Uexküll recognized the danger represented by the Nazis earlier and more clearly than most of his illustrious colleagues." (Boria Sax und Peter H. Klopfer, „Jakob von Uexküll and the Anticipation of Sociobiology," *Semiotica* 134, Nr. 1/4 (2001): 771.)

 Briefe und dem angekündigten, wenige Monate später veröffentlichten Vortrag zumindest bis Mitte 1934 rekonstruierbar.

3.4 Organe des ,totalen Staates'

Die sich widersprechenden Angaben Emges, Gudrun von Uexkülls sowie der Akten ergeben ein uneinheitliches Bild, das zu Spekulationen einlädt. Dass es am 3. Mai 1934 einen Konflikt gegeben hat, kann als wahrscheinlich gelten, denn die Aussagen in Uexkülls kurze Zeit später unter dem Titel „Die Universitäten als Sinnesorgane des Staates" im Ärzteblatt für Sachsen, Provinz Sachsen, Anhalt und Thüringen veröffentlichten Vortrag passen nur bedingt zu Franks und Rosenbergs juristisch-rassistischen Vorstellungen und auch nicht zur vorgesehenen Aufgabe des Ausschusses – sehr wohl aber zur bereits begonnenen Verwandlung hin zum ,totalen Staat', wie sie Frank anstrebt.

Der Begriff des ,totalen Staates' wird in Deutschland 1931 von Carl Schmitt als Analogie zu Ernst Jüngers ,totaler Mobilmachung' in die rechtsphilosophische Debatte eingeführt. Er dient dazu, die unbeschränkte Ausübung der Staatsgewalt und die Unterordnung aller individuellen Interessen apologetisch dem liberalen Rechtsstaat und der Freiheit der Individuen gegenüberzustellen. Schmitt beschreibt damit einen Staat, in dem die Trennung von „Staat und Gesellschaft, Regierung und Volk"[156] eingerissen ist: „Jetzt wird der Staat zur ,Selbstorganisation der Gesellschaft'"[157]. Im ,totalen Staat' kann nicht mehr „zwischen staatlich-politischen und gesellschaftlich-unpolitischen Sachgebieten"[158] unterschieden werden. „In ihm gibt es kein Gebiet mehr, demgegenüber der Staat unbedingte Neutralität im Sinne der Nicht-Intervention beobachten könnte."[159] Der ,totale Staat' ist mithin ein Staat, in dem alles

156 Carl Schmitt, *Der Hüter der Verfassung* (Berlin: Duncker & Humblot, [1931] 1996), 78.

157 Ebd.

158 Ebd., 79.

159 Ebd.

Individuelle dem ‚Totalen' unterstellt ist und jede Handlung in die Ausrichtung des Ganzen eingebunden ist.

Es ist nicht unwahrscheinlich, dass Schmitts Verständnis des in der Staatskunde dieser Zeit breit diskutierten Begriffs im Ausschuss eine Rolle gespielt hat, obwohl Schmitt für keines der Treffen als anwesend geführt wird.[160] Uexküll jedenfalls macht diesen Begriff – ohne auf Quellen zu verweisen – in seinem Aufsatz und einem weiteren Brief zur Grundlage seiner Überlegungen und überführt die *Staatsbiologie* in eine Lehre vom ‚totalen Staat'. Die Neuauflage des Buches erscheint bezeichnenderweise in der gleichen Schriftenreihe wie die zweite Auflage von Schmitts *Begriff des Politischen* und Ernst Forsthoffs *Der totale Staat*.[161] Uexkülls Vorgehen zeigt, dass organische Ganzheitlichkeit und Totalität trotz einiger Reibungspunkte ineinander übersetzbar sind. Damit liefert Uexküll einen biologischen Beitrag zur nationalsozialistischen Rechtsphilosophie und zur Arbeit des Ausschusses. Für den ‚totalen Staat' habe sich Uexküll, so die Herausgeber der Zeitschrift in einer kurzen Einführung, „schon vor 14 Jahren, also zur Zeit der unumschränkten Weimarer ‚Demokratie', besser ‚Ochlokratie'"[162] eingesetzt. Dass der für die Eröffnungsveranstaltung angekündigte Text letztlich in einer abseitigen Zeitschrift wie dem Ärzteblatt erscheint, wirft zwar Fragen auf – die Einleitung der Herausgeber beantwortet aber bereits die Frage, ob Uexküll sich in diesem Text gegen das Regime gewendet haben könnte.

Ein Protestschrei gegen die NS-Politik, wie es Gudrun von Uexküll nahelegt, ist Uexkülls Text nicht.[163] Entsprechend lohnt sich ein

160 Vgl. Anonym, „Niederschrift für die Sitzung vom 3.5.1934," in Schubert, *Akademie für Deutsches Recht*, 45.

161 Das Verlagsprogramm auf der Innenseite der Neuauflage verweist auf diese beiden Bücher.

162 Uexküll, „Die Universitäten als Sinnesorgane des Staates," 145.

163 Herrmanns und Mildenbergers Behauptung, dass der Aufsatz „diametral den Durchdringungsstrategien der Nationalsozialisten" widerspreche, ist angesichts von Uexkülls Affirmation des ‚totalen Staates' mehr als fragwürdig (Florian Mildenberger und Bernd Herrmann, „Nachwort," in *Umwelt und Innenwelt der Tiere*, 309).

genauerer Blick auf den Aufsatz, den man auch als Antwort auf Goebbels vermeintliche Anfeindungen lesen könnte. Das Plädoyer, das Uexküll für die Autonomie der Universität als etwas „mit dem Volks- und Staatskörper Verbundenes" hält, wendet sich explizit gegen intellektuellen- und universitätsfeindliche Vorwürfe der Weltabgewandtheit, der Ignoranz gegenüber praktischen Fragen und der Verwendung einer hermetischen Sprache. Uexküll verortet die Quelle dieser Angriffe allerdings – und das ist entscheidend – nicht im Faschismus, sondern ganz im Gegenteil in der „alten, uns allzu wohl bekannte[n], demokratische[n] Denkweise, die im Staat immer nur den gleichartigen Menschenbrei zu sehen vermag."[164] Die Gefährdung der Universität geht also zunächst nicht vom Nationalsozialismus aus, sondern von der liberalen Demokratie. Die Universität bilde die „Merkarbeiter" des Staates aus wie die Fabrik die „Wirkarbeiter". Nur in der Verschränkung von Merk- und Wirkarbeitern könne sich der allein in Deutschland mögliche ‚totale Staat' des Nationalsozialismus erheben, der „eine aus gemeinsam arbeitenden Organen aufgebaute lebendige Einheit darstellt"[165].

Entscheidend ist nun, dass dieser ‚totale Staat' von Uexküll ebenso wie von Schmitt explizit der Demokratie entgegengesetzt wird, weil in ihm alles an seinem Platz sei und der „Menschenbrei"[166] der Demokratie der ganzheitlichen Ordnung weiche, die Volk und Staat zu einer Einheit verbinde und alles Individuelle dem Ganzen unterordne. Daher werde der ‚totale Staat' erst möglich, wenn man sich von „demokratischen Gedankengängen"[167] gänzlich löst.

‚Total' ist der Staat bei Uexküll – anderes als bei Schmitt – nur, wenn er organisch ist und damit auch die Universitäten als Sinnesorgane umfasst. Schmitts Idee der von ihm in

164 Uexküll, „Die Universitäten als Sinnesorgane des Staates," 145.
165 Ebd., 146.
166 Ebd., 145.
167 Ebd.

Anführungszeichen gesetzten „Selbstorganisation“[168] gibt Uexküll also eine konkrete biologische Bedeutung. Darüber hinaus wird die in der *Staatsbiologie* beschriebene ständische Ordnung um den Ort der Universitäten ergänzt, ohne die der „totale Staat“ blind bliebe. Die Angriffe auf die Universität kritisiert Uexküll – in zweiter Linie wohl mit den ‚Säuberungsaktionen' auch in Hamburg im Hinterkopf – als Gefährdung eben dieser aus der organischen Ganzheit gebildeten „Totalität des Staates“[169].

An dieser Stelle finden sich in sinngemäßer Form die von Gudrun von Uexküll angeführten Worte: „Es bedarf nur geringer Muskelkraft, um ein Auge auszuschlagen, es wehrt sich nicht, es wird nur blind. Ebenso kostet es keine Mühe, die Universitäten zu vernichten, sie wehren sich nicht – aber der Staat wird blind.“[170] Uexkülls Antwort auf die Angriffe der Nationalsozialisten auf die Universitäten lautet also nicht, diese aufgrund ihrer Bedeutung für die Gesellschaft oder im Namen der Wissenschaftsfreiheit zu verteidigen, sondern weil die Universitäten als Sinnesorgane Teil des ‚totalen Staates' sind und dieser ohne sie blind wäre. Die eigentliche Gefahr liege in der Gleichmacherei der Demokratie. Die Angriffe der Nazis sind, so kann man diesen Gedanken fortsetzen, nur deswegen falsch, weil sie das falsche Ziel angreifen – und sich so gegen ihre eigentlichen Interessen wenden. Die Intention der Herstellung eines anti-demokratischen ‚totalen Staates' teilt Uexküll. Diesem Anspruch sollen sich auch die Universitäten unterordnen.

Im Anschluss an die Eröffnungsveranstaltung, also noch vor dem Erscheinen des Textes, bittet Emge alle Teilnehmer um die Beantwortung einiger rechtsphilosophischer Fragen als Grundlage für die weitere Arbeit beim zweiten Treffen des Ausschusses, darunter auch ein Hinweis auf die Bedeutung des „Deutschen“ für das Recht. Weder Heidegger noch Schmitt noch Rosenberg

168 Schmitt, *Der Hüter der Verfassung*, 78.

169 Uexküll, „Die Universitäten als Sinnesorgane des Staates,“ 146.

170 Ebd.

antworten – Uexküll schon. Dieses Engagement deutet nicht auf einen Widerstand Uexkülls oder gar ein abruptes Ende des Ausschusses hin. Auch in dieser ausführlichen Antwort verankert Uexküll die Arbeit an einem neuen Rechtsverständnis in der Umweltlehre: „Als Naturforscher kann es sich für mich nur um eine Forschung der Lebensgesetze des Staates und um ihre Nutzanwendung handeln – nicht aber um ein Dekretieren von Gesetzen, was dem Politiker und Juristen so naheliegt.“[171] Insofern der Staat ein planmäßiger Organismus ist, ist Uexkülls Abstinenz hier nur konsequent: Der Biologe kann nur auf innere Probleme hinweisen, die der natürlichen Entwicklung entgegenstehen, nicht aber von außen, etwa auf juristischem Weg, auf den Staat einwirken. Uexküll betont, dass es für ein „wirkliches Rechtsleben im Staate“[172] notwendig sei, dass die Bürger nicht nur kein Unrecht tun, sondern bekanntes Unrecht nicht dulden. Man könnte diese Zeilen als indirekte Rechtfertigung von Uexkülls eigenem Unbehagen mit den ‚Säuberungen' der Universitäten lesen.

Doch Uexküll entwirft von diesem Gedanken ausgehend ein weites Panorama, in dem die Umwelten der Berufe so verkettet sind, dass sie das Ganze des ‚totalen Staats' bilden. Die Bekämpfung der Arbeitslosigkeit – immerhin eines der Themen, mit denen die NSDAP die Reichstagswahl von 1933 gewinnt – ist für Uexküll als „Recht auf Arbeit“ Teil der Lehre von den Staatsorganen. Die Bewohner eines Staates können nur an ihrem Ort bleiben, wenn sie ihren erlernten Beruf ausüben dürfen, also dem gegebenen Funktionskreis aus Merk- und Wirkorganen treu bleiben. „Die neue Staatsregierung sieht ihre erste Aufgabe darin, diese schwere Erkrankung zu heilen, indem sie die [durch die Industrialisierung – F.S.] überflüssig gewordenen Arbeiter an anderer Stelle in die Menschenkette eingliedert.“[173] Schon die identifikatorische Sprache weist auf Uexkülls Zustimmung hin. Erst

171 Jakob von Uexküll, „Antwort von Prof. Dr. Jakob von Uexküll vom 9.5.1934,“ in Schubert, *Akademie für Deutsches Recht*, 61.

172 Ebd.

173 Ebd., 62.

wenn es dem ‚totalen Staat' gelingt, die Arbeitslosigkeit durch die organische Eingliederung aller Menschen zu überwinden, sei die Verwirklichung der Planmäßigkeit im ‚totalen Staat' möglich: „Tief in seiner Umwelt verwurzelt, schöpft er [der Mensch] aus ihr seinen sittlichen Halt, seine Ehre und sein Recht."[174]

Genau diesen Gedanken nimmt Emge in einem Bericht über die Arbeit des Ausschusses in der Hauszeitschrift der Akademie für Deutsches Recht wieder auf, wenn er fragt: „Was ist der Sinn des ‚Bauplans' bei einem völkischen Organismus?"[175] Emges Text ähnelt der bereits erwähnten Vorstellung der Unterausschüsse bei der Eröffnungsveranstaltung. An dieser Stelle verändert sich jedoch die Formulierung: War noch wenige Monate zuvor vom „Organismus-Gedanke[n]"[176] die Rede, steht an dieser Stelle nun Uexkülls Begriff des Bauplans. Uexkülls Einfluss auf den Ausschuss zeigt sich auch in folgender Aussage: „Mit dem Begriff der Rasse werden aber auch die des ‚Organismus' und der ‚Ganzheit' für das Rechtliche bedeutsam."[177]

Eine Mitgliederliste führt Uexküll auch für das zweite Treffen des Ausschusses am 26. Mai 1934 in Berlin. Bei dieser Veranstaltung hält, wie Wildenauer rekonstruiert hat, Achim Gercke als vom Innenministerium bestellter Sachverständiger für Rasseforschung einen Vortrag über die juristische Konstitution der deutschen Volksgemeinschaft als „organisch gedachte[r], biologisch zusammenhängende[r] Gemeinschaft"[178] sowie die

174 Ebd.

175 Carl A. Emge, „Ideen über die Aufgaben der wissenschaftlichen Rechtsphilosophie," in Schubert, *Akademie für Deutsches Recht*, 78.

176 Carl A. Emge, „Ansprache von Prof. Dr. C.A. Emge, Weimar," in Schubert, *Akademie für Deutsches Recht*, 52.

177 Emge, „Ideen über die Aufgaben der wissenschaftlichen Rechtsphilosophie," 78.

178 Achim Gercke, „Vortrag des Sachverständigen des RIM über Rasse auf der Arbeitstagung der AfDR am 26. Mai 1934," *Jahrbuch der Akademie für Deutsches Recht*, Nr. 1 (1934): 242, zitiert nach Wildenauer, „Grundlegendes über den Ausschuss für Rechtsphilosophie der Akademie für Deutsches Recht," Teil 7.10.

„Höherzüchtung der Menschheit" durch die NSDAP. Gerckes Ausführungen sind nicht weit entfernt von einem Biologismus, wie ihn auch Uexküll vertritt:

> Wenn man sich in dieses Bild vom Volkskörper auch noch das nationalsozialistische Denken hineindenkt, so wäre die Nationalsozialistische Deutsche Arbeiterpartei das Gehirn, das Willenszentrum, von dem der ganze einheitliche Wille ausgeht, der bestimmt, in welcher Richtung dieses Volk nun marschieren soll.[179]

Was genau bei diesem zweiten Treffen im Anschluss an Gerckes Vortrag besprochen wurde, ist nicht überliefert. In Emges Bericht zur Jahrestagung der Akademie am 25. und 26. Juni 1934 taucht Uexküll nicht auf.[180] Mit diesem Dokument endet das vorhandene Archivmaterial und wird lediglich durch die umstrittene Namensliste ergänzt. Auch wenn es nur bis Juni 1934 Belege für Aktivitäten des Ausschusses gibt, hatte der Konflikt in Weimar keine unmittelbaren Konsequenzen für Uexküll. Zumindest für einige Monate hat er sich weiter für das Programm des Ausschusses engagiert. Das Bild von Uexküll als dem Nationalsozialismus ablehnend gegenüberstehendem Aristokraten ist nicht länger aufrechtzuerhalten.

3.5 Rezeption und Revision

Die Uexküll-Forschung hat sich bislang häufig auf Gudrun von Uexkülls revisionistische und hagiographische Kolportage der Ereignisse in Weimar gestützt und sie als historische Quelle gelesen. Eine ausführliche Auseinandersetzung mit dem Archivmaterial, aber auch mit den bereits vor der Edition der Akten bekannten veröffentlichten Texten ist ausgeblieben, obwohl sie ein anderes Licht auf die Rolle der Umweltlehre in den 1930er Jahren werfen. Selbst wenn sich Uexküll gegen die Verbannung

179 Gercke, „Vortrag des Sachverständigen des RIM," 243f., zitiert nach ebd.
180 Vgl. Werner Schubert, „Einleitung," in Schubert, *Akademie für Deutsches Recht*, 13.

jüdischer Hochschullehrer gewendet hat, ist seine Bereitschaft, an einem Ausschuss mitzuarbeiten, dessen Intentionen ihm bewusst gewesen sein müssen, ein Hinweis auf eine grundsätzliche Zustimmung. Genau diese konnten Frank und Emge der Neuauflage der *Staatsbiologie* entnehmen.[181] Emges Plan für die Unterausschüsse deutet darauf hin, dass dieses Buch der Grund für die Einladung Uexkülls war.

Uexküll hat, soviel kann man behaupten, nicht nur für seine konservative und anti-demokratische Lehre Anschluss an den Nationalsozialismus gesucht – zumindest an eine bestimmte, von ihm erhoffte Prägung –, sondern sich auf Einladung auch aktiv an der kollaborativen Herausarbeitung einer nationalsozialistischen Staats- und Rechtsphilosophie beteiligt. Er hat sicherlich nicht darauf gezielt, Einfluss auf die höheren Kreise des Nationalsozialismus zu nehmen. Doch sein Versuch, die Umweltlehre anschlussfähig und seinen Holismus politisch tragfähig zu machen, hat ihn auf Umwegen genau dorthin geführt. Auch wenn die konkreten Folgen der Mitarbeit in diesem Ausschuss unklar sind und Uexkülls Aristokratismus mit der Massenbewegung des Nationalsozialismus unvereinbar ist, sind die in der Uexküll-Forschung dominierenden Lesarten seiner Rolle in dieser Zeit kaum mehr haltbar. Für eine Beobachtung Uexkülls durch die Nationalsozialisten oder gar einen Opferstatus Uexkülls, wie ihn Gudrun von Uexküll nahelegt, gibt es keinerlei Anhaltspunkte.

Ein „profitierender Statist", wie es Mildenberger nennt, war Uexküll somit auf keinen Fall.[182] Wie Carlo Brentari eine Abkehr Uexkülls vom Nationalsozialismus in den 1930er Jahren zu behaupten, ist angesicht der hier vorgestellten Erkenntnisse

181 Diese Vermutung bestätigt die bereits erwähnte Rezension über die *Staatsbiologie* von Ernst Lehmann in der nationalsozialistisch ausgerichteten Zeitschrift *Der Biologe*, in der Hitlers Politik als Umsetzung holistischer und biologischer Forschung gedeutet wird (vgl. Ernst Lehmann, „Rezension," *Der Biologe* 3 (1934)).

182 Mildenberger, „Überlegungen zu Jakob von Uexküll (1864–1944)," 147.

schlicht unhaltbar.[183] Brentaris von Gudrun von Uexküll übernommene Behauptung, dass Uexküll seit dem Vortrag in Weimar unter ständiger Beobachtung der Nazis gestanden hätte, ist zumindest überaus einseitig.[184] Indem sich auch weitere Texte auf Brentaris biographische Darstellung und damit indirekt auf Gudrun von Uexküll berufen, wird diese revisionistische Lesart verfestigt.[185] Die ‚Stille Post' der Hagiographie macht Uexkülls Engagement unsichtbar.

Charlotte Helbach konstatiert, Uexküll habe seine Theorie „konsequent bis 1944 weiterentwickelt, ohne sich von widrigen politischen Umständen daran hindern zu lassen."[186] Die Umweltlehre sei, wie Helbach mit Gudrun von Uexküll festhält, von „großer Toleranz und einer offenen, positiven Haltung und Hinwendung zur Natur"[187] geprägt. In Brett Buchanans Monographie, die sich in wesentlichen Teilen auf Uexküll stützt, wird die *Staatsbiologie* gar nicht erst in der Publikationsliste Uexkülls geführt.[188] Zahlreiche biographische Darstellungen ignorieren diese Phase.[189] In Kalevi Kulls biographischem Abriss lautet die einzige Bemerkung

183 Vgl. Brentari, Jakob von Uexküll, 38–43.

184 Vgl. ebd., 42.

185 Jüngst etwa in Schroer, „Jakob von Uexküll," 17 sowie Heredia, „Jakob von Uexküll, an Intellectual History."

186 Helbach, „Die Umweltlehre Jakob von Uexkülls," 8.

187 Ebd., 9.

188 Brett Buchanan, Onto-Ethologies: *The Animal Environments of Uexküll, Heidegger, Merleau-Ponty, and Deleuze* (New York: University of New York Press, 2008), 12.

189 Etwa Florian Höfer, *Die Notwendigkeit der Kommunikation: Die Missachtung eines Phänomens bei Jakob von Uexküll* (Dissertation Rheinische Friedrich-Wilhelms-Universität Bonn, 2007), 12; Heinz Penzlin, „Jakob von Uexküll legte die Grundlagen zu seiner Umweltlehre," *Biologie in unserer Zeit* 39, Nr. 5 (2009); Franz M. Wuketits, *Außenseiter in der Wissenschaft: Pioniere – Wegweiser – Reformer* (Berlin: Springer, 2015), 196–201. Explizit hingewiesen auf Uexkülls Verwicklungen wird jedoch etwa in Inga Pollmann, „Invisible Worlds, Visible: Uexküll's Umwelt, Film, and Film Theory." *Critical Inquiry* 39, Nr. 3 (2013): 784; Leander Scholz, *Die Menge der Menschen: Eine Figur der politischen Ökologie* (Berlin: Kadmos, 2019); Espahangizi, *Wissenschaft im Glas*, 30 sowie Jochmaring, „Im gläsernen Gehäuse."

zur Neuauflage der *Staatsbiologie*: „The chapter on pathology is considerably changed for this edition."[190]

Kaveh Nassirin hat zurecht argumentiert, dass die reine Mitgliedschaft im Ausschuss für Rechtsphilosophie angesichts von dessen diverser Zusammensetzung noch keine Schuld Uexkülls begründet.[191] Er verweist dann jedoch, über Brentaris Darstellung vermittelt, auf den von Gudrun von Uexküll überlieferten Protestbrief an Eva Chamberlain zur Entfernung der jüdischen Professoren sowie auf die einseitige Darstellung der Ereignisse in Weimar – die Brentari fälschlicherweise in das Jahr 1936 verlegt[192] –, um zu belegen, dass auch Uexküll ein unverdächtiges Mitglied des Ausschusses gewesen sei. Die sich dem Nationalsozialismus anbiedernden Stellen aus der *Staatsbiologie*, die antisemitischen und rassistischen Zitate aus den Briefen an Chamberlain und die Umwandlung der Staatsbiologie in eine Lehre vom ‚totalen Staat' bleiben dabei unbeachtet.

In der jüngeren Uexküll-Forschung ist von einem „alleged link to National Socialist ideology"[193] die Rede, der das weiße Hemd des Biologen verunreinigt habe – der Begriff „tainted" fällt, um diese Anschuldigungen zu charakterisieren. Der Verdacht wird in diesen Formulierungen umgedreht: Suspekt ist weniger die Umweltlehre selbst als die Mutmaßung über eine Verbindung zum Nationalsozialismus. Auf die aus historischer Sicht nunmehr unhaltbaren biographischen Ausführungen Brentaris gestützt,

190 Kalevi Kull, „Jakob von Uexküll: An Introduction," *Semiotica* 134, Nr. 1/4 (2001): 30.

191 Vgl. Nassirin, „Martin Heidegger und die „Rechtsphilosophie" der NS-Zeit".

192 Vgl. Brentari, *Jakob von Uexküll*, 41.

193 Francesca Michelini, „Introduction: A Foray into Uexküll's Heritage," in *Jakob von Uexküll and Philosophy*, 1. In diesem Zitat werden auch die zur Zeit der Veröffentlichung des von Michelini mitherausgegebenen Buches bekannten Antisemitismen und die Unterstützung des Nationalsozialismus in der Neuauflage der *Staatsbiologie* als reine Mutmaßungen hingestellt und so verharmlost. Schon die leicht recherchierbare Tatsache, dass Uexküll 1933 das Bekenntnis der deutschen Professoren zu Hitler unterzeichnet, wird in diesen Darstellungen ignoriert.

wird so das weiße Hemd Uexkülls rein gewaschen. Die ‚Ambivalenzen', von denen Francesca Michelini in Bezug auf die Interpretation von Uexkülls Engagement für den Nationalsozialismus spricht, werden mit den bisher aufgearbeiteten Quellen zu Eindeutigkeiten.

An diesem letzten Beispiel für die Uexküll-Rezeption zeigt sich, dass die komplexe und verstreute Quellenlage eine genaue Aufarbeitung nötig macht, auch wenn dabei mangels Quellen vieles im Dunkeln bleiben muss und sich keine endgültige Gewissheit über die genauen Ereignisse einstellen wird. Evident ist jedoch, dass Uexkülls Äußerungen keine bedauernswerten Verirrungen oder Beigaben zu einem ansonsten unproblematischen Werk sind. Um es zu wiederholen: Der strukturelle Konservatismus der Umweltlehre begründet Uexkülls Ablehnung der Demokratie und resultiert in einer identitären Logik, in der alles planmäßig an seinem Ort ist und sich nichts mischen soll. Um genau diese inneren Verbindungslinien wird es in den beiden anschließenden Kapiteln gehen.

Für eine weitere Aufarbeitung der Umweltlehre ist es daher wichtig, dem in der Uexküll-Forschung vorherrschenden Eindruck, dessen Rolle in den 1930er Jahren sei bereits geklärt, vehement entgegenzuwirken. Uexküll gehört, dies belegen die Archivmaterialien, zum Umfeld zumindest der theoretischen Fundierung des nationalsozialistischen Umbaus des Staates und des Rechts – und er steht vielleicht den Details, nicht aber dem Anspruch der Vernichtung von Demokratie, Liberalismus und schließlich auch Darwinismus und Mechanismus entgegen. Diese Position begründet Uexküll nicht nur politisch, sondern durch Verweis auf das holistische Gerüst der Umweltlehre, das wiederum reibungslos in eine Lehre vom ‚totalen Staat' überführbar ist.

Dass Uexküll dennoch – von den erwähnten Warnungen abgesehen[194] – nie gründlich durchleuchtet wurde, ist nicht nur der Biographie seiner Frau zu verdanken. Uexküll passte und passt zu gut in ein ökologisch-ganzheitliches Weltbild, das sich aus der scheinbar so progressiven Vorstellung der Vielheit speist und in dem alles mit allem verbunden ist.

4. ‚Konservative Ökologie'

Uexkülls Verwicklungen weiter aufzuarbeiten wird angesichts der Beobachtung besonders dringlich, dass der konservative Holismus der Zwischenkriegszeit nicht nur von politisch unverdächtigem wissenschaftshistorischem Interesse ist. Schon Alain de Benoist, Vordenker der französischen *Nouvelle Droite*, bezieht sich in seiner 1977 erschienenen Anthologie rechten Denkens unter dem Titel *Vu de droite* (*Blick von Rechts*) mehrfach auf Uexküll, insbesondere auf beide Ausgaben der *Staatsbiologie*.[195] Solche Positionen werden im Rahmen einer Rückkehr der Neuen Rechten und der Identitären Bewegung zu einer ‚konservativen Ökologie' derzeit politisch erneut in Anspruch genommen. Die ‚konservative Ökologie' begreift sich im Rückgriff auf Armin Mohler als Teil der ‚konservativen Revolution' und greift deren Anti-Modernismus, Anti-Demokratismus und die Propagierung von bäuerlichen Organisationsformen ebenso wie einen an ‚Blut und Boden' gebundenen Volksbegriff auf.[196] Systematisch ausfor-

194 Insbesondere Scheerer, „Organische Weltanschauung und Ganzheitspsychologie"; Harrington, *Reenchanted Science*; Stella und Kleisner, „Uexküllian Umwelt as Science and as Ideology"; Winthrop-Young, „Afterword."

195 Alain de Benoist, *View from the Right. Volume 1: Heritage and Ideas* (London: Arkos, 2017) sowie Alain de Benoist, *View from the Right. Volume 2: Systems and Debates* (London: Arkos, 2018), 64.

196 Vgl. Armin Mohler, *Die konservative Revolution in Deutschland 1918–1932: Ein Handbuch* (Darmstadt: Wissenschaftliche Buchgesellschaft, 1989), 79, 313. Zum Überblick über die ‚konservative Ökologie' vgl. die Beiträge in Thomas Jahn und Peter Wehling, Hrsg., *Ökologie von rechts: Nationalismus und Umweltschutz bei der neuen Rechten und den ‚Republikanern'* (Frankfurt am Main, New York: Campus Verlag, 1991); oekom e.V., Hrsg., *Ökologie von rechts:*

muliert wird das Programm dieser Ökologie auf 600 Seiten unter dem Titel einer „organismischen" *Umweltresonanz* in einem 2020 bereits in zweiter Auflage erschienen Buch des ehemaligen DDR-Bürgerrechtlers Michael Beleites, der heute Pediga unterstützt.[197] Beleites verweist dabei an zahlreichen Stellen auf Uexküll und steht, wie abschließend an diesem Beispiel herausgearbeitet werden soll, insbesondere in seinen politischen Forderungen zu einer „freiheitliche[n] Alternative zur Demokratie"[198] der *Staatsbiologie* überaus nahe (auch wenn der Staat im 21. Jahrhundert für neurechte Positionen ausgedient hat).

Beleites greift immer wieder Uexkülls Forderung auf, die Biologie aus ihrer Entfremdung vom Leben zu diesem zurückzuführen.[199] Was unter einem solchen Projekt zu verstehen sei, wird durch die Übernahme von Uexkülls Konzept der Planmäßigkeit und der Einpassung (und damit auch seiner Kritik an Darwins Selektionstheorie) offensichtlich.[200] Beleites zieht diese Konzepte Uexkülls heran, um zu erklären, warum bestimmte Varietäten von Arten nur in bestimmten Umwelten überleben können,[201] bzw. dass die Umwelt gleichsam integraler Teil des jeweiligen Organismus bzw. der jeweiligen Art ist.[202] Er vertritt einen für die Neue Rechte typischen Ethnopluralismus, den er „organismisch" nennt. Diesem ‚Pluralismus' zufolge ist das Volk eine überindividuelle Kategorie der Biologie, die nur dann einer natürlichen, eben

Braune Umweltschützer auf Stimmenfang (München: Oekom Verlag, 2012) sowie Kilian Behrens et al., „Ökologie von rechts – Teil 1." *Antifaschistisches Pressearchiv und Bildungszentrum*, letzter Zugriff 8. Oktober 2020, https://www.apabiz.de/2019/oekologie-von-rechts-teil-1/.

197 Vgl. Michael Beleites, „Vorwort," in Sebastian Hennig, *PEGIDA: Spaziergänge über den Horizont* (Neustadt: Arnshaugk Verlag, 2015), 11– 22.

198 Michael Beleites, *Umweltresonanz: Grundzüge einer organismischen Biologie* (Treuenbriezen: Telesma, 2014), 598.

199 Ebd., 227 und 431.

200 Ebd., 266 und 456.

201 Ebd., 456.

202 Ebd., 388f. Häufig bezieht sich Beleites auf das Gaia-Konzept von Lynn Margulis und James Lovelock, dessen Entstehungsgeschichte aus der Kybernetik jedoch ausgeblendet wird.

„organismischen" Ordnung entspricht, wenn jedes Volk an seinem Platz ist und sich nicht mit anderen mischt. Jedes Individuum gehöre aufgrund seiner angeborenen Eigenschaften nur in sein Volk: „Die Rassenvielfalt des Menschen ist eine intraspezifische Biodiversität, [...] eine Vielfalt, der man mit Ehrfurcht begegnen sollte und die es zu bewahren gilt."[203] Daraus ergeben sich politische Folgerungen – der Text schließt mit dem Kapitel „Politische Ökologie als ‚Logik der Rettung'" – die denjenigen der *Staatsbiologie* ähneln. Dieser Biologismus führt zu kulturkonservativen Schlussfolgerungen, die eine Rückkehr zu bäuerlichen Organisationsformen sowie Maßnahmen der Bevölkerungsreduktion fordern und Stammeshierarchien als dem Menschen angemessen ansehen.

Uexküll vergleichbar wendet sich Beleites gegen den Sozialdarwinismus insbesondere des Nationalsozialismus und dessen „naturwidrige Vorstellungen vom Leben und lebensferne Vorstellungen von der Natur"[204] Ausgehend von der Frage danach, wie es zu den Verbrechen des Nationalsozialismus kommen konnte, arbeitet Beleites am Ende seines Buches dessen biologische Ideologie heraus und trennt dabei zwischen der Selektionslehre und der ‚Rassenfrage'. Während der Nationalsozialismus beides verquickt habe, lehnt Beleites erstere ab. Letztere hingegen soll die Grundlage der organismischen Biologie bilden, die folgendem Motto gehorcht: „Das Natürliche ist veränderlich, aber nicht veränderbar."[205] Beleites wirft dem Liberalismus vor, die Rassenfrage zugunsten eines ungehemmten Selektionsprinzips abzulehnen, was in der Übernahme des Konkurrenzprinzips und der Gleichstellung als gesellschaftlicher Prinzipien resultiere, die Beleites

203 Ebd., 582. Zu vitalistischen Ideologien der Neuen Rechten vgl. Chetan Bhatt, „White Extinction: Metaphysical Elements of Contemporary Western Fascism," *Theory, Culture & Society* 38, Nr. 1 (2021).

204 Beleites, *Umweltresonanz*, 580.

205 Ebd.

zufolge eine ökologische Ausrichtung verhindern: „Wettbewerb ist das Anti-Prinzip der organismischen Integration."[206]

Analog zu Uexküll wehrt sich Beleites gegen jede Wertung unterschiedlicher Rassen zugunsten einer universellen Gleichwertigkeit. Den nationalsozialistischen Versuch der künstlichen Selektion lehnt er aus biologischen Gründen ab, um stattdessen die „naturgegebene geographische Variation des Menschen ohne den Hintergedanken (oder gar die vordergründige Absicht) von Existenzkämpfen zwischen Rassen derselben Art zu analysieren."[207] Er verweht sich explizit dagegen, dass die Betonung der Rassenvielfalt eine Abwertung bestimmter Rassen impliziere, führt eine gewissermaßen ortsrelativistische Hierarchie – analog zu Uexküll – aber über die geographische Gebundenheit wieder ein: Aufgrund ihrer biologischen Ausstattung können Rassen nur dort in organismischer Harmonie mit der Natur leben, wo sie an ihrem (geographischen) Ort sind.

> Wenn Menschen mit der geographischen Herkunft und der ‚Farbe' ihrer Population ein Gefühl der Identität entwickelt haben und pflegen, sollte man das nicht als ‚Blut-und-Boden-Ideologie' diskreditieren. Es geht darum, dass Menschen einer ‚Population' meist das Bedürfnis haben, sowohl in ihrer angestammten Heimat, als auch unter ihresgleichen zu leben.[208]

Es gilt, die „geographische Entkoppelung der genetischen Konstitution und ein allseitiges Auseinanderlaufen der spezifischen Variationsbereiche des Menschen"[209] zu verhindern. Die Konsequenz der Ablösung von diesen Grundlagen und die Vermischung mit nicht am richtigen Ort befindlichen Rassen lautet „irreversible

206 Ebd., 588.
207 Ebd., 582.
208 Ebd., 605.
209 Ebd., 606.

Degeneration"[210]. Damit ist die Bedrohung bestimmter Rassen durch das Leben am falschen Ort bzw. das Zusammenleben mit am falschen Ort befindlichen Rassen als biologische Tatsache gesetzt. Folgerichtig bahnt Beleites den Weg, wenn er schreibt, dass „Fremdenangst [...] nicht generell irrational oder kurzsichtig"[211] sei. In Worten, die aus der *Staatsbiologie* stammen könnten, weitet die „organismische" Biologie diesen Gedanken auf eine Gesundheits- und Heillehre der an Parasiten erkrankten Gesellschaft aus: „Wir haben gelernt, dass Eigentum und Verantwortung zusammengehören, aber leistungsloses Einkommen und Spekulationsgeschäfte ein strukturelles Parasitentum sind, das das Funktionieren der Gesellschaft als Gesamtorganismus untergräbt."[212] Die daran anschließende Frage nach einer „freiheitliche[n] Alternative zur Demokratie"[213] zeigt, dass dieser Organizismus als politischer Konservatismus gedacht wird. Freiheit bedeutet demnach nicht Selbstbestimmung, sondern „sein Leben in ein sinnvolles Ganzes hineinzustellen"[214].

Die ‚konservative Ökologie' wird bei Beleites systematisch entfaltet und in die Tradition konservativen ökologischen Denkens gestellt. Sie hat mit den Erkenntnissen der akademischen Ökologie wenig gemeinsam, sondern begreift sich als Weltanschauung. Ökologie ist demnach immer auch eine Lehre der Lebensräume des Volkes. Mit diesem Ansatz gehört Beleites zu den Vordenkern einer ‚konservativen Ökologie', deren wichtigste Publikationsorte die in Verfassungsschutzberichten erwähnte Zeitschrift *Umwelt & Aktiv*, das Nachfolgeprojekt *Die Kehre* sowie die Plattform *Sezession* sind. Im Gegensatz zu Beleites wird in den dort veröffentlichten Texten nur selten direkt auf Uexküll verwiesen, aber die folgenden Beispiele zeigen, dass ähnliche Argumentationsmuster

210 Michael Beleites, „Wir haben gelernt: Sachsen 2030 – Ein Zukunftsmanifest," *Tumult* Frühjahr (2014): 91.

211 Beleites, *Umweltresonanz*, 606.

212 Beleites, „Wir haben gelernt," 91.

213 Beleites, *Umweltresonanz*, 598.

214 Ebd., 593.

 in Anspruch genommen werden. Immer wieder beziehen sich die AutorInnen auf ganzheitliche Denkfiguren und folgen einer identitären Logik, die alle Menschen anhand ihrer Zugehörigkeit zu Gruppen, Rassen oder Landschaften ordnet.[215]

Die Protagonisten der ,konservativen Ökologie' sehen sich in einer Tradition, die die Lebensbedingungen des über seine Rasse definierten Volkes an ,Blut und Boden' knüpft und damit das Leben im Einklang mit der Natur als Leben eines von allem Fremden gereinigten Volkes propagiert. Sie beziehen sich auf Autoren wie Ernst Moritz Arndt (1767–1860), Wilhelm Heinrich Riehl (1823–1897), Ernst Rudorff (1840–1916), Paul Schultze-Naumburg (1869–1949), Ludwig Klages (18732–1956), Oswald Spengler (1880–1936) oder Martin Heidegger (1889–1976). Auf dieser Grundlage wird argumentiert, dass gerade die raue nordische Natur zur Herausbildung einer überlegenen Rasse geführt habe (und, wie Benoist angibt, auch zur Herausbildung der „Ökologie"[216]). Die deutsche Umwelt bedürfe daher besonderen Schutzes. Natur wird normativ aufgeladen und steht für eine zu verwirklichende Ordnung der Gesellschaft und des Staates. Die romantische Verbindung von Naturalismus und Nationalismus kommt hier in ihrer ganzen anti-aufklärerischen Tragweite ins Spiel.

4.1 „Ökologie ist rechts"

Mit diesem Anspruch ist der Versuch verbunden, die gesellschaftliche Funktion des Ökologie-Diskurses umzupolen. Ökologisches Denken wirkt heute links und liberal. Aber das ist nicht immer so gewesen – und wenn es nach der Neuen Rechten geht,

215 Vgl. zur Kritik der rechten Lesart von Ökologie Markus Steinmayr, „Fridays for Yesterday: Ein Kommentar zur politischen Ökologie," *Merkur* 74, Nr. 855 (2020) sowie Florian Sprenger, „Zur rechten Ökologie-Zeitschrift *Die Kehre*," *Pop-Zeitschrift*, letzte Aktualisierung am 3. August 2020, letzter Zugriff 5. August 2020, https://pop-zeitschrift.de/2020/08/03/zur-rechten-oekologie-zeitschrift-die-kehreautorvon-florian-sprenger-autordatum3-8-2020-datum/.

216 Alain de Benoist, *Mein Leben: Wege eines Denkens* (JF Edition: Berlin 2014), 325.

soll es auch nicht mehr lange so sein. „Ökologie ist […] anti-emanzipatorisch und gegen-fortschrittlich"[217], heißt es etwa beim Verleger Götz Kubitschek. „Ökologie ist rechts"[218], betitelt der 2016 verstorbene Architekt und Kunsthistoriker Norbert Borrmann 2013 einen Text in der neurechten Zeitschrift *Sezession*.[219] Das rechte Positionen kennzeichnende Bekenntnis zu Tradition und Heimat wird von Borrmann mit einer Natur verknüpft, die immer zugleich ‚Heimat' ist. Natur ist mithin tradierter Lebensraum, der nicht nur die Existenzbedingungen eines Volkes prägt, sondern nicht ohne das Volk gedacht werden kann, das in ihm lebt.[220] Erst wenn ein Volk in Harmonie mit der es umgebenden Natur lebe, könne es sein volles Potential entfalten. Dies sei aufgrund ihrer angeborenen Eigenschaften jedoch nicht allen Völkern möglich. Diesen exkludierenden ganzheitlichen Harmoniegedanken will die ‚konservative Ökologie' bewahren – eine Harmonie, die nur dann bestehen kann, wenn ein Volk in dem Raum lebt, der ihm

217 Götz Kubitschek, „Entortung und Masse sind per se destruktiv, nivellierend, unorganisch, unökologisch. Interview mit Götz Kubitschek," *Die Kehre*, Nr. 4 (2020), 31.

218 Norbert Borrmann, „Ökologie ist rechts," *Sezession*, Nr. 56 (2013). Ähnlich auch Thom Dieke, „Der Ökologische Komplex: Möglichkeiten für die deutsche Rechte," letzter Zugriff 10. Oktober 2020, https://gegenstrom.org/der-oekologische-komplex-moeglichkeiten-fuer-die-deutsche-rechte/.

219 Zur Bedeutung von Zeitschriften und Online-Plattformen für die Neue Rechte vgl. Moritz Neuffer und Morton Paul, „‚Rechte Hefte': Rightwing Magazines in Germany after 1945," *Eurozine*, letzte Aktualisierung 4. November 2018, letzter Zugriff 12. Oktober 2020. https://www.eurozine.com/rechte-hefte-rightwing-magazines-germany-1945/.

220 Dieser Kurzschluss von Natur- und ‚Heimatschutz' durchzieht die rechten Schriften, ist aber spezifisch für die deutschsprachige Aneignung ökologischer Gedanken. In der englischsprachigen Ökologie ist die Verbindung von Natur und ‚Heimat' kaum zu finden – was nicht heißt, dass es nicht auch dort ‚konservative Ökologien' gibt. Der *ecofascism* ist auch für die Alt-Right-Bewegung wichtig (vgl. Janet Biehl und Peter Staudenmaier, *Ecofascism Revisited: Lessons from the German Experience* (Porsgrunn: New Compass Press, [1995] 2011)). Dennoch ist dieser Kurzschluss das Resultat einer selektiven und verengten Lesart der Geschichte ökologischen Wissens, die insbesondere die in der Nachkriegszeit entstehenden, am Begriff des Ökosystems orientierten Ansätze ignoriert bzw. sie einem technisierten Naturbild zuordnet, das zur ‚Heimat' keinen Bezug mehr habe und deshalb verloren sei.

zusteht (oder den es sich, wenn nötig, genommen und für sich umgeformt hat). Die „Verwurzelung mit der ihm angestammten Erde“[221] wird zum politischen Prinzip erklärt, das in direkter Traditionslinie zur ‚Blut und Boden'-Ideologie des frühen 20. Jahrhunderts steht.

Mit ähnlichem Gestus spricht Philip Stein, Mitgründer des rechten Kampagnenprojekts *Ein Prozent*, auf einer Tagung des eingestellten Öko-Magazins *Umwelt & Aktiv* von der ökologischen Frage als der „Frage nach der Zukunft der europäischen Völker“[222]. Ökologie wird von Stein explizit mit Organizismus gleichgesetzt und ein entsprechendes Weltbild als Grundstein einer rechten Widerstandsbewegung gegen den westlichen Liberalismus bestimmt. Eine neue „rechtsökologische Radikalität“[223] sei gefordert, so schreibt Stein in einem ‚Ökomanifest von rechts'. „Veränderungen der Umwelt“ sind demnach vor allem ein Effekt von Migration. *Ein Prozent* versucht währenddessen, durch die Etablierung völkischer Landkommunen, das Kapern von Gewerkschaften und die Unterstützung der Identitären Bewegung, mit dem ökologischen Thema die bürgerliche Mitte zu erreichen und die „Deutungshoheit über diesen Begriff“ zu sichern.[224]

‚Heimat' erscheint in dieser Tradition als die sowohl biologische wie kulturelle Verankerung in einem Lebensraum, d.h. in einer Umgebung, die dem Volk seinen Ort gibt. Das Volk wird nicht nur über Acker und Kultur, ‚Blut und Boden', sondern auch über seine Umwelt bestimmt.[225] Uexkülls Anschlussfähigkeit an diese Bewegung ist offensichtlich, zumal er mit Referenz auf Mohler

221 Borrmann, „Ökologie ist rechts," 6.

222 Philip Stein, „Die organische Welt und die ökologische Revolution," letzter Zugriff 19. Januar 2021. https://www.youtube.com/watch?v=-bUTKgmV9x8, 17:37.

223 Philip Stein, „Ökomanifest von rechts," *Sezession*, letzte Aktualisierung 22. September 2014, letzter Zugriff 10. Oktober 2020, https://sezession.de/46543/oekomanifest-von-rechts.

224 Stein, „Die organische Welt und die ökologische Revolution," 30:30.

225 Zur Ideologie von Blut und Boden sowie dem damit einhergehenden Umgebungsdeterminismus vgl. Mark Bassin, „Blood or Soil?"

explizit als Teil der ‚konservativen Revolution' rezipiert wird. So schreibt Uexküll bereits 1915: „Ein jedes Volk kann allein der eigene Schöpfer seines Staates sein, wenn dieser zur lebendigen Struktur des Volkes werden soll."[226] Jeder Mensch, diesen Ausgangspunkt teilen die ‚konservativen Ökologen' mit Uexküll sowie den Vordenkern des ‚Heimatschutzes' und der ‚Lebensreform', hat nicht nur einen festen Platz in den Hierarchien der Kultur, sondern auch in den Lebensräumen der Völker. In der ‚konservative Ökologie' kann, ganz wie bei Uexküll, kein Volk von seinem Lebensraum getrennt werden, ohne seine Überlebensgrundlage zu verlieren.

Die ‚konservative Ökologie' widmet sich in diesem Sinne nicht nur der Natur, sondern auch der aus ihr entstehenden, in ihr ihren Ort habenden Kultur und begreift sich in diesem Sinn als ganzheitlich: „Nicht nur die Artenvielfalt, sondern auch die Kulturenvielfalt und damit letztlich die Heimatvielfalt"[227] sollen bewahrt werden. Arterhaltung nicht nur bei Tieren ist die rechte Variante dieses Naturschutzes, der die politischen Konsequenzen seiner Prämissen oft bewusst im Dunkeln lässt. Naturschutz wird dabei, so haben die Soziologen Thomas Jahn und Peter Wehling gezeigt, als Schutz vor der postulierten Überfremdung verstanden, aus der die Forderung nach Abschottung und Abschiebung abgeleitet.[228] Naturschutz und Migrationspolitik sind für die ‚konservative Ökologie' aufs engste verschränkt.

Deutlich wird dies an einem Themenheft von *Die Kehre* zur Migration, in dem auch die Figur der Ortlosigkeit in ihrer anti-liberalen, unausgesprochen antisemitischen Dimension aufgenommen wird. Der sich durch alle Beiträge des Heftes ziehende Ansatz lautet, dass nur die Bindung an den gegebenen Ort und seine Traditionen, somit also die Verhinderung jeglicher Migration,

226 Uexküll, „Volk und Staat," 63.

227 Borrmann, „Ökologie ist rechts," 6.

228 Vgl. Thomas Jahn und Peter Wehling, „‚Wir sind die nationalen Umweltschützer...': Konturen einer Ökologie von rechts in der Bundesrepublik Deutschland," *Soziale Welt* 42, Nr. 4 (1991): 481.

ökologisches Leben im Einklang mit dem eigenen Ort und dem eigenen Blut ermöglicht. Nur wer unvermischt an seinem Ort lebt, ist demnach überhaupt zu ökologischem Denken und Handeln in der Lage: „Derjenige, der an einem Ort Wurzeln geschlagen hat, wird im Gegensatz zum ständigen Wanderer diesen auch zu pflegen suchen."[229] Im Anschluss erklärt Volker Mohr in einer Fortsetzung der architekturtheoretischen Moderne- und Industrialisierungskritik Paul Schultze-Naumburgs die „Ortlosigkeit der Moderne"[230] als Effekt der „Flutwelle der Aufklärung, die bis zu dieser Zeit gebundene Elemente ins Niemandsland hinwegschwemmte."[231] Ein gegenmodernes, konservatives Naturverhältnis hingegen wird nicht als Anpassung an gegebene Umstände verstanden, sondern als Prozess der Selbstgestaltung eines autonomen Subjekts, das immer zugleich Teil eines Volkes ist und sich seine Umwelt aneignet. Genau diese Konstellation findet sich – exemplarisch für die ‚konservative Revolution', aber biologistisch begründet – auch in Uexkülls Umweltlehre.

Die ‚konservative Ökologie' sieht sich zwar eher in der Tradition des ‚Heimatschutzes' des ersten Drittels des 20. Jahrhunderts, kann aber auch dem Nationalsozialismus etwas abgewinnen: „Das Dritte Reich war nicht nur braun, sondern aufgrund seines biologisch ausgerichteten Weltbilds als erster moderner Industriestaat auch grün."[232] Was Borrmann in seiner anschließenden Aufzählung der Errungenschaften nationalsozialistischer Naturschutzpolitik zu erwähnen vergisst, ist die Tatsache, dass die dieser Politik zugrundeliegenden Konzepte sich stets darauf beziehen, dass ein Volk nur in einem Lebensraum leben kann und entsprechend alle anderen Völker verschwinden müssen.

Eine vermeintlich linke Ökologie, die sich lediglich auf das Thema Umweltschutz kapriziere, Umwelt aber nicht als Lebensraum

229 Jonas Schick, „Editorial," *Die Kehre*, Nr. 4 (2020), 1.

230 Volker Mohr, „Ökologie im Spiegel der Ortlosigkeit," *Die Kehre*, Nr. 4 (2020), 13.

231 Ebd., 8.

232 Borrmann, „Ökologie ist rechts," 7.

eines Volkes begreife, muss aus dieser Perspektive abwegig erscheinen. Sie widerspricht dem Ganzheitsgedanken, der Natur an Kultur, Volk an Raum und Identität an Umwelt bindet. Mit dieser Strategie versucht die Neue Rechte, das Thema Naturschutz den Grünen zu entreißen, die vom neurechten Institut für Staatspolitik als „zersetzende Kraft der Emanzipation“[233] bezeichnet werden. Als „Trittbrettfahrer mit einem naturwidrigen Menschenbild“[234] hielten die Grünen das Thema Ökologie gefangen, ohne um die rechte Tradition im Hintergrund zu wissen.[235] Die AutorInnen der Zeitschrift *Die Kehre* etwa wenden sich gegen eine „Instrumentalisierung der Natur für Emanzipationsbestrebungen“[236] und stellen sich auf die Seite des Naturschutzes gegen den als technizistisch und liberal charakterisierten Umweltschutz. Dieser wird mit industriellen Eingriffen in jene Natur gleichgesetzt, die man zu schützen gedenkt. Einem von der Herbert-Gruhl-Gesellschaft publizierten programmatischen Text des Soziologen Jost Bauch zufolge entlarvt die ‚konservative Ökologie' die „Vorstellungen einer nicht-instrumentellen Technik (ohne Naturausbeutung) als nicht realistisches Wunschdenken“[237]. Sie versuche stattdessen

233 Vgl. Institut für Staatspolitik, *Die Grünen: Die zersetzende Kraft der Emanzipation* (Steigra: Verein für Staatspolitik, 2013).

234 Borrmann, „Ökologie ist rechts," 7.

235 Dennoch ist die politische Bewegung, die zur Gründung der Grünen geführt hat, gerade zu Beginn von rechtsökologischem Denken geprägt. So hat eine ganze Reihe von Studien minutiös herausgearbeitet, dass gerade in der Gründungsphase der Grünen der Weg zu einer ‚konservativen Ökologie' von Akteuren wie Herbert Gruhl, August Haußleiter, Baldur Springmann oder Rudolf Bahro beschritten wurde. Peter Bierl hat diesen Konnex beispielhaft an Werner Georg Haverbeck ausgeführt, NSDAP-, SS- und SA-Mitglied, nach dem Krieg Anthroposoph, Mitglied der Grünen und Professor für Sozialwissenschaft an der Fachhochschule Bielefeld. Für Haverbeck sind „Unterarten des Menschen [...] ebenso wie die Pflanzen und Tiere einem jeweiligen Ökosystem zugeordnet“ (Peter Bierl, *Grüne Braune: Umwelt-, Tier- und Heimatschutz von Rechts* (Münster: Unrast, 2010), 17). Umweltschutz wird von Haverbeck, so Bierl, als „Völkerschutz“ gerechtfertigt.

236 Jonas Schick, „Die Kehre," letzte Aktualisierung am 28. April 2020, letzter Zugriff am 10. Oktober 2020, https://die-kehre.de/2020/04/28/die-kehre/.

237 Jost Bauch, „Gibt es eine konservative Ökologie?," *Herbert-Gruhl-Gesellschaft*, letzter Zugriff 10. Oktober 2020, http://herbert-gruhl.de/

„durch stabile soziale Institutionen [d.h. Familien – F.S.] die technische Rationalität so einzuhegen, dass diese nicht zur allein bestimmenden Ratio der Mensch-Natur-Beziehung wird."[238]

Die Natur, die im reinen und rechten Naturschutz solcher Ökologien an die Stelle der Natur des Klimaschutzes tritt, wird – etwa von Beleites in *Die Kehre* – als unberührt und anti-technisch beschrieben.[239] Wie Peter Bierl herausgestellt hat, werden bereits um 1900 die Gründe für die von den ‚Heimatschützern' und ‚Lebensreformern' angeprangerten Zerstörungen der Natur nicht im kapitalistischen Raubbau verortet, sondern als Effekt einer „Zivilisationskrankheit"[240] beschrieben. In dieser Annahme kommen rassistische, antisemitische, neo-malthusianische und ökologische Positionen zusammen. Dies ermöglicht der heutigen ‚konservativen Ökologie' den Anschluss an die konservativen und völkischen Bewegungen der Zwischenkriegszeit, aber auch an die sich damals wie heute anbietenden holistischen Ökologien. Aus dieser Warte ist Naturschutz nur als Heimatschutz möglich – was bedeutet, jedem Volk seinen Raum zuzuweisen. Eine Kultur kann demnach nur überleben, wenn sie in Opposition zur Natur des Klimaschutzes steht, die immer schon technisiert ist. Weil sie, ganz im Sinne Martin Heideggers, durch die Technik entwurzelt ist, kann die ihr opponierte urbane Kultur aus rechter Sicht nur liberal werden, ihren Boden unter den Füßen verlieren und deshalb im Angesicht der Krise nicht überlebensfähig sein. Sie erscheint der ‚konservativen Ökologie' als ‚ortlos' und damit als Negation und Gefährdung eines Lebens, das sich im Einklang mit der Natur sieht.

Der technisierten, liberalen und implizit jüdischen Kultur wird durch die verdoppelte Opposition von Natur/Technik und Kultur/Technik eine Kultur gegenübergestellt, die ihren Ursprung in

gibt-es-eine-konservative-oekologie/.

238 Ebd.

239 Vgl. Michael Beleites, „Die menschengemachte Überhitzung: Zur Entropie der Industriegesellschaft," *Die Kehre*, Nr. 1 (2020).

240 Bierl, *Grüne Braune*, 5.

den Kulturtechniken des Ackerbaus hat und nicht durchmischt werden darf. Der ‚wahre' Kern der Ökologie, der hier – abseits sämtlicher Erkenntnisse der akademischen Ökologie – beschworen wird, liegt also in der Bewahrung der Natur als Lebensraum für eine Kultur, die im Einklang mit dieser Natur lebt und sich der durchtechnisierten, liberalen, urbanen Vereinnahmung widersetzt. Man will zu einer verlorenen Harmonie zurückkehren, in der alles seinen Ort hat.

Die Kontinuitäten sind eindeutig.[241] Auch die reaktionäre Traditionslinie des deutschsprachigen öko-holistischen Diskurses reißt 1945 keineswegs ab und es wäre für weitere Studien lohnenswert, den inhaltlichen und personellen Kontinuitäten zwischen dem Nachkriegsholismus und der ‚Neuen Rechten' weiter nachzugehen. Während Böker 1939 und Woltereck sowie Uexküll 1944 sterben, bleibt Meyer-Abich bis 1958 Professor in Hamburg und Weber wird 1951 auf eine Professur in Tübingen berufen. Auch Friederichs behält seine Position, während Thienemann 1952 das Bundesverdienstkreuz erhält. An der Einstellung der unbehelligten Holisten zu Volk, Raum und Natur ändert sich nach dem Krieg wenig, auch wenn nun eine neue, unverdächtige Sprache gewählt wird: „Die Verbindung von ökologischer Forschung mit Naturschutz und Landschaftspflege für die Bundesrepublik Deutschland war damit auf Grundlage der Annäherungen während des Nationalsozialismus, nicht als Bruch damit, vollzogen."[242]

241 Vgl. dazu Oliver Geden, *Rechte Ökologie: Umweltschutz zwischen Emanzipation und Faschismus*, (Berlin: Elefanten, 1999); Radkau und Uekötter, *Naturschutz und Nationalsozialismus*; Bierl, *Grüne Braune*; Gudrun Heinrich, Klaus D. Kaiser und Norbert Wiersbinski, Hrsg., *Naturschutz und Rechtsradikalismus: Gegenwärtige Entwicklungen, Probleme, Abgrenzungen und Steuerungsmöglichkeiten* (Bonn: Bundesamt für Naturschutz, 2015). Kurt Jax zufolge ist diese Kontinuität der Grund für die späte Aufnahme des Ökosystem-Konzepts in der deutschsprachigen Ökologie (vgl. Kurt Jax, „Holocoen and Ecosystem: On the Origin and Historical Consequences of Two Concepts," *Journal of the History of Biology* 31, Nr. 1 (1998)).

242 Thomas Potthast, „Wissenschaftliche Ökologie und Naturschutz," in *Naturschutz und Nationalsozialismus*, 250. Wie Janet Biehl herausgearbeitet hat, ist die Entstehung ökologischen Denkens schon bei Ernst Haeckel – auch

Man kann also keineswegs davon sprechen, dass sich die Neue Rechte ökologisches Wissen auf unbegründete Weise aneignet und die Naturschutzbewegung infiltriert. Genauso wenig ist die rechte Besetzung dieses Themas rein instrumenteller Art. Vielmehr zeigen die historischen Kontinuitäten eine ununterbrochene Verbindungslinie, die weniger die rechte Aneignung als vielmehr die Ökologie selbst in den Fokus rückt. Die Neigungstendenzen insbesondere holistischen Denkens nach rechts sind eindeutig. Das politische Kalkül der Gegenwart vermischt sich unweigerlich mit den genannten Traditionen. Deshalb macht man es sich zu einfach, wenn man ökologisches Denken einfach von den rechten Bestrebungen loszulösen versucht und es als neutrales, nur auf unterschiedliche Positionen anwendbares Wissen versteht. Ökologie war nie unschuldig, rein oder natürlich. Daher überrascht es nicht, dass die reaktionäre Natur- und ‚Heimatschutzbewegung' an Teile der sich selbst keineswegs als rechts begreifenden Ökobewegung anschlussfähig war und ist – sowohl in den 1970er Jahren als auch in der Gegenwart.

Aus den für die Zeit ihrer Entstehung dominanten weltanschaulichen Konflikten zwischen mechanistischen und holistischen Ansätzen wird Ökologie in solchen Aneignungen gelöst und auf eine verengte Lesart eingeebnet. Ökologie wird zum Synonym von Ganzheitlichkeit. Dem Ausgangspunkt einer Kritik an den Verflechtungen von Ökologie und Kapitalismus, den durchaus auch linke Positionen teilen,[243] wird also umgehend eine ‚richtige' Definition von Ökologie beiseite- bzw. entgegengestellt: eine Ökologie, die Grenzen zieht und das Ganze wiederherstellt. Zurückgekehrt werden soll zu der einen Ökologie, die einer Metaphysik des Ganzen gehorcht, dieses holistisch über den Zusammenhang

wenn dieser, anders als Biehl nahelegt, zur ökologischen Forschung nicht beigetragen hat – von einer reaktionären Politik durchzogen (vgl. Biehl und Staudenmaier, *Ecofascism Revisited*, 8).

243 Vgl. etwa Jason W. Moore, *Capitalism in the Web of Life: Ecology and the Accumulation of Capital* (London: Verso, 2015) sowie Andreas Malm, *Fossil Capital: The Rise of Steam Power and the Roots of Global Warming* (London: Verso, 2015).

seiner Bestandteile stellt und dabei berücksichtigt, dass man ein Volk nicht von seinem ‚Lebensraum' trennen kann, ohne ihm die (Über-)Lebensgrundlage zu entziehen. Damit sind jene ökologischen Ansätze angesprochen, die in der Zwischenkriegszeit ihre Blüte hatten und nicht zufällig an nationalsozialistische Ideologien anschlussfähig waren, sondern diese Nähe aktiv gesucht haben – wenn auch zumeist mit wenig Erfolg. Der Konservatismus erscheint der ‚konservativen Ökologie' folgerichtig als „die einzige politische Richtung, die Ökologie möglich macht und aus der sie auch entspringt", weil er allein in der Lage sei, zu bewahren, Grenzen zu sehen und „Unverfügbarkeiten [zu] identifizieren."[244] Die Nähe von Holismus, Ökologie und Faschismus entspricht nicht nur einem Verhältnis der Rezeption, sondern einer Geistesverwandtschaft, die es für eine kritische Wissens- und Wissenschaftsgeschichte aufzuarbeiten gilt.

Ob eine solche ‚konservative Ökologie' geeignet ist, die Kontrollier- und Gestaltbarkeit der Natur auf der Grundlage ökologischen Wissens mit deren zunehmender Zerstörung zu erklären oder gar alternative Konzepte zu entwickeln, ist mehr als zweifelhaft. Die Aussage, dass die technizistische Ausrichtung ökologischen Denkens – manifest etwa in der Fortsetzung öko-kybernetischer Prinzipien im Geoengineering oder im Resilienz-Diskurs – regressiv ist, insofern sie sich mit technomessianischer Verve ihren Gegenstand (Natur ebenso wie Subjekt) Untertan macht, kann man zwar durchaus teilen. Deswegen, wie etwa die gleichnamige Zeitschrift, eine „Kehre" zu ziehen und von den Vermengungen und Vermischungen zu einem reinen Kern zurückzukehren, ist jedoch reaktionär – und will es auch sein.

Die ‚konservative Ökologie' lebt ebenso wie die Umweltlehre von Eindeutigkeiten und klaren Grenzen, mit denen dem Wirrwarr und der Relationalität entgegengetreten werden soll – und damit stellt sich für eine kritische Perspektive die Frage, wie eine andere Ökologie aussehen könnte, die sich nicht derart

244 Bauch, „Gibt es eine konservative Ökologie?"

vereinnahmen lässt. Insbesondere die kulturwissenschaftliche Auseinandersetzung mit ökologischem Denken, wie sie in den letzten Jahren vorangetrieben worden ist, müsste sich dieser Herausforderung stellen und nach den Ordnungs- (oder auch Unordnungs-)versprechen in der Geschichte der Ökologie fragen. Das Ordnungsversprechen eines Holismus jedenfalls, welcher das Ganze über seine Teile stellt und Einheit durch die Übersetzbarkeit von ‚Volk, Reich und Führer' in die organische Einheit des ‚totalen Staates' sucht, hat nicht nur einen historischen Ort, sondern kehrt zurück.

[3]

Der ganze Uexküll: Zur Totalität der Planmäßigkeit

Gottfried Schnödl

Die Deutung Uexkülls als Vorreiter einer multiperspektivischen, grundlegend relativistischen und konstruktivistischen Konzeption des Verhältnisses zwischen Organismus und Natur steht in deutlichem Widerspruch zu seiner politischen Agitation und seinem Antisemitismus – und in Widerspruch zu seiner Theorie. Zu zahlreich und zu relevant sind die Stellen, an denen Uexküll abseits der jeweiligen Umwelten eine andere Ebene annehmen muss, um seine Umweltlehre fassbar zu machen, ja um sie überhaupt erst formulieren zu können. Neben der Umgebung, die im nächsten Kapitel in den Mittelpunkt gerückt wird, ist es das Prinzip der Planmäßigkeit, das eine solche Ebene stiftet. Sie wirkt nicht nur in den einzelnen Innenwelt-Umwelt-Blasen, sondern in ‚der Natur' selbst. Sie durchzieht die gesamte Theorie und gibt dieser ihre logische Grundlage. In der Planmäßigkeit liegt der Grund für den „Subjektivismus" bzw. Relativismus *und* für den Determinismus von Uexkülls Theorie – und damit auch für ihre politische Problematik.

Im Folgenden geht es darum, diesen Zusammenhang offenzulegen und damit die Bedeutung der Planmäßigkeit für die zentrale These des vorliegenden Buchs herauszuarbeiten – also dafür, dass Uexkülls rechte Weltanschauung nicht die Privatsache des Biologen, sondern tief in der Umweltlehre verwurzelt ist. Sie durchzieht nicht nur diesen oder jenen Teil, sondern die Theorie als Ganze. Insofern verfolgt dieses Kapitel eine doppelte Argumentation, die zunächst die Ganzheit der Umweltlehre darzustellen und herzuleiten sowie anschließend deren politische Implikationen und konkrete politische Anschlüsse als Konsequenzen dieser holistischen Anlage verständlich zu machen sucht.

Diese These wird zunächst in Abgrenzung zu Lesarten geschärft, welche die Umweltlehre als in sich zerrissene Theorie verstehen wollen. Diese verfehlen mit der theoretischen Pointe auch den Zugang zur politischen Problematik der Umweltlehre. Das zweite Unterkapitel versucht, das Prinzip der Planmäßigkeit als Integral zu verstehen, welches Uexkülls Umweltlehre erst ermöglicht, indem sie deren charakteristisches Zusammenziehen etwa von epistemologischer und ontologischer Ebene, von Subjektivität und Holismus, von Monadismus und Totalität bzw. von Autonomie und Determinismus bedingt. Es ist dieser gleichsam strukturelle Holismus der Umweltlehre, der dazu führt, dass, wie im dritten Unterkapitel verdeutlicht wird, selbst Uexkülls von neueren Ansätzen häufig affirmierter Subjektivismus und Biozentrismus nie ohne Totalität zu denken ist. Seine nur in einem spezifischen Sinn subjektivistischen Umwelten sind nicht als das Gegengewicht zu Uexkülls übergreifendem Natur-Holismus zu verstehen, sondern diesem komplementär. Solche Vorstellungen schließen, das wird im vierten Unterkapitel dargestellt, an Ganzheitsvorstellungen Goethes und an biologische und ästhetische Überlegungen des ausgehenden 19. Jahrhunderts an. Die Zusammenziehungen von epistemologischer und ontologischer Ebene, von Subjektivität und Holismus, von Monadismus und Totalität bzw. von Autonomie und Determinismus, die späteren Lesarten als aporetisch bzw. widersprüchlich aufstoßen, erweisen sich vor diesem Hintergrund als konsequente Fortführungen und Anpassungen überkommener Denkfiguren. Schließlich ist es, wie das letzte Unterkapitel zeigt, eben diese Fähigkeit des Verbindens von Widersprüchlichem, welche Uexkülls Nähe zur ‚konservativen Revolution' begründet. Auch in der ‚konservativen Revolution' wird der Gegensatz zwischen Autonomie und Determinismus oder zwischen Herrschaft und Naturgegebenheit in aller Regel aufgehoben; Figuren dieser Aufhebung werden im Nationalsozialismus übernommen. In den Kontext einer selbstwidersprüchlich auf Bewahrung abstellenden Revolution passt sich die Umweltlehre daher gerade kraft ihrer holistischen Grundannahmen, und das bedeutet eben auch: als Ganze ein.

1. Risse im Ganzen, Ganzheit in Teilen

Während die Bedeutung der „Umgebung", wie das folgende Kapitel zeigen wird, in der an Uexküll anschließenden Forschung in aller Regel unbeachtet bleibt, wird die Planmäßigkeit zwar genannt und mithin thematisiert, häufig aber an die Seite geschoben. Gerade dort, wo sie auf der Ebene ‚der ganzen Natur' auftritt, wird sie nicht selten schlechterdings eskamotiert. Von dem Diktum Adolf Portmanns von 1956, dass es sich hierbei nicht um einen klärenden Begriff, sondern um ein „große[s], dunkle[s] Rätsel" handle[1] bis hin zu der 2020 von Juan Manuel Heredia formulierten Beschreibung einer „tension between an epistemological level and a metaphysical one"[2], finden sich zahlreiche Aussagen, die Uexkülls Planmäßigkeit der Natur als problematisch ansehen, ihn aus diesem Grund zum Teil als Metaphysiker oder Romantiker verstehen wollen und was an politisch Bedenklichem in seinen

1 Adolf Portmann, „Vorwort: Ein Wegbereiter der neuen Biologie," in Jakob von Uexküll und Georg Kriszat, *Streifzüge durch die Umwelten von Tieren und Menschen. Ein Bilderbuch unsichtbarer Welten. Bedeutungslehre* (Hamburg: Rowohlt, 1956), 16.

2 Juan Manuel Heredia, „Jakob von Uexküll, an intellectual history," in *Jakob von Uexküll and Philosophy. Life, Environments, Anthropology*, hrsg. v. Francesca Michelini und Kristian Köchy (London: Routledge, 2020), 26.

Schriften registriert wird, eben diesem Teil zurechnen.[3] Das Missverständnis der Planmäßigkeit als eines isolierbaren Aspekts der Umwelttheorie bildet die Voraussetzung für eine Rezeptionsfigur, der man in der Forschung immer wieder begegnet.

„Thus, Uexküll is divided"[4] – durch sein Werk ziehe sich, so der Tenor dieser Rezeption, ein Riss. Entlang dieses Risses werden die Teile seiner Theorie, die man je nach Gusto festhalten möchte, von denjenigen geschieden, die man als metaphysisch, anachronistisch, konservativ oder auch – selbst diese Ansicht begegnet in frühen Anschlüssen an Uexküll – als in Zeiten des Nationalsozialismus zu wenig kämpferisch beiseiteschiebt.[5]

Für solche Deutungen spricht zunächst einiges. Uexkülls Theorie scheint tatsächlich von einer Sollbruchstelle durchzogen zu sein. Die unterschiedlichen Umwelten stehen unverbunden nebeneinander, in sich selbst ein- und gerade so voneinander abgeschlossen. Diese Scheidung perpetuiert sich noch auf der epistemologischen Ebene in der Kluft zwischen Umwelten und ihren Beobachtern. Zwischen Umwelt – der Welt, die ein bestimmter Organismus wahrnimmt und in der er sich aufhält, bewegt und handelt – und „Bauplan" – der Beschaffenheit eben jenes Organismus, der sich als Bündel an Fähigkeiten zur Aktivität (Wahrnehmung, Fortbewegung, etc.) darstellt, postuliert Uexküll eine unhintergehbare Kopplung. Zwischen den beiden Komponenten

3 Di Paolo spricht, um hier nur ein Beispiel zu nennen, von einem „radical end" und einem „conservative end", das in Uexkülls Werk zu unterscheiden wäre und bezieht diese Pole auf unterschiedliche epistemologische Modelle. Ezequiel A. Di Paolo, „A Future for Jakob von Uexküll," in *Jakob von Uexküll and Philosophy. Life, Environments, Anthropology*, 253.

4 Dorion Sagan „Introduction: Umwelt after Uexküll," in Jakob von Uexküll, *A Foray into the Worlds of Animals and Humans: With a Theory of Meaning*, übersetzt von Joseph D. O'Neill (Minneapolis: University of Minnesota Press, 2010), 7.

5 Hermann Weber etwa kritisiert 1942, dass Uexkülls allzu harmonistische Theorie mit der Selektion gerade das Konzept vernachlässige, das Deutschland benötige, um in seinem Kampf ums Dasein zu bestehen. Hermann Weber, „Organismus und Umwelt," *Der Biologe* 11 (1942): 62.

besteht gerade keine auch nur zeitweilige Trennung und damit auch kein Verhältnis der Anpassung. Vielmehr geht Uexküll davon aus, dass die Vorstellung von Welt („Merkwelt") und die Möglichkeiten eigener Aktivität („Wirkwelt") sich jederzeit in vollkommener Deckung befänden. Folgerichtig könne auch nicht, wie bei seiner Nemesis Charles Darwin, von unterschiedlichen Graden der Angepasstheit gesprochen werden, sondern „nur von gleich vollkommener Einpassung in verschiedene Umwelten"[6]. Dieser „Einpassung" ist schlechterdings nicht zu entgehen. Sie ist insofern weit deterministischer als Darwins Anpassung, als sie gerade keinen Raum zwischen Organismus und Natur öffnet, in dem Transformationen geschehen könnten, sondern vielmehr eine völlige Schließung von Organismus und dessen Umwelt postuliert. Mit seinem Konzept der Einpassung wendet sich Uexküll gegen die Idee, das Individuum stehe gegen eine äußere Natur. Organismus und Natur treffen sich bereits und ausschließlich im Inneren der jeweiligen Umwelt.

Durch diese Idee ist auch die epistemologische Seite des Konzepts bestimmt. Uexküll besteht darauf, dass „in jeder Welt [...] das Gesehene das einzig Sichtbare"[7] darstelle, zwischen Aktualität und Potentialität also Deckung bestehe. Die Umwelt ist ihm – auch auf dieser Ebene folgt aus der vorgängigen Kopplung von Innenwelt und Umwelt die Trennung von allem Äußeren – ein „Gefängnis", dessen „Mauern [...] nicht weichen werden bis an das Ende unserer Tage."[8] Auch der Mensch untersteht dieser Logik aus innerer Schließung und der daraus folgenden Trennung vom Außen. Selbst seine technischen Geräte, Instrumente und Maschinen eröffnen dem Menschen gerade keine anderen Umwelten,

6 Jakob von Uexküll, *Umwelt und Innenwelt der Tiere* (Berlin: Springer, 1909), 89.

7 Jakob von Uexküll, „Wie sehen wir die Natur und wie sieht sie sich selber?," *Die Naturwissenschaften* 10, Nr. 12–14 (1922): 268. Vgl. die ähnliche Formulierung bei den von Uexküll nachweislich beeinflussten Maturana und Varela: „Wir sehen nicht, was wir nicht sehen". Humberto Maturana und Francisco Varela, *Der Baum der Erkenntnis. Die biologischen Wurzeln des menschlichen Erkennens* (Bern: Scherz, 1987), 23.

8 Uexküll, „Wie sehen wir die Natur und wie sieht sie sich selber?," 265.

sondern bleiben ganz der Logik der Deckung von Organismus und Umwelt, Bauplan und Aktivität verhaftet:

> Wenn wir unsere Werkzeuge herstellen sind diese in ihrer Bauart immer an unsere menschliche Merkfähigkeit gebunden. Sie können nicht feiner gemacht werden, als es die Kleinheit und die Zahl der Orte gestattet, die unsere Merkwelt beherbergt.[9]

Es ist daher nicht überraschend, dass für Uexkülls Umwelten bereits 1934 von einem seiner Schüler, Friedrich Brock, die Bezeichnung „Monade" vorgeschlagen wurde („Organismus-Umwelt-Monade"), dass Harald Lassen 1939 den Monadismus bei Uexküll thematisiert, wohl unabhängig von beiden Autoren Leo Spitzer wenige Jahre später von den Monaden Uexkülls spricht und auf eben diese Charakterisierung bis heute immer wieder zurückgegriffen wird, wenn es um Uexkülls Umwelten und deren holistischen Charakter geht.[10]

Aus dieser monadischen Schließung der „Seifenblase" ergibt sich das vermeintlich zentrale, von Uexküll selbst bereits problematisierte und in der Forschung häufig aufgeworfene Problem der Umwelttheorie: Die Frage nach den Bedingungen der Möglichkeit

9 Ebd., 270.

10 Friedrich Brock, „Jakob Johann von Uexküll zum 70. Geburtstag," *Sudhoffs Archiv* 27 (1934): 193–203; Harald Lassen, „Leibniz'sche Gedanken in der Uexküll'schen Umweltlehre," *Acta biotheoretica* A5 (1939–1941): 41–50; Leo Spitzer, „Milieu and Ambience: An Essay on Historical Semantics," *Philosophy and Phenomenological Research* 3, Nr. 1 (Sept. 1942) u. Nr. 2, (Dez. 1942): 1–42 u. 169–218, Nr. 2, 212, Anm. 3. Vgl. jüngere Rekurse auf Uexkülls Monadismus etwa bei Sagan „Introduction: Umwelt after Uexküll", 21; Geoffrey Winthrop-Young, „Afterword: Bubbles and Webs: A Backdoor Stroll through the Readings of Uexküll," in Jakob von Uexküll, *A Foray into the Worlds of Animals and Humans: With a Theory of Meaning*, 242; Tobias Cheung, „Cobweb Stories: Jakob von Uexküll and the Stone of Werder," *Place and Location. Studies in Environmental Aesthetics and Semiotics* V (2006): 231–253, 237–241. Dieser Monadismus Uexkülls darf nicht als bewusste Übernahme eines philosophischen Konzepts verstanden werden – aller Wahrscheinlichkeit nach hat Uexküll Leibniz nie gelesen (Lassen, „Leibniz'sche Gedanken in der Uexküll'schen Umweltlehre", 47).

der Beobachtung von Umwelten, die nicht die eigene sind.[11] Wenn, wie Uexküll betont, „der Standpunkt des Tieres der *allein* ausschlaggebende werden" muss,[12] dieser Standpunkt aber radikal privativ gedacht[13] und diese Privation auch als für den Menschen bindend begriffen wird,[14] wie soll dann die Beobachtung, ja die wissenschaftliche Untersuchung fremder Umwelten möglich sein? Die ebenso radikale wie basale, unhintergehbare Verknüpftheit zwischen einer spezifischen Innenwelt und *ihrer* Umwelt auf der einen, und die radikale Trennung zwischen unterschiedlichen Innenwelt-Umwelt-„Funktionskreisen" auf der anderen Seite bedingen sich gegenseitig. An dieser Stelle setzt etwa Winthrop-Young an, wenn er meint, „[s]omehow, the reconnect with nature appears to be linked to a social disconnect"[15]. Ähnlich argumentiert Florian Höfer, der bei Uexküll eine auffällige Leerstelle dort erkennt, wo man eigentlich Thesen zum Problem der Kommunikation und der Intersubjektivität erwarten würde.[16]

11 Vgl. u.a. Uexküll, *Umwelt und Innenwelt der Tiere*, 248–253; Anne Harrington, *Reenchanted Science: Holism in German Culture from Wilhelm II to Hitler* (Princeton: Princeton University Press, 1999), 46f.

12 Uexküll, *Umwelt und Innenwelt der Tiere*, 6, Hervorhebung G. S.

13 Uexkülls Umwelten sind nicht etwa bloß artspezifisch, sie sind von Individuum zu Individuum unterschieden. So besitzt ein „temperamentvoller Hund" eine andere Umwelt als ein „temperamentloser". Jakob von Uexküll und Georg Kriszat, *Streifzüge durch die Umwelten von Tieren und Menschen: Ein Bilderbuch unsichtbarer Welten. Bedeutungslehre* (Hamburg: Rowohlt, 1956), 78.

14 Die Umwelt eines Herrn „Meyer" bestehe nur aus „Meyer-Dingen", die eines Herrn „Schulz" nur aus „Schulz-Dingen". Die beiden Umwelten seien ebenso unvermittelbar wie die Umwelten etwa von Hund und Libelle. Jakob von Uexküll, „Zum Verständnis der Umweltlehre," *Deutsche Rundschau* 256 (1938): 64.

15 Winthrop-Young, „Afterword: Bubbles and Webs", 217.

16 Florian Höfer, *Die Notwendigkeit der Kommunikation: Die Missachtung eines Phänomens bei Jakob von Uexküll* (Dissertation Rheinische Friedrich-Wilhelms-Universität Bonn, 2007). Der Zusammenhang erinnert an jenen zwischen einer Annäherung des Menschen an die Natur bzw. konkreter, an die Tierwelt auf der einen, und einer damit eng verbundenen Aufspaltung der Menschheit in distinkte, identitätslogisch verstandene Gruppen bzw. „Rassen" auf der anderen Seite. Vgl. zu diesem Zusammenhang Kevin Liggieri, *„Anthropotechnik": Zur Geschichte eines umstrittenen Begriffs* (Konstanz: Konstanz University Press, 2020), 87.

Wie solche Interpretationen nahelegen schließen sich bei Uexküll der Blick *in* die eigene und der Blick *auf* eine andere Umwelt gegenseitig aus. Die Aporie der Beobachtung macht Uexkülls Umwelttheorie prekär.

Es ist diese Aporie, an der viele RezipientInnen den Riss beginnen lassen, von dem oben die Rede war. So trennt etwa Dorian Sagan einen neo-kantianischen, seiner Meinung nach anachronistischen Uexküll, der „a transcendental dimension beyond space and time" annehme, von einem progressiven Uexküll der versuche, „details of animal behavior" zu katalogisieren und auf diese Weise „the reality of their perceptual life-worlds" zu deduzieren.[17] Maximilian Haas argumentiert, dass Uexküll das, was er „biologisch einfordert" (also die Perspektive der Tiere einzunehmen), gleichzeitig „epistemologisch ausschließt" (durch die monadische Abschließung nicht nur der tierischen Umwelten, sondern auch derjenigen des Forschers) und geht davon aus, dass diese „Lücke [...] logisch nicht zu schließen ist".[18] Und schon Helmuth Plessner sieht genau an diesem Punkt die Notwendigkeit, ein neues Konzept einzuführen. Plessners später auch von Klaus Michael Meyer-Abich , dem Sohn von Adolf Meyer-Abich, wieder aufgegriffenen „Mitwelten" sollten nicht zuletzt die Kluft zwischen den Umwelt-Monaden und zwischen diesen und der forschenden Beobachtung auffüllen, die Uexkülls Biologie gelassen hatte.[19] Auch bei anderen AutorInnen ist das Beobachterproblem zumeist in der ein oder anderen Weise präsent, wenn es darum geht, das Werk Uexkülls zu teilen. Wesentliche Streitfragen der Forschung, etwa ob mit Uexkülls Biologie nun tatsächlich ein biozentrisches

17 Sagan „Introduction: Umwelt after Uexküll," 7.

18 Maximilian Haas, *Tiere auf der Bühne: Eine ästhetische Ökologie der Performanz* (Berlin: Kadmos, 2018), 167.

19 Vgl. zu Plessners Auseinandersetzung mit Uexküll jüngst Hans Peter Krüger, „Closed Environment and Open World: On the Significance of Uexküll's Biology for Helmuth Plessners Natural Philosophy," in *Jakob von Uexküll and Philosophy*, 90. Vgl. zudem Klaus Michael Meyer-Abich, *Wege zum Frieden mit der Natur: Praktische Naturphilosophie für die Umweltpolitik* (München: Carl Hanser, 1984).

oder immer noch ein bloß anthropozentrisches Konzept gegeben sei, ob man hier eine relativistisch-konstruktivistische oder doch eine transzendentale, ob man eine implizit dualistische und metaphysische oder eine der Immanenz verpflichtete Theorie, ob man eine subjektivistische oder eine harmonistisch-holistische Biologie vor sich habe, setzen hier an.

Selbst Argumentationen, die das Problematische in Uexkülls Theorie nicht etwa, wie bei den genannten Plessner, Portman oder Sagan, in seinem Holismus bzw. dem damit verbundenen Determinismus, sondern gerade in seinem – vermeintlich diesem Holismus entgegenstehenden – Subjektivismus sehen möchten, bauen implizit auf diesen Riss. So versuchen etwa August Thienemann oder Karl Friederichs in den späten 1930er und frühen 1940er Jahren, Uexkülls Begriff der Umwelt synonym mit „Ökologie", „Biotop" oder gar „Milieu" zu setzen.[20] Marco Stella und Karel Kleisner stellen diese Versuche in ihrer Unausgewogenheit dar: „It is quite clear that such ecological theories adopt from Uexküll's sense of Umwelt mainly its holistic element, and neglect its subjectivism."[21] Und auch Bernd Herrmann fasst den Versuch des Zoologen, Kolonialbeamten und ab 1934 Mitglied des NS-Opferrings Friederichs von 1943, den Begriff „Umwelt" zu definieren, als einen, der in seiner Fokussierung von allen „direkten und [...] konkret greifbaren indirekten Beziehungen zur Außenwelt" die spezifisch subjektivistisch-innerliche Form dieses Begriffs verfehle.[22] Auch diese von deutschen Biologen

20 Marco Stella und Karel Kleisner, „Uexküllian Umwelt as Science and as Ideology: The Light and the Dark Side of a Concept," *Theory in Biosciences* 129, Nr. 1 (2010): 43. Die Autoren beziehen sich auf die folgenden Primärtexte: Karl Friederichs, „Vom Wesen der Ökologie." *Sudhoffs Archiv* 27 (1934): 277–285; Karl Friederichs, *Ökologie als Wissenschaft von der Natur oder biologische Raumforschung* (Leipzig: Barth, 1937); August Thienemann, *Leben und Umwelt* (Leipzig: Barth, 1941).

21 Stella und Kleisner, „Uexküllian Umwelt as Science and as Ideology", 43.

22 Bernd Herrmann, *„...mein Acker ist die Zeit": Aufsätze zur Umweltgeschichte* (Göttingen: Universitätsverlag Göttingen, 2011), 257, Anm. 398; Zitat aus: Karl Friederichs, „Über den Begriff der ‚Umwelt' in der Biologie," *Acta Biotheoretica* 7 (1943): 157.

zur Zeit des Nationalsozialismus vorgenommene Rezeption folgt demnach, so könnte man argumentieren, der Ansicht, Uexkülls Werk wäre bereits in sich zweigeteilt und es möglich, den einen Teil vom anderen trennscharf zu lösen und für sich weiter zu entwickeln.

Nicht erst die Bevorzugung des holistischen gegenüber dem subjektivistischen Moment, sondern schon die trennende Entgegensetzung der beiden Momente geht allerdings an der Pointe Uexkülls vorbei. Es ist zweifelhaft, dass Uexküll diese Lücke nicht geschlossen bzw. nur durch ästhetische oder rhetorische Mittel provisorisch überbrückt hätte und damit tatsächlich von einem Riss zu sprechen wäre, der sich durch das Werk ziehe.[23] „Der Begriff der Umwelt ist dazu bestimmt, das zu verbinden, was man gewöhnlich trennt",[24] schreibt Merleau-Ponty. Dafür spricht schon die geringe Vorsicht, mit der Uexküll die beiden oben skizzierten Ebenen nebeneinanderstellt. Die auffällige Widersprüchlichkeit, die in der Zusammenstellung von monadistischen Umwelten und deren trotz allem von Uexküll als recht unproblematisch verstandenen Beobachtbarkeit liegt, wird von ihm zwar mitunter registriert, sie wird ihm aber nicht zum zentralen Problem. Man könnte hier den toten Winkel bei einem zunächst vor allem auf Experimente bauenden Wissenschaftler vermuten, dessen Frau gelegentlich angibt, er hätte Theorien nicht besonders geschätzt.[25] Man könnte auch annehmen, dass er mit bestimmten Experimentalanordnungen oder technischen

23 Haas geht davon aus, dass Uexküll das Beobachtungsproblem nur unter Rückgriff auf ästhetische Mittel, Bühler, dass er es nur auf der Ebene der Rhetorik aufgelöst hätte. Vgl. Haas, *Tiere auf der Bühne*, 167 und Benjamin Bühler, „Das Tier und die Experimentalisierung des Verhaltens: Zur Rhetorik der Umwelt-Lehre Jakob von Uexkülls," in *Wissen. Erzählen*, hrsg. v. Arne Höcker, Jeannie Moser und Philippe Weber (Bielefeld: transkript, 2006), 41–52.

24 Maurice Merleau-Ponty, *Die Natur: Aufzeichnungen von Vorlesungen am Collège de France 1956–1960*, hrsg. v. Dominique Séglard (München: Fink, 2000), 240.

25 Uexküll meine, diese seien so „billig wie Brombeeren". Gudrun von Uexküll, *Jakob von Uexküll, seine Welt und seine Umwelt* (Hamburg: Wegner, 1964), 37.

Zugängen das Problem der Beobachtung umschifft zu haben glaubt.[26] Angesichts der diskurshistorischen Verbindung zwischen der Umweltlehre und der holistischen Biologie des ausgehenden 19. Jahrhunderts, die noch beschäftigen wird, ist es allerdings wahrscheinlicher, dass Uexküll den Widerspruch zwischen dem monadischen Charakter der Umwelten und deren von ihm dennoch prinzipiell angenommenen Beobachtbarkeit als *bereits gelöst* ansieht.

Schon ein kurzer Blick auf den Kontext besonders drastischer Formulierungen der Geschlossenheit der Umweltmonaden macht diese Überlegung wahrscheinlich. Es ist auffallend, dass Uexkülls Monadismus, also die unhintergehbare Beschränkung der Innenwelt auf die je eigene Umwelt, häufig mit einer Totale parallel geführt wird, mit einem Blick auf ein größeres Ganzes. Das verdeutlicht schon der Text, aus dem die vorangegangenen Zitate zur Impenetrabilität der Umweltseifenblasen entnommen wurden, in dem also vom Gefängnishaften der Umwelten die Rede ist. Das eigentliche Ziel von „Wie sehen wir die Natur und wie sieht sie sich selber?" liegt in der Verdeutlichung des Konzeptes einer selbst wiederum als Subjekt vorgestellten Natur, in der *alle* Umwelten aufgehen. Das zeigt sich auch in Uexkülls Übernahme des Prinzips der „Anschaulichkeit" für die Darstellung von biologischen Zusammenhängen, welche die Tendenz aufweisen, sich zur Totale auszuweiten – so etwa in der *Staatsbiologie*, in der Uexküll nichts weniger als eine umfassende und vollständige Kartierung jener Funktionskreise fordert, aus denen seiner Meinung nach der Staat bestehe.[27] Und das zeigt sich selbst an dem so marginal erscheinenden Umstand, dass in der Liste der Organismen, die

26 Etwa durch den Einsatz eines „Abrichtewagens", mittels dem, wie im folgenden Kapitel gezeigt wird, die Umwelt des Blindenhundes teilweise mit derjenigen des Menschen in Übereinstimmung gebracht werden soll. Oder durch den Einsatz des Films zur Sichtbarmachung des Wirkens der Planmäßigkeit. Vgl. dazu Katja Kynast, „Kinematografie als Medium der Umweltforschung Jakob von Uexkülls," *Kunsttexte.de* 4 (2010).

27 Jakob von Uexküll, *Staatsbiologie: Anatomie – Physiologie – Pathologie des Staates* (Berlin: Paetel, 1920), 55.

sich in Uexkülls *Innenwelt und Umwelt* findet, der Eintrag „Mensch" fehlt – an seiner statt findet sich die Überschrift: „Der Beobachter".[28] Die kategorialen Unterscheidungen zwischen Beobachtendem und Beobachtetem, zwischen Umwelt und ‚ganzer Natur', zwischen menschlichem und staatlichem Organismus scheinen in diesen Beispielen aufgehoben zu sein.

Diese Aufhebung geschieht zwar durch die Einführung von etwas Größerem. Uexkülls Pointe besteht aber darin, dass damit gerade kein Wechsel der Kategorie bzw. des determinierenden Prinzips einhergeht. Uexkülls Skalierungen wollen keine Sprünge zwischen Ebenen darstellen, sondern werden im *Flachen* vollzogen: Auf einer totalen Ebene, auf welcher der Beobachter, dem schlechterdings die gesamte belebte Natur wahrnehmbar ist, *neben* dem in sich so vollständig geschlossenen Funktionskreis der Qualle *Rhizostoma pulmo* angeführt werden kann.[29]

Auf dieser totalen Ebene löst sich die Beobachterproblematik auf und es schließt sich der Riss in Uexkülls Werk. Umweltmonadismus und der Holismus der ‚ganzen Natur' sind keine gegenläufigen Konzeptionen, von denen eine ausgewählt werden könnte und so etwa der Subjektivismus oder der Biozentrismus ohne den totalen Holismus zu haben wäre. Sie stellen nichts anderes als zwei Erscheinungsformen *eines* Prinzips dar: der Planmäßigkeit. Uexkülls Lösung ist auch dort, wo er von der Mannigfaltigkeit der Umwelten oder der „Subjekte" spricht, die Ganzheit und nicht die Vielheit.

Das Beobachtungsproblem ist zweifellos bedeutend für das Verständnis von Uexkülls Werk. Lesarten, die entlang dieses Problems die Umweltlehre in einander widersprechende Teile zu scheiden versuchen, haben die Logik auf ihrer Seite. Sie verfehlen jedoch die Pointe der holistischen Harmonisierung, welche die Umweltlehre durchzieht und mit dieser auch ihre politische

28 Uexküll, *Umwelt und Innenwelt der Tiere*, 248–253.

29 Vgl. das Inhaltsverzeichnis ebd., 261.

Pointe. Wichtiger noch als das Beobachtungsproblem erscheint daher die Form seiner Auflösung. Diese verweist auf die Planmäßigkeit als das zentrale Moment der Umweltlehre. Auf sie baut Uexküll, schon bevor er sie zu einem begrifflichen Konzept schärft; erst durch sie wird die Umweltlehre selbst zur Ganzheit.

2. Planmäßigkeit und Totalität

Wie Walter Gebhard betont, liegt ein wesentliches Moment vieler, gerade deutschsprachiger Naturvorstellungen des ausgehenden 19. und des beginnenden 20. Jahrhunderts in einem „Totalitätsbewußtsein". Ein zentrales Charakteristikum dieses Bewusstseins bestehe darin, nicht erst im Übergeordneten, in dem die Teile aufgehen, das Ganze zu erkennen, sondern in diesen Teilen selbst. Ganzheitlichkeit als Totalität werde zu einem Prinzip, das völlig unabhängig von der Ebene eingeführt werden kann, von der jeweils die Rede ist. Es bestimme die Teile selbst nicht erst in Bezug auf ein ihnen übergeordnetes Größeres, sondern bereits in ihrem Inneren. „[D]er ‚Teil' [selbst wird hier bereits] als ‚das Ganze im kleinen' bzw. als ‚das kleine Ganze' gedacht."[30]

Uexkülls Planmäßigkeit fügt sich in ein so verstandenes Totalitätsbewusstsein. Ein Blick auf ihre Genese macht deutlich, dass Uexküll mit ihr ein ebenso grundlegendes wie ubiquitäres Prinzip setzt, das über die ganze Breite der ‚flachen' Ebene Anwendung finden kann, auf der sich Quallen neben forschenden Beobachtern tummeln. Diese so zentrale Stellung in Uexkülls Biologie kann die Planmäßigkeit nur unter der Bedingung erreichen, dass sie selbst nicht mehr als Her- oder Abgeleitetes, als Produkt bzw. Folge auftritt, sondern schlechthin als das basale und vorgeordnete Prinzip alles Lebendigen. Es sind im Wesentlichen zwei vor allem negativ zu beschreibende Bewegungen, die dafür vorauszusetzen sind: Damit die Planmäßigkeit überall angetroffen werden

30 Walter Gebhard, *„Der Zusammenhang der Dinge": Weltgleichnis und Naturverklärung im Totalitätsbewußtsein des 19. Jahrhunderts* (Tübingen: Max Niemeyer, 1984), 7.

kann, darf sie nicht vergegenständlicht werden. Und damit sie nicht objektiviert und auf bestimmte Funktionskreise beschränkt, sondern als basal begriffen werden kann, muss sie als in jedem Innen je schon Wirkendes gefasst sein.

Tendenzen zu einer solchen Verwendung begegnen bereits früh. Uexküll prägt zunächst den Begriff des „Bauplans". Der Begriff tritt in seinem *Leitfaden in das Studium der experimentellen Biologie der Wassertiere* von 1905 in einem Kapitel über den „Reflex" in Erscheinung, also in dem Textabschnitt in welchem, wie es heißt, das „Hauptproblem der Biologie" verhandelt werden soll.[31] Der Begriff der „Planmäßigkeit" wiederum wird von Uexküll bereits in einem Aufsatz aus dem Jahr 1908 verwendet.[32] Brentari hat darauf hingewiesen, dass Uexküll in der zweiten Auflage von *Umwelt und Innenwelt der Tiere* das Kapitel über den Reflex durch ein Kapitel über den Funktionskreis ersetzt, den er als Struktur der Planmäßigkeit versteht.[33] Sowohl die Entwicklung des Begriffs „Bauplan" als auch in jener der „Planmäßigkeit" stehen demnach im Kontext des Versuchs, vom Reflex ausgehend die Relation zwischen einem Organismus und seinem Außen neu zu bestimmen. Dabei bleibt ein wesentliches Charakteristikum der Reflexreaktionen in Kraft: die Relationen, um die es hier jeweils geht, erfolgen nicht etwa spontan oder gar bewusst, sondern unterliegen einer Zwangsläufigkeit. Wichtiger noch als diese Kontinuität aber erscheint die Verschiebung, die Uexküll vornimmt, wenn er sein Interesse von der Schnittstelle zwischen Innen und Außen spätestens mit dem Funktionskreis aus *Umwelt und Innenwelt der Tiere* ins Innere der Umwelt-Innenwelt-Seifenblase verlagert.

Wenn Uexküll später meint, er habe sich bereits Ende des 19. Jahrhunderts der Erforschung der Planmäßigkeit gewidmet,[34] dann mag das angesichts der erst später erfolgten, begrifflichen

31 Uexküll, *Leitfaden in das Studium der experimentellen Biologie der Wassertiere*, 8.
32 Jakob von Uexküll, „Die neuen Fragen in der experimentellen Biologie," *Rivista di szienzia* 4, Nr. 2 (1908): 72–86.
33 Brentari, *Jacob von Uexküll*, 97f.
34 Uexküll, *Jakob von Uexküll, seine Welt und seine Umwelt*, 39.

Konzeptualisierung als allzu offensichtlicher Versuch erscheinen, den eigenen Werdegang retrospektiv einer glatten Teleologie zu unterwerfen.[35] Es weisen aber tatsächlich einige Aspekte darauf hin, dass Uexkülls Interesse von Beginn an zumindest auf die zwei hier besonders interessierenden Charakteristika der Planmäßigkeit abgestellt ist: auf ihre Immaterialität und ihre Innerlichkeit.

Uexkülls Weg zur Planmäßigkeit beginnt noch vor der begrifflichen Fassung mit Untersuchungen der Organismen, die für die deutschsprachige Biologie bereits ab dem letzten Drittel des 19. Jahrhunderts von herausragender Bedeutung waren: niederen Meerestieren.[36] Schon während seines Studiums in Dorpat (dem heutigen Tartu) nimmt er mehrfach an Expeditionen an die baltische See teil und interessiert sich schon hier vor allem für Invertebraten. In seinen physiologischen und verhaltenstheoretischen Experimenten, die er in den 1890er Jahren in der biologischen Versuchsstation in Neapel betreibt, konzentriert er sich weiterhin vor allem auf Organismen, die kein zentralisiertes Nervensystem besitzen. Er zeigt sich davon beeindruckt, dass auch in Abwesenheit eines solchen Zentrums die nachvollziehbare Struktur und Wiederholbarkeit biologischer Prozesse gewahrt bleibt. Diese Prozesse sind, so der naheliegende Schluss, nicht zu lokalisieren und daher auch nicht zu materialisieren.[37]

Uexkülls frühen Untersuchungen sind nicht zuletzt durch die Forschung seines Mentors Wilhelm Kühne inspiriert, bei dem Uexküll von 1888 bis 1890 in Heidelberg arbeitet.[38] Kühne beschäftigt sich mit Enzymen als Auslösern von Prozessen innerhalb von Organis-

35 Mildenberger geht davon aus, dass Uexküll zu dieser Zeit noch ganz dem mechanistischen Paradigma zugewandt gewesen sei. Florian Georg Mildenberger, *Umwelt als Vision: Leben und Werk Jakob von Uexkülls (1864–1944)* (Wiesbaden: Steiner, 2007), 57.

36 Ebd.

37 Uexküll versucht diesem Problem durch den Einsatz des Films zu begegnen. Kynast, „Kinematografie als Medium der Umweltforschung Jakob von Uexkülls."

38 Vgl. zum Einfluss Kühnes auf Uexküll Harrington, *Reenchanted Science*, 39.

men – ein Forschungsbereich, mit dem Uexküll zuvor bereits als Student der Biologie in Tartu in Berührung gekommen war. Schon in dieser frühen Phase seiner Tätigkeit als Biologe und damit eben noch vor der Begriffsbildung von „Bauplan" und „Planmäßigkeit" nimmt Uexkülls Biologie also die innere Selbsttätigkeit in den Blick und überlässt die Relationen zum Außen der Physik bzw. der Physiologie. Der Anziehungskraft, die etwas später die Vorstellung der „Entelechie" von Hans Driesch auf ihn ausübt, ist hier bereits der Boden bereitet. Die spätere Begeisterung Uexkülls für die Untersuchungen von Herbert Spencer Jennings' Konzept der Regulationsfähigkeit kann vor diesem Hintergrund kaum überraschen.[39] Auch im Vergleich mit der „Zielstrebigkeit" Karl Ernst von Baers, die für Uexkülls Denken von ähnlich großer Bedeutung ist wie die Entelechie Drieschs, zeigt sich die große Bedeutung, die Uexküll gerade den inneren Prozessen zuschreibt. Während von Baer an Relationen zwischen der lebendigen Einheit und dieser äußeren Gegenständen oder Prozessen interessiert ist, zielt Uexküll auf die innere Beziehung einer gegebenen Innenwelt-Umwelt-Seifenblase ab, in der Äußeres gar nicht mehr relevant werden kann.[40]

Die Innerlichkeit der interessierenden Phänomene und ihre Immaterialität bedingen sich. Bei allen Differenzen zu den Konzepten von Driesch und Jennings ist für Uexküll ebenso wie für diese klar, dass das Prinzip, das Relationen und damit lebendige Ordnung herstellt, nicht im Materiellen zu finden ist.[41] Zwar wird

39 Jennings beschreibt, und dieser Punkt trifft ganz das Interesse Uexkülls, diese Fähigkeit zur Regulation der Lebewesen nicht etwa als von bestimmten materiell gegebenen Zentren ausgehende und sich über eine physiologisch bereits gegebene hierarchische Struktur prozessierende, sondern als eine erst zur Materialisierung solcher Zentren, Strukturen und konsequenterweise des ganzen Organismus hinführende. Zu Uexkülls Interesse an den Forschungen Jennings' vgl. u.a. Jakob von Uexküll, *Bausteine zu einer biologischen Weltanschauung* (München: Bruckmann, 1913), 161f.

40 Helbach, *Die Umweltlehre Jakob von Uexkülls*, 39.

41 Vgl. zu Uexkülls Absetzung des eigenen Ansatzes gegen Driesch ebd., 46f.; Mildenberger, *Umwelt als Vision*, 143, u.a.; zu den Vorbehalten Jennings, der

es nur in der dann jeweils ausgeprägten Form des ‚fertigen' Bauplans anschaulich – und Uexküll bestimmt gerade die von Goethe übernommene Forderung zur *Anschaulichkeit* schon 1902 als eine zentrale Aufgabe der Biologie.[42] Und zudem versucht Uexküll durchaus, der Wirkung der Planmäßigkeit bis in ihre kleinsten materiell-realen Ausformungen nachzuspüren. So spricht er in späteren Texten etwa von Impulsen, durch welche Gene protoplasmatische Zellen zu bestimmten Prozessen und Formungen anhalten und gibt seiner Hoffnung Ausdruck, irgendwann solche Prozesse der „Formbildung in das Reagenzglas zu bannen".[43] Damit ist aber gerade nicht gesagt, dass auch der Ausgangspunkt solcher Prozesse materiell festzuhalten und an eine bestimmte Substanz zu binden wäre. Uexküll betont vielmehr, dass „zur richtigen Ausbildung des Tieres noch ein zweiter Faktor außer den Genen hinzukommt, nämlich der Plan"[44] – und damit etwas, das dezidiert als „außermaterielle[s] Gesetz[...]"[45] zu fassen sei. Charlotte Helbach ist demnach zweifellos Recht zu geben, wenn sie schreibt: „An der Reihenfolge: Planmäßigkeit – Plan – Impulssystem – Gene – Protoplasma ändert sich nichts, wenn der mittlere Begriff der materiellen Seite zugeordnet wird. Die Rolle der Planmäßigkeit als lebensbestimmender Faktor bleibt dabei unangetastet."[46] Diese doppelte Charakterisierung der Planmäßigkeit als immateriell und innerlich ermöglicht es Uexküll, sie als ubiquitär und basal zu verstehen. Am Grunde alles Lebendigen

sich als rein objektiver Forscher positionieren wollte, gegenüber einer über einen solchen Objektivismus hinausdrängende Umwelttheorie vgl. ebd., 83.

42 Uexküll, *Bausteine zu einer biologischen Weltanschauung*, 55–66. Die erste Hinwendung zur „Anschauung" findet sich bereits in Jakob Uexküll, „Psychologie und Biologie in ihrer Stellung zur Tierseele," *Ergebnisse der Physiologie, II. Abteilung: Biophysik und Psychophysik 1* (1902): 218.

43 Jakob von Uexküll, *Kompositionslehre der Natur: Biologie als undogmatische Naturwissenschaft. Ausgewählte Schriften*, hrsg. v. Thure von Uexküll (Frankfurt am Main: Propyläen, 1980), 178f.

44 Uexküll, *Bausteine zu einer biologischen Weltanschauung*, 172.

45 Ebd., 175.

46 Helbach, *Die Umweltlehre Jakob von Uexkülls*, 42.

liegt nicht etwa eine bestimmte Substanz, sondern ein Plan, der Relationen und Strukturen setzt.

Die Planmäßigkeit stellt für Uexküll also eine vom Materiellen abstrahierte, gleichsam völlig emanzipierte, innere und basale Relation dar: „das Primäre [...] ist die Beziehung"[47]. Er fasst diese Relation als das Leben selbst und wendet sich durch ihre Priorisierung gleichermaßen gegen „Psychismus und Materialismus" – und gegen den Dualismus einer solchen Aufteilung. Hatte in diesem „das Phänomen des Lebens nur zur Vermittlung zwischen den alleinigen Hauptphänomenen der Psyche und Physis, zur Überbrückung der zwischen ihnen gähnenden ungeheuren Kluft dienen müssen" so soll, wie sein Herausgeber Felix Groß angibt, durch Uexkülls Biologie nun „das Phänomen des Lebens" – und damit die vermittelnde Relation selbst – „eine zentrale Stellung einnehmen"[48].

Immaterialität und Innerlichkeit der Planmäßigkeit setzen Uexküll also instand, sie als eine solche grundlegende und ubiquitäre Relation zu verstehen. Dieses Verständnis ist die Voraussetzung dafür, die Planmäßigkeit nicht nur durch konkrete Untersuchungen spezifischer Umwelten in ihrer Wirkung zu erschließen, sondern sie auch jenseits aller konkreten Experimentalanordnungen zu postulieren. Schon 1945 vermutet Wilhelm Szilasi in ihr das Naturprinzip schlechthin, welches „gleicherweise auf den ganzen Bereich des Seienden, wie auf das besondere Sein des Lebendigen" bezogen sei.[49] Höfer gibt an, dass Uexküll kein anderes Naturprinzip kenne.[50] Und Uexküll selbst weist darauf hin, dass man mit der Planmäßigkeit sowohl auf der Mikroebene der einzelnen Innenwelt-Umwelt-Kopplungen, also der eigentlichen Funktionskreise, als auch auf der Makroebene ‚der Natur' zu rechnen habe:

47 Jakob Uexküll, *Biologische Briefe an eine Dame* (Berlin: Paetel, 1920), 76.

48 Felix Groß, „Einleitung," in Uexküll, *Bausteine zu einer biologischen Weltanschauung*, 10.

49 Wilhelm Szilasi, *Wissenschaft als Philosophie* (Zürich: Europa-Verlag, 1945), 70.

50 Höfer, *Die Notwendigkeit der Kommunikation*, 114.

> Alle Funktionskreise sind nach dem gleichen Prinzip gebaut. In ihnen sehe ich die aktiven Naturpläne, die als Elementarfaktoren des Universums zu gelten haben. Das gesamte Universum, das aus lauter Umwelten besteht, wird durch die Funktionskreise zusammengehalten und nach einem Gesamtplan zu einer Einheit verbunden, die wir Natur nennen.[51]

Die Planmäßigkeit ist es demnach, die nicht nur die jeweiligen Innenwelten an ihre Umwelten bindet, sondern die auf diese Weise gedachten Seifenblasen auch in eine Ordnung zueinander setzt. In konsequenter Parallele zu dem bereits von der Mikroebene der einzelnen Umwelten bekannten Befund, dass Merk- und Wirkprozesse sich decken, ist damit gleichzeitig ein ontologisches und ein epistemologisches Prinzip etabliert. Als „universelle[s], übergeordnete[s] Verbindungsprinzip"[52] regelt die Planmäßigkeit die inneren Bezüge der subjektiven Umwelt-Einheiten (alle Prozesse zwischen Innenwelt und Umwelt und damit das jeweilige „Subjekt" selbst). Und sie ermöglicht gleichzeitig die Beobachtbarkeit eben dieser Bezüge. Die Beobachtbarkeit fremder Umwelten gründet in der Existenz einer höheren, aber wiederum von *demselben* Prinzip der Planmäßigkeit bestimmten Ebene. Auch diese Zusammenziehung ist bereits früh angelegt.

Schon im *Leitfaden in das Studium der experimentellen Biologie der Wassertiere* von 1905 prägt Uexküll nicht nur seinen Begriff „Bauplan", sondern verwendet bereits das Wort „planmäßig", wenn auch noch nicht als wissenschaftliches Konzept im engeren Sinn. Es tritt hier zunächst zur Charakterisierung der Naturwissenschaft als „planmäßig geordnete Erfahrung" auf, bezeichnet also die wissenschaftliche Beobachtung und verweist gleichzeitig auf eine Nähe zwischen der „planmäßigen" Beobachtung und den beobachteten „Bauplänen".[53] Damit ist die Planmäßigkeit nicht

51 Jakob Uexküll, *Theoretischen Biologie*, 2. Aufl. (Berlin: Springer, 1928), 220.

52 Höfer, *Die Notwendigkeit der Kommunikation*, 115.

53 Uexküll, *Leitfaden in das Studium der experimentellen Biologie der Wassertiere*, V.

nur als das natürliche Prinzip gefasst, welches die Biologie zu beschreiben hätte, sondern eben auch als jenes, welches dieser Biologie ihre methodische Grundlage gibt. Uexküll geht es um das „Erkennen und Erklären der Natur in *und durch* ihre Pläne."[54]

Dass, wie oben zitiert, die Aporie der Uexküllschen Umweltlehre „logisch nicht zu schließen" sei,[55] gilt also nur, so lange man nicht nachvollzieht, dass die Beobachtung fremder Umwelten nicht etwa einen Ausbruch aus der monadischen Schließung verlangt, sondern innerhalb einer weiteren, gleichsam größeren, aber derselben Planmäßigkeit unterstehenden monadischen Schließung verortet wird. Uexküll wechselt nicht aus der monadischen Struktur in eine dualistische, sondern er skaliert die monadische Struktur hoch bis zur ‚ganzen Natur'. Was zunächst als Widerspruch zwischen der Unmöglichkeit, die je eigene Umwelt zu übersteigen auf der einen, und Uexkülls zahlreichen Beschreibungen fremder Umwelten auf der anderen Seite erscheint, wird zur Bestätigung der Wirkung der Planmäßigkeit erklärt, die ungeachtet der jeweiligen Skalierungsebene je schon für Ordnung und Beobachtbarkeit gesorgt hat.[56]

Die Planmäßigkeit tritt demnach überall dort in Erscheinung, wo Uexküll Verbindungen setzt, Relationen zu beschreiben versucht und Zusammenhänge herstellt. Es gibt nichts, was außerhalb ihrer läge, weil sie bereits in allem liegt. Als ein solches totales und inneres Prinzip bestimmt sie nicht bloß in dieser oder jener Weise Uexkülls „subjektiv[e]"[57] Biologie, sondern fällt mit deren Subjektivitätsbegriff in eins.

54 Helbach, *Die Umweltlehre Jakob von Uexkülls*, 59, Hervorhebungen G.S.

55 Haas, *Tiere auf der Bühne*, 167.

56 Vgl. kritisch Andreas Weber, der mit Blick auf die von Uexküll den Lebewesen zugeschriebene Autonomie und Autopoesis meint, „Uexkülls Biologie postulierte ironischerweise das Gegenteil einer harmonisch-einheitlichen biologischen Weltsicht". Andreas Weber, *Die Natur als Bedeutung* (Würzburg: Königshausen & Neumann, 2003), 78.

57 Uexküll, *Bausteine zu einer biologischen Weltanschauung*, 143.

3. Planmäßigkeit und Subjektivität

Uexküll unterstellt seine Biologie einer und nur einer erkenntnistheoretischen Prämisse: „Alle Wirklichkeit ist subjektive Erscheinung – dies muß die große grundlegende Erkenntnis auch der Biologie bilden."[58] Diese Aussage steht jedoch gerade nicht quer zur eben dargestellten zentralen Bedeutung der Planmäßigkeit, sondern kann vielmehr als weiterer Beleg für sie gelten. Was Uexküll unter Subjektivität versteht, lässt sich nämlich nur adäquat beantworten, wenn die oben zitierte Annahme einer Entgegensetzung von Holismus und Subjektivismus[59] verworfen wird. Die im vorangegangenen Unterkapitel skizzierte Vorstellung der Planmäßigkeit lässt keinen Raum für eine Subjektivität, die jener in irgendeiner Weise entgegengesetzt werden könnte. Vielmehr kommt der Subjektivität ihre starke Position im Rahmen der Umweltlehre nur insofern zu, als sie selbst *als* Planmäßigkeit gefasst ist.[60]

Ein Blick auf diese spezifische Subjektivität verdeutlicht damit einerseits den strukturellen Holismus, der Uexkülls Umweltlehre durchzieht. Und er führt andererseits hin zu deren politischer Pointe. Weil Subjektivität nur als Planmäßigkeit erscheinen kann, wird auch die Herrschaft des Subjekts über die je eigene Umwelt nicht etwa als autonome Spontanität, sondern nur als planmäßiger Determinismus fassbar. Die Naturalisierung von Herrschaft, die dieser Figur immanent ist und ihre politische Komponente bestimmt, wird im letzten Unterkapitel genauer dargestellt. Ihre Voraussetzung, die Vorstellung einer Subjektivität *als* Planmäßigkeit wird im Kontrast zu den Konzepten zweier anderer Autoren konturiert: zu Charles Darwin und Immanuel Kant.

58 Jakob von Uexküll, *Theoretische Biologie* (Berlin: Paetel, 1920), 9.

59 Vgl. u.a. noch einmal Stella und Kleisner, „Uexküllian Umwelt as Science and as Ideology," 43, 50.

60 Esposito, „Kantian Ticks, Uexküllian Melodies," 37.

3.1 Holistisch mit und gegen Darwin

Darwin versteht seine Evolutionstheorie als eine Geschichte der Differenzproduktion, die jederzeit am konkreten Individuum und seiner Stellung zu einem Außen, den Konkurrenten bzw. den natürlichen Gegebenheiten anzusetzen habe.[61] Diese, wenn man so will, liberal-individualistische Pointe der Evolutionstheorie fällt in der affirmativen deutschsprachigen Rezeption des ausgehenden 19. Jahrhunderts häufig, man könnte beinahe sagen: in aller Regel unter den Tisch.[62] So geht etwa Ernst Haeckel, der sich ab den ausgehenden 1860er Jahren zu *dem* Darwinisten des deutschsprachigen Raums stilisiert, am Konzept Darwins insofern vorbei, als er jede Widerständigkeit des Äußeren aus Darwins Theorie eskamotiert und sie vor allem als einen Beweis für die lückenlose Verbindung der ganzen Natur zu lesen versucht – eine zwar mögliche, aber keinesfalls zwingende Folgerung aus Darwins Ansatz, die Darwin zwar ebenfalls sieht, der er aber nur sehr wenig

61 „Ich betrachte daher die individuellen Abweichungen, wenn schon sie für den Systematiker nur wenig Werth haben, als für uns von großer Bedeutung, weil sie den ersten Schritt zu solchen unbedeutenden Varietäten bilden, welche man in naturgeschichtlichen Werken der Erwähnung kaum schon werth zu halten pflegt. Ich sehe ferner diejenigen Varietäten, welche etwas erheblicher und beständiger sind, als die uns zu den mehr auffälligen und bleibenderen Varietäten führende Stufe an, wie uns diese zu den Subspecies und endlich zu den Species leiten." Charles Darwin, *Über die Entstehung der Arten durch natürliche Zuchtwahl oder die Erhaltung der begünstigten Rassen im Kampfe um's Dasein*, Nach der letzten englischen Auflage wiederholt durchgesehen von J. Victor Carus (Köln: Parkland, 2002), 72.

62 Dass zahlreiche Ansätze einer neuen Biologie Ende des 19. Jahrhunderts Darwins Namen oftmals nur aus strategischen Gründen nennen, ohne seine Theorie tatsächlich fortzuführen oder sich auch nur ernsthaft auf sie zu beziehen, ist seit den Studien Bowlers bekannt. Peter Bowler, *The Eclipse of Darwinism: Anti-Darwinian Evolution Theories in the Decades around 1900* (Baltimore: John Hopkins University Press, 1983); Ders.: *The Non-Darwinian Revolution: Reinterpreting a Historical Myth* (Baltimore: John Hopkins University Press, 1988). Vgl. speziell zur Rezeption Darwins durch Haeckel u.a. Robert Richards, *The Tragic Sense of Life: Ernst Haeckel and the Struggle over Evolutionary Thought* (Chicago: University of Chicago Press, 2008).

Bedeutung beimisst.[63] Anders als bei Darwin wird die Evolution bei Haeckel so zu einer auf Typen aufbauenden Geschichte der sich selbst in und aus sich selbst entwickelnden und damit eben gerade nicht mit äußeren Widerständen konfrontierten Totalität des Lebendigen.[64]

Als junger und an Darwin noch durchaus interessierter Student stößt Uexküll auf eine durch Haeckel geprägte und um den genannten Aspekt bereinigte Auslegung der Evolutionstheorie. Wie Mildenberger gezeigt hat, folgt der in Dorpat (dem heutigen Tartu) lehrende Julius von Kennel Haeckels Lesart Darwins insofern, als er meint, „die Bedeutung von Individualprozessen vernachlässigen [...] [und] zwischen sämtlichen Tierarten Verwandtschaften konstruieren zu können".[65] Wie Uexkülls frühe und kurze Phase des Darwinismus nicht an Darwin, sondern an der von Haeckel geprägten Darwininterpretation ansetzt – und damit die Bedeutung der Widerständigkeit des Äußeren übersieht –, so trifft sein späterer, mithin geradezu aggressiv vorgetragener

63 Darwin schreibt, dass, wenn man davon ausgehe, dass alle Organismen „vieles miteinander gemeinsam" haben, man zwar zu der Annahme gedrängt werde, „daß alle organischen Wesen, die jemals auf dieser Erde gelebt haben, von irgendeiner Urform abstammen". Eine solche Annahme allerdings bringe die Wissenschaft nicht weiter, denn „dieser Schluß beruht hauptsächlich auf Analogie, und es ist unwesentlich, ob man ihn anerkennt oder nicht" (Darwin, *Über die Entstehung der Arten durch natürliche Zuchtwahl*, 560).

64 In seiner Begeisterung für Darwin als den vermeintlichen Vorreiter der These „einer continuirlichen Verkettung" aller Organismen, folgt Haeckel Darwin in der Form, die dieser für die „Verkettung" von Lebewesen vorschlägt, gerade nicht. Die mit Darwin gegen Darwin gemachte Annahme eines „Urorganismus" (Ernst Haeckel, *Die Radiolarien (Rhizopoda radiaria): Eine Monographie mit einem Atlas von fünf und dreissig Kupfertafeln*, 2 Bde. (Berlin: Georg Reimer, 1862), Bd. 1, 232, Anm.) ist durch Haeckels Überzeugung von der Existenz eines „kontinuierlichen entwicklungsgeschichtlichen Zusammenhang[s]" (Jürgen Sandmann „Ernst Haeckels Entwicklungslehre als Teil seiner biologistischen Weltanschauung," in *Die Evolution von Rezeptionstheorien im 19. Jahrhundert* hrsg. v. Eve-Marie Engels (Frankfurt am Main: Suhrkamp, 1995), 330) bedingt, aber gerade nicht durch Darwins Vorstellung davon, *wie* der Zusammenhang zwischen Lebewesen erklärbar wäre (Haeckel, *Die Radiolarien (Rhizopoda radiaria)*, Bd. 1, 232, Anm.).

65 Mildenberger, *Umwelt als Vision*, 34.

Antidarwinismus ebenfalls vor allem Haeckel, dessen Reduktionismus angegriffen, dessen Holismus jedoch ignoriert (und gerade so, wenn auch in wesentlichen Punkten transformiert, weitergeführt) wird.[66] Mit Haeckel und zahlreichen anderen deutschsprachigen Biologen seiner Zeit teilt Uexküll demnach die Ablehnung eines als „planlos" und chaotisch abqualifizierten Denkens in Differenzen,[67] das für Darwin selbst zentral ist. Zunächst als „Darwinist" implizit, später als „Antidarwinist" zunehmend explizit.

Anders als bei Darwin gibt es bei Uexküll also gerade kein sich gegenüber der Natur bzw. der Konkurrenz durchsetzendes Individuum und umgekehrt keine diesem widerständig sich entgegensetzende Natur. Wenn, wie Hans Jörg Rheinberger angibt, Darwins Evolution als ein Prozess zu verstehen ist, in dem „Entwicklung [gerade] nicht mehr gedacht [wird] als das ‚Innere' der Natur als eines immanenten und zugleich übergreifenden Subjekts",[68] dann ergibt sich das Konzept Uexkülls aus der Umkehrung dieses Satzes: Das immanente und gleichzeitig übergreifende Subjekt wird von ihm sowohl in den einzelnen Umwelt-Seifenblasen als auch in der ganzen Natur verortet. Die zu Beginn dieses Unterkapitels angesprochene Zusammenziehung von Subjektivität und Planmäßigkeit erscheint damit als Gegenentwurf zu Darwins auf die Bedeutung kleinster Differenzen und Widerstände abzielenden Biologie. Das liegt nicht zuletzt an dem anderen diskursiven Kontext, aus dem sie – wie im folgenden Unterkapitel gezeigt wird – erwächst. Hier bleibt zunächst festzuhalten, dass Uexkülls Umgang mit Darwin von der Zurückweisung der Vorstellung eines Widerstands zwischen Subjekt und Natur geprägt ist.

66 Vgl. u.a. Uexküll, *Bausteine zu einer biologischen Weltanschauung*, 17–34.

67 Vgl. u.a. ebd., 19–34.

68 Hans-Jörg Rheinberger „Entwicklung als „Prozess ohne Subjekt," in *Rekurrenzen: Texte zu Althusser*, hrsg. v. Hans-Jörg Rheinberger (Berlin: Suhrkamp, 2014), 106.

Eine sehr ähnlich gelagerte Renitenz gegenüber einem Denken in kategorialen Widersprüchen bestimmt auch Uexkülls Umgang mit dem Autor, den er wiederholt als philosophische Grundlage für seine „subjektive" Biologie nennt. Immanuel Kant soll die Erfüllung des Anspruchs ermöglichen, Uexkülls Biologie auf eine „ihr eigentümliche theoretische Grundlage [zu stellen] [...], die keineswegs aus den physikalischen oder chemischen Grundbegriffen abgeleitet werden kann".[69]

Uexküll betrachtet sich selbst keineswegs als Philosophen, sondern versucht nach eigener Aussage nicht mehr, als bekannte philosophische Konzepte auf die Biologie zu übertragen; allenfalls durch die Übertragung in die Biologie zu erweitern.[70] Eine solche Inanspruchnahme Kants für die Zwecke der Naturwissenschaft ist zur Zeit Uexkülls alles andere als ungewöhnlich. Vom Reduktionismus Hermann von Helmholtz' und Rudolf Virchows über die biologische Entwicklungsmechanik Wilhelm Roux'[71] bis zum Neovitalismus Hans Drieschs[72] nehmen zahlreiche naturwissenschaftliche bzw. naturtheoretische Konzepte Anleihen an den Theorien des Königsberger Philosophen. Selbst Anton Dohrn, der Leiter der zoologischen Station in Neapel, an der Uexküll wie so viele Kollegen forscht, versucht Kant mit biologischen Theorien, konkret mit der Evolutionstheorie in Verbindung zu bringen.[73] Es ist daher alles andere als überraschend, dass Uexküll, der Kant, wie zu seiner Zeit in den sogenannten höherbildenden Schulen üblich, schon als Schüler gelesen hatte,[74] 1905 „die 3 grossen kritischen Werke Kants [...] kein philosophisches System [...] [nennt],

69 Uexküll, *Theoretische Biologie*, 7.

70 Ebd., 9.

71 Mildenberger, *Umwelt als Vision*, 47.

72 Vgl. u.a. Hans Driesch, „Kant und das Ganze," *Kant-Studien* 29 (1924): 365–376.

73 Mildenberger, *Umwelt als Vision*, 48.

74 Brentari, *Jakob von Uexküll*, 22.

sondern eine naturwissenschaftliche Betrachtung der Gesetze [...], die das Leben der Menschenseele beherrschen".[75]

Trotz der zahllosen Verweise auf Kant in Uexkülls Werk und des zweifelsohne großen Einflusses, den dessen Philosophie auf die Biologie Uexkülls hat, ist dennoch festzuhalten, dass Uexkülls Biologie ihre „guiding philosophy" gerade nicht, wie Brett Buchanan meint, in Kant findet.[76] Vielmehr bilden, wie das folgende Unterkapitel zeigt, andere und Kant widersprechende Denkfiguren das theoretische Rückgrat der Umwelttheorie. Kants Thesen und Konzepte werden von Uexküll grundlegend transformiert, um seiner Biologie dienstbar, ja allererst kommensurabel zu werden.[77] Gerade in der Transformation der Philosophie Kants zeigt sich negativ die Bedeutung der holistischen Denkfiguren, die Uexkülls Biologie bestimmen. Was an Kants Philosophie nicht mit ihnen in Einvernehmen zu setzen ist, lässt Uexküll fallen.

Das betrifft schon die Voraussetzungen. An die Stelle, an die Kant die Erkenntnis setzte, treten bei Uexküll Merken und Wirken.[78] Diese sind allerdings an den je spezifischen Bauplan gebunden. Ebenso wie bereits bei dem von ihm hochgeschätzten Hermann

75 Uexküll, *Leitfaden in das Studium der experimentellen Biologie der Wassertiere*, 130.

76 Brett Buchanan, *Onto-Ethologies: The Animal Environments of Uexküll, Heidegger, Merleau-Ponty, and Deleuze* (New York: University of New York Press, 2008), 13. Vgl. ähnliche Einschätzungen u.a. bei Brentari, *Jacob von Uexküll*, v.a. Kap. 4; Haas, *Tiere auf der Bühne*, 63, 65; Kalevi Kull, „Jakob von Uexküll: An Introduction," *Semiotica* 134, Nr. 1/4 (2001): 8 u.a.; Francesca Michelini, „Introduction: A Foray into Uexküll's Heritage," in Michelini und Köchy, *Jakob von Uexküll and Philosophy*, 3; Sagan, „Introduction: Umwelt after Uexküll," 11; Helene Weiss, „Aristotle's Theology and Uexküll's Theory of Living Nature," *The Classical Quarterly* 42, Nr. 1/2 (1948): 49.

77 Die Differenz zwischen Umweltlehre und der Philosophie Kants hat u.a. Merleau-Ponty bereits früh betont (Merleau-Ponty, *Die Natur*, 235). Weitere Hinweise hierzu finden sich u.a. bei Aldona Pobojewska, „Die Subjektlehre Jakob von Uexkülls," *Sudhoffs Archiv* 77, Nr. 1 (1993): 54–71; Helbach, *Die Umweltlehre Jakob von Uexkülls*; Maurizio Esposito, „Kantian Ticks, Uexküllian Melodies" und bei Morten Tønnessen, „Umwelt Transitions: Uexküll and Environmental Change," *Biosemiotics* 2, (2009): 47–64.

78 Pobojewska, „Die Subjektlehre Jakob von Uexkülls," 70.

von Helmholtz gründet jeder erkennende Weltbezug auch bei Uexküll zunächst in der Körperlichkeit der Organismen (auch wenn diese bloß als Ausdruck eines immateriellen, gleichsam „tiefer" liegenden Bauplans gefasst wird). So determinieren etwa die Sinnesorgane, was der Wahrnehmung zugänglich ist. Gleiches gilt für die bei Kant noch vor diesen Kategorien liegenden „Prinzipien der reinen Erkenntnis" Raum und Zeit. So ist, um eines von zahlreichen Beispielen einer Forschung herauszugreifen, der es darum geht, „erst einmal die Umwelt eines jeden Tieres sicherzustellen"[79], noch eine scheinbar so basale Sache wie der Raum keinesfalls als eine transzendentale Kategorie anzusprechen. Entgegen der Meinung Kants existiert Raum – so Uexküll im Anschluss an von Baer – in Form von unzähligen Raum*vorstellungen*, die sich auf bestimmte organische Baupläne und die damit einhergehenden Aktionsmuster (die Modi des jeweiligen Wirkens) zurückführen lassen. Bei Uexküll ist Raum also nicht als eine *transzendentale* Ermöglichungsbedingung von Wahrnehmung und Erkenntnis anzusehen, sondern umgekehrt erscheinen bestimmte Raumvorstellungen als Produkte von unterschiedlichen physiologischen Ausformungen der Lebewesen, die ihrerseits wiederum Ausdrücke unterschiedlicher Baupläne darstellen: „Der Bauplan eines jeden Lebewesens drückt sich nicht nur im Gefüge seines Körpers aus, sondern auch in den Beziehungen des Körpers zu der ihm umgebenden Welt."[80] Diese nicht etwa im Sinne der Transzendentalphilosophie subjektiven, sondern ethologisch-physiologisch privativen Räume finden ihren Platz nun nicht in einer leeren Außenwelt, sondern in einer höheren Stufe derselben Struktur. Uexkülls Anmerkung zu Albert Einsteins Relativitätstheorie, die im nächsten Kapitel noch einmal aus einer anderen Perspektive interessieren wird, macht das deutlich:

79 Uexküll, *Umwelt und Innenwelt der Tiere*, 6.

80 Ebd., 4. Vgl. dazu auch Luca Guidetti, „The Space of the Living Beings: Umwelt and Space in Jakob von Uexküll," in *The Changing Faces of Space*, hrsg. v. Maria Teresa Cantena und Felice Masi (Cham: Springer, 2017), 3–18, zu von Baer vgl. 3–6.

> Nun hat aber Einstein diesen einheitlichen Vorstellungsraum vernichtet, indem er ihm sein Centrum nahm. Ohne Centrum kann ein Raum aber nicht existieren und wenn man ihm mehrere Centren gibt, so spaltet man ihn eben in mehrere Räume. D.h. wir kehren damit wieder zu den subjektiven Räumen zurück.[81]

Es ist demnach keineswegs zu stark, mit Maurizio Esposito zu sagen, dass die Stelle, die bei Kant das Subjekt inne hatte, bei Uexküll von der Planmäßigkeit eingenommen wird.[82] Uexküll selbst ist hier deutlich, etwa wenn er schreibt, der Bauplan „schafft erst das Subjekt und mit ihm dessen Umwelt."[83] Mit Blick auf die Bedeutung, die Uexküll vor allem in seinen späteren Schriften der aktuellen Stimmung des Lebewesens und der jeweiligen Situation zuweist, in dem sich dieses gerade befindet, könnte diese Tendenz noch schärfer gefasst werden: Merken und Wirken sind in doppelter Weise durch die Planmäßigkeit determiniert, die sich zum einen als Bauplan, also in physiologischen Charakteristika niederschlägt, welche die Voraussetzungen für die jeweils spezifische Form des Verhaltens und des Herstellens von Umwelt darstellen. Zum anderen sind die jeweiligen Umwelten planmäßig gestimmt und situativ zu anderen Umwelten geordnet, was ebenfalls auf die Weise des jeweiligen Merkens und Wirkens und damit auf die Umwelt und mit ihr auf die jeweilige Subjektivität zurückschlägt.

Gegen Esposito, der Uexkülls Biologie trotz der Einsicht in dessen Überblendung der Subjektivität durch die Planmäßigkeit als Transzendentalbiologie versteht,[84] wäre darauf hinzuweisen,

81 Brief an Adolf von Harnack, 10. September 1928, zitiert nach Jutta Schmidt, „Jakob von Uexküll und Houston Stewart Chamberlain: Ein Briefwechsel in Auszügen," *Medizinhistorisches Journal* 10, Nr. 2 (1975): 122.

82 Esposito, „Kantian Ticks, Uexküllian Melodies," 37.

83 Jakob von Uexküll, „Biologie oder Physiologie" (1933), in *Kompositionslehre der Natur*, 124.

84 Esposito, „Kantian Ticks, Uexküllian Melodies," 40. Vgl. u.a. auch Haas, *Tiere auf der Bühne*, 2018, 176.

dass eine solche Verschiebung von Kants Erkenntniskonzept zwangsläufig zu einer grundlegenden Veränderung führt. Eine solche ist bereits von Autoren wie etwa Ernst Cassirer, Karl Lorenz oder Carl Friedrich von Weizsäcker betont und entweder als eine es selbst übersteigende Erfüllung oder eine tiefgehende Unterminierung des kantischen Modells interpretiert worden.[85] Für die hier versuchte Argumentation ist zentral, dass die spezifische Form der Uexküllschen Konzeption des erkennenden Weltbezugs jede Idee der Transzendenz und auch jede Idee des Universalen im Sinne Kants verdrängt. Erkenntnis ist bei Uexküll eben kein Produkt von transzendentalen Kategorien, die allen zur Erkenntnis fähigen Wesen (den Menschen) gleichermaßen eigen wären, sondern ein Bündel an individuell und situativ verschiedenen, stimmungsabhängigen Fähigkeiten. Sie ist auch kein Produkt einer transzendierenden, zum Außen hindrängenden Praxis, sondern bleibt jederzeit auf das Innere einer Seifenblase beschränkt, selbst dann noch, wenn diese die Ausdehnung der ‚ganzen Natur' besitzt. Anstelle eines auf den Kategorien aufbauenden und auf den Menschen beschränkten Universalismus findet sich bei Uexküll eine bestimmte, von Kant gerade abgelehnte Form der „Naturteleologie", in der die Natur selbst das „Passen aller Elemente garantiert".[86]

Die in der rezenten Uexküllrezeption so oft positiv hervorgehobene *Erweiterung* Kants auf das nichtmenschliche, tierische Leben[87] stellt demnach gleichzeitig eine gegen Kant gerichtete *Verengung* auf die je eigene, planmäßig festgesetzte Natur dar, die nicht zuletzt auch eine Privation der Erkenntnisfähigkeit bedingt. Damit ist der aufklärerische Zug Kants sistiert. Während Kant auf einen Möglichkeitsraum besteht, den erst die Vernunft eröffnet, insofern der Mensch, anders als das „Tier [, welches] schon alles durch seinen Instinkt [ist] […], sich selbst den Plan seines

85 Helbach, *Die Umweltlehre Jakob von Uexkülls*, 65, 108, 130f.

86 Weber, *Die Natur als Bedeutung*, 87.

87 U.a. Buchanan, *Onto-Ethologies*, 13.

 Verhaltens machen [muß]“[88], sind bei Uexküll Tier wie Mensch ganz mit ihren jeweiligen Umwelten verschmolzen.

Kants Frage zielt auf die Möglichkeit der Erkenntnis von Realität, welche er in dem transzendentalen Wirken der Erkenntnisbedingungen, die schlechterdings jedem menschlichen Individuum zugestanden werden, begründet. Uexkülls Merken und Wirken ist demgegenüber nicht von der Relation zwischen Innenwelt und Umwelt zu abstrahieren, die selbst bereits Subjektivität *ist* (und nicht etwa bloß deren Raum oder deren Voraussetzung bezeichnet).[89] Bei Uexküll erscheint „[d]as Subjekt [...] als Einheit: Körper und Erlebnisseite werden gemeinsam betrachtet.“[90] Innenwelt *und* Umwelt machen, in ihrer ständigen und schlechterdings nicht zu unterbrechenden Wechselwirkung, Uexkülls Subjekt aus, das er als „eine höhere Einheit von ganz auserlesener Harmonie“[91] versteht. Subjekte sind ihm Wesen, die „als Ganzheiten organisiert sind und eigentätig eine Umwelt aufbauen, mit der sie in Korrelation stehen“.[92] Uexkülls „Subjekt“ stellt demnach die Klammer von Innenwelt und Umwelt und den Verhaltensweisen dar. Auf den Plan tritt es nur als bereits bestehende Ganzheit[93] – eben auf diese Weise entspricht der Begriff des Subjekts ganz dem der Planmäßigkeit. Pointiert bringt das, was man vielleicht am besten als *holistische Subjektivität* Uexkülls bezeichnen könnte, Bernd Herrmann auf den Punkt. Dieser entdeckt in der „Formel ‚Mensch und Umwelt‘ [...] [einen] Kategorienfehler“ – schon die Zusammenstellung der beiden Substantive durch das nebenordnende „und“ setze eine Trennung voraus, die bei Uexküll gar

88 Immanuel Kant, „Über Pädagogik [1803],“ in *Werke in zehn Bänden*, hg. v. Wilhelm Weischedel, Bd. 9 (Darmstadt: Wissenschaftliche Buchgesellschaft, 1968), 697.

89 Esposito, „Kantian Ticks, Uexküllian Melodies,“ 41.

90 Helbach, *Die Umweltlehre Jakob von Uexkülls*, 31.

91 Uexküll, *Bausteine für eine biologische Weltanschauung*, 204.

92 Bühler, „Das Tier und die Experimentalisierung des Verhaltens,“ 41–52.

93 „Subjekt und Umwelt bilden daher ein Ganzes.“ Uexküll, *Kompositionslehre der Natur*, 140.

nicht erst angenommen, und folglich auch nicht mehr vermittelt werde.[94]

Aldona Pobojewska geht daher mit Recht davon aus, dass Uexküll „die Kantische Konzeption weitgehend uminterpretiert, *bevor* er anfängt, sie [...] in der Biologie weiterzubilden".[95] In einem Vorgriff auf den anschließenden Abschnitt könnte man präzisieren, dass eine solche Umbildung auf der Basis von Denkfiguren erfolgt, wie sie im Anschluss an Goethe (und bereits bei diesem gegen Kant) in der Biologie der zweiten Hälfte des 19. Jahrhunderts entwickelt worden sind. Im Gegensatz zu Kant, aber in Fortführung von Konzepten wie etwa der Goetheschen Gott-Natur, auf die sich Uexküll mehrfach explizit bezieht,[96] oder der Haeckelschen Erkenntnis der Natur durch sich selbst, muss Subjektivität bei Uexküll keinesfalls mit Bewusstsein einhergehen. Es genügt, autonom zu merken und zu wirken und sich so eine eigene Umwelt zu schaffen.[97] Die Trennung von Bewusstsein und Subjektivität wird durch Uexkülls Zusammenführung von Subjektivität und Plan unumgänglich. Sie ist bereits in der Begriffsgenese einer „Planmäßigkeit" angelegt, die, wie bereits dargelegt, ihren Ausgang vom Reflex, also von einem per definitionem unbewussten Phänomen nimmt. Gerade diese Abkehr vom Bewusstsein aber löst das bewusste und *sich* bewusste Subjekt Kants in die Beziehung zu dem auf, mit dem es wahrnehmend und handelnd umgeht. War bei Kant die Trennung zwischen dem Verstand und den Dingen für den Verstand – den Erscheinungen – und der wirklichen Realität grundlegend, dann fällt diese Unterscheidung (zwischen Verstand und Sinn, zwischen wahren und wirklichen Dingen) bei Uexküll, der sich anders als

94 Herrmann, *„...mein Acker ist die Zeit"*, 234, Anm. 363.

95 Pobojewska, „Die Subjektlehre Jakob von Uexkülls", 58, Hervorhebung G.S.

96 U. a. Uexküll und Kriszat, *Streifzüge durch die Umwelten von Tieren und Menschen*, 146; Uexküll, *Bausteine zu einer biologischen Weltanschauung*, 122.

97 Die Grundlage dieser Verschiebung findet sich in Uexkülls Scheidung von Plan und Bewusstsein. Vgl. dazu u.a. Uexküll, *Bausteine zu einer biologischen Weltanschauung*, 175 u. 176.

etwa Helmholtz gerade nicht auf eine unerkennbare, äußere Wirklichkeit der Dinge an sich beruft,[98] in sich zusammen.

Dass die holistische Entgrenzung des „Subjekts" nur die andere Seite der Abkehr von der Vorstellung eines widerständigen Außen darstellt, hat bereits Ludwig Feuerbach beschrieben. Er sieht darin eine naheliegende Verfallsform der Kantischen Philosophie. Die entsprechende Passage mag verdeutlichen, was mit der Umformung Kants durch Uexküll nicht nur in Bezug auf das Subjekt, sondern allgemein auf der Ebene der Epistemologie geschieht:

> Heben wir [...] diesen Widerspruch [zwischen Verstand und Sinn, zwischen Wahrheit und Wirklichkeit] auf, so haben wir die Identitätsphilosophie, [...] wo also das Subjekt nicht mehr beschränkt und bedingt ist durch einen außer ihm existierenden, seinem Wesen widersprechenden Stoff. Aber das Subjekt, das kein Ding mehr außer sich und folglich keine Schranken mehr in sich hat, ist nicht mehr ‚endliches' Subjekt – nicht mehr *das* Ich, dem ein Objekt gegenüber steht – ist das absolute Wesen, dessen theologischer oder populärer Ausdruck das Wort *Gott* ist.[99]

Bei Uexküll findet sich diese Figur wieder. Nicht erst ‚die Natur', sondern schon jede einzelne Umwelt wird als grenzenloses, mit sich selbst identisches Ganzes begriffen. Durch die Aufhebung des Außen im Immanenzbegriff „Umwelt" wird die mit der Planmäßigkeit in eins fallende Subjektivität so einerseits zur völlig widerstandsfreien, totalen Kategorie erhoben – und andererseits zur abgeschlossenen Seifenblase verdinglicht.[100]

98 Vgl. Buchanan, *Onto-Ethologies*, 13f.; Helbach, *Die Umweltlehre Jakob von Uexkülls*, 58.

99 Ludwig Feuerbach, *Anthropologischer Materialismus. Ausgewählte Schriften I*, hrsg. u. eingeleitet v. Alfred Schmidt (Frankfurt am Main: Ullstein, 1985), 126.

100 Herrmann, der gerade mit Blick auf deren Charakterisierung als „Relationsbegriff" meint, Uexkülls „[Umwelt] lässt sich nicht verdinglichen" (Herrmann, *„...mein Acker ist die Zeit"*, 257), ist zu entgegnen, dass die oben skizzierte Form der Relationierung die andere Seite der monadischen Abschließung darstellt.

Uexküll löst demnach die Subjektivität aus dem widerständigen Verhältnis zum Außen – sei es das der Konkurrenten und der das Leben immer auch gefährdenden Natur (wie bei Darwin), sei es das Außen der realen Dinge (wie bei Kant). Und er verknüpft sie unlösbar mit dem Prinzip der ubiquitären Planmäßigkeit. Mit dieser Wende geht eine Verschiebung des Interesses einher. Uexkülls Umweltlehre zielt nicht auf ein Verständnis der Bezüge zwischen Innen und Außen ab, sondern auf die Einsicht in jederzeit innere Zusammenhänge.

In dieser Verlagerung liegt bereits eine konservative Tendenz. Uexküll verbleibt im Inneren, bei dem, was „man hat" bzw. in dem, was „man ist". Die bange Frage nach der Anpassung wird so zur Sicherheit der planmäßigen Einpassung, die Frage nach der Bedingung der Möglichkeit von Erkenntnis zur Sicherheit des planmäßigen Merkens. Solche inneren Sicherheiten grundieren auch Uexkülls im engeren Sinn politische Texte, die nicht zufällig das Pathologische, die Abweichung vom bzw. die Verfehlung des Natürlichen inkriminieren. Im Kontext der Umweltlehre kann die Gefahr nicht von Außen, sie muss von Innen kommen. Uexküll sieht sie im Abfallen vom natürlichen Wesen, verstanden als natürliche Planmäßigkeit. Die im vorangegangenen Kapitel zitierten antisemitischen Aussagen zu Juden als Parasiten oder die reaktionären Vorstellungen einer statischen Ständegesellschaft in der *Staatsbiologie* haben in diesem Konzept der Subjektivität ihre Wurzeln. Davon ist im letzten Unterkapitel noch genauer die Rede. Zuvor soll jedoch nach der Genese der planmäßigen Subjektivität selbst gefragt werden.

Diese ermöglicht eine Verdinglichung des Lebendigen gerade dadurch, dass in ihr das Lebendige unter Einschluss all seiner Aktivitäten und Verhaltensweisen als etwas begriffen wird, was durchaus ist, was es ist. Vgl. im Kontrast dazu etwa Plessners nicht zuletzt gegen Uexküll ins Feld geführtes, wenn auch nur auf den Menschen bezogenes Konzept der „Positionalität der exzentrischen Form". Vgl. Helmuth Plessner, *Die Stufen des Organischen und der Mensch: Einleitung in die philosophische Anthropologie* (Berlin: de Gruyter [1928], 1975), 288–348.

4. Planmäßigkeit und die holistische Tradition

Uexkülls Konzept der Subjektivität lässt sich ebenso wenig wie das der Planmäßigkeit auf Darwin oder Kant zurückführen. Es ist, das soll dieses Unterkapitel zeigen, vielmehr die deutsche Tradition des biologischen Holismus,[101] die in ihnen weitergeführt wird und hier vor allem der an Goethe ansetzende Strang dieses Holismus.

Goethes naturphilosophische Schriften erfahren mit der Reichsgründung 1871 eine neue, bis in die 1930er und 1940er Jahre reichende Konjunktur, im Zuge dieser aber auch einige tiefgehende Umdeutungen, auf die gleich zurückzukommen ist. Diese haben nicht zuletzt die Tendenz des Holismus, sich zu einem konservativen und teilweise zu einem rechten Weltbild zu entwickeln, verstärkt, was allerdings keinesfalls bedeutet, dass die gesamte holistische Tradition der deutschen Biologie nach rechts überhängen würde.[102] Man kann jedoch durchaus lange und dicke Stränge finden, in denen sich der Blick auf die Ganzheit mit einer Emphase konservativen Bewahrens und der Naturalisierung von Herrschaftsverhältnissen verbindet. Einem solchen Strang ist Uexkülls Umweltlehre zuzuordnen.

Das wesentliche Moment dieser Tradition liegt in der durch sie gegebene Möglichkeit, kategoriale Gegensätze harmonisch aufzulösen und diese Auflösung selbst zu naturalisieren. Im Ganzen verschwinden Probleme. Die eingangs aufgeworfene Frage danach, wie monadisch in sich abgeschlossene Umwelten beobachtbar sein sollen, wiewohl doch auch jede Beobachtung nur

101 Vgl. zur Charakterisierung dieser holistischen Tradition als deutsch – was allerdings durchaus den deutschen Sprachraum, und nicht nur die Grenzen des damals jungen deutschen Reichs meint, Harrington, *Reenchanted Science*, XXI.

102 Harrington verweist auf den auch im Politischen durchaus pluralistischen Charakter dieser Tradition, ebd., XXI.

auf die je eigene, wiederum abgeschlossene Umwelt zugreifen kann, ist in eben dieser Tradition schon gelöst. Uexkülls Umweltlehre baut auf solchen Lösungen auf. Was späteren Lesarten in ihr aporetisch bzw. widersprüchlich erscheinen mag, erweist sich als konsequente Fortführung und Anpassung überkommener holistischer Denkfiguren.

4.1 Wahrnehmung im Ganzen

Die skizzierte Verlagerung der Planmäßigkeit ins Innere und Immaterielle und die damit parallel gehende Überblendung von Planmäßigkeit und Subjektivität ist eng mit jener Suche nach Ordnung und Struktur im Ungeordneten, Zentrums- und Gestaltlosen verbunden. Diese Suche treibt die deutsche Meeresbiologie im ausgehenden 19. Jahrhundert um und hat nicht unwesentlich zur Erarbeitung epistemologischer Grundlagen der Ökologie und des Umgebungswissen beigetragen.[103] Uexküll selbst verweist 1913 auf diesen Umstand, wenn er, wie Christina Wessely festhält, angibt, dass sich „[d]ie großen Fortschritte in der Befruchtungs- und Formbildungslehre der letzten zwanzig Jahre, fast ausschließlich den Meerstieren" verdankten.[104] Seine eigene Forschung bewegt sich in den ersten Jahren gänzlich im Gebiet der Meeresbiologie. Die Probleme, welche die Meeresbiologie umtreiben, werden demnach zwangsläufig zu seinen. Aber auch die Lösungen, die hier etabliert werden, haben einen grundlegenden Einfluss auf Uexkülls Umweltlehre. Sie drehen sich um Fragen der Formbildung, genereller um Fragen der Ordnung.

103 Vgl. zur epistemologischen Produktivität dieser Forschung und den teils aufwändigen Versuchen, die die Meeresbiologie um 1900 anstellt, um der Organismen gemeinsam mit ihrem Milieu habhaft zu werden und sie in ihrem Milieu zu betrachten Christina Wessely, „Wässrige Milieus: Ökologische Perspektiven in Meeresbiologie und Aquarienkunde," *Berichte der Wissenschaftsgeschichte* 36 (2013): 128–147.

104 Uexküll, *Bausteine zu einer biologischen Weltanschauung*, 120f., zit. n. Wessely, „Wässrige Milieus," 135.

Damals etablierte biologische Zugänge zu diesen Fragen haben es unter Wasser schwer. Die Ansatzpunkte einer äußeren Ordnung sind angesichts der teilweise geradezu formlosen marinen Organismen und angesichts eines Milieus, das selbst nur wenig Struktur aufzuweisen scheint, kaum aufzufinden. Die an der Kontur ansetzende Taxonomie Carl von Linnés ist kaum auf Organismen zu übertragen, deren Körper schon als lebendige überaus formbar sind und sich überdies nach Entfernung aus ihrem Milieu allzu schnell in leb- und gestaltlose Gallertklumpen verwandeln. Nach Anton Dohrn, dem Gründer und Direktor der meeresbiologischen Station Neapel,

> [g]eschieht es doch oft genug, dass Thiere derselben Art und derselben Lokalität, wenn sie auf verschiedene Weise conservirt werden, kaum zu identificiren sind, andere überhaupt völlig unkenntlich bleiben, und Beschreibungen, vom lebenden Thiere gemacht, nicht auf das conservirte, diese nicht auf jene passen.[105]

Aber nicht nur die klassische Taxonomie, sondern auch die Evolutionsbiologie Darwins hat Probleme mit dem Meer und seinen Bewohnern. Während bei Darwin natürliche Barrieren (Gebirgszüge, Flüsse u.ä.) das Voneinander-Weg-Entwickeln der landlebenden Arten begünstigen, das seine Theorie beschreibbar zu machen versucht, gilt dies für das Meer gerade nicht. Darwin vermutet hier ein kontinuierlich-unstrukturiertes Milieu und daher auch weit mehr der von ihm so genannten „Übergangsformen" denn an Land.[106] Sowohl aus der Perspektive der klassischen Taxonomie als auch aus derjenigen der Evolutionsbiologie stellen das Meer und seine Organismen demnach eine beinahe primordiale Unordnung und damit ein Problem dar.

Innerhalb der Konzepte und Methoden, mittels derer die deutschsprachige Biologie im ausgehenden 19. Jahrhundert auf dieses

105 Anton Dohrn, „Vorwort des Herausgebers" In *Fauna und Flora des Golfes von Neapel 1, Ctenophorae*, hrsg. v. Alfred Dohrn (Leipzig: W. Engelmann, 1880), VI.

106 Darwin, *Über die Entstehung der Arten durch natürliche Zuchtwahl*, 400.

Problem reagiert, kann man zunächst zwei Tendenzen isolieren, die sich faktisch jedoch andauernd ineinander verstricken. Die eine Tendenz geht von der angedeuteten Schwierigkeit aus, im Außen keinen Ansatz für die Erklärung bestimmter organischer Strukturen zu finden und begegnet dieser Herausforderung mit dem Postulat eines inneren Prinzips der Strukturgebung.[107] Die zweite geht dasselbe Problem von einer anderen Seite an und versucht, den Schwierigkeiten, die genannten Organismen und mit ihnen deren innere Struktur- und später Verhaltensprinzipien wissenschaftlich zu fassen bzw. überhaupt adäquat wahrzunehmen, durch neue Vorstellungen von Perzeption bzw. Erkenntnis zu entkommen. Beide Tendenzen sind holistisch. Der Unterschied liegt in der jeweils fokussierten Ebene: auf der einen Seite geht es um den *ganzen* Organismus, auf der anderen um die *ganze* Natur, unter explizitem Einschluss des Menschen.

Man kann diese Tendenzen bereits in der Meeresforschung Mitte des 19. Jahrhunderts bei Carl Vogt oder Matthias Jacob Schleiden nachweisen. Einige Jahrzehnte später zeigen sie sich bei so einflussreichen Biologen wie Ernst Haeckel und Karl Möbius. Oder eben bei Uexküll, der in seiner Umwelttheorie beiden Tendenzen nicht nur auf besonders radikale Weise Ausdruck verleiht, sondern sie auch unlösbar miteinander verbindet.

Mit Blick auf Uexküll und das in seiner Theorie so bedeutende Beobachterproblem sind vor allem die bioästhetischen Versuche interessant, mittels einer anderen Vorstellung von Wahrnehmung Zugang zu den niederen Meerestieren zu erhalten. Die enge Verflechtung von Milieu und Organismus, wie sie etwa in dem oben gegebenen Zitat Dohrns aufscheint, verweist gleichzeitig auf eine Entfremdung vom Menschen, genauer auf einen Hiatus zwischen dem Milieu des betrachteten Organismus und demjenigen des

107 Vgl. u.a. Haeckel, *Die Radiolarien (Rhizopoda radiaria)*. Hier gibt Haeckel zwar an, Darwin folgen zu wollen (231f.), setzt dies aber nicht um, wohl weil es ihm nicht gelingt, die Unterschiede zwischen den Radiolarienarten über Differenzen hinsichtlich der Nahrungsaufnahme, der Fortpflanzung o.ä. zu erklären (128 u.a.).

 Menschen. Gerade darin aber, in ihrer Entrücktheit und Autonomie, ist auch die Faszination für diese Lebensformen begründet. Dass sich die marinen Lebewesen nicht so einfach wie etwa Blütenpflanzen in taxonomische Ordnungen fügen lassen, wird schon Mitte des 19. Jahrhunderts nicht bloß als Problem wahrgenommen. Gerade was nicht im nominalistischen System aufgeht, erscheint oftmals vielmehr als Ausdruck von Leben schlechthin – und es erscheint *schön*. So meint etwa bereits 1848 der spätere radikaldemokratische Abgeordnete der Frankfurter Nationalversammlung Carl Vogt, es könne womöglich „ohne jene systematische Trockenheit, ohne jenes endlose Eingehen in Einzelheiten, welches unseren zoologischen Wissenschaften anhängt [...][,] in großen Zügen ein Bild des üppigen Lebens entworfen werden".[108] Mit dem Land wird hier, wie Christian Kockerbeck dargestellt hat, auch das überkommene taxonomische System verlassen; der Sprung ins Meer fasziniert als einer in das durch Systematiken nicht einhegbare Leben selbst.[109]

Die von Kockerbeck eindringlich dargestellte Pointe der an solche Einschätzungen anschließenden, neuen Konzeption von Naturschönheit liegt darin, dass sie gerade nicht als eine spezifische Spielart der Repräsentation und damit einer Wahrnehmung begriffen wird, die als vermittelnder Prozess zwischen zunächst Unterschiedenem anzusehen wäre. Die hier auftretende Vorstellung zeichnet sich vielmehr durch die Vermischung der Idee vollkommener Abgeschlossenheit der Organismen in ihrem dem Menschen fremden Milieu auf der einen und der Idee eines chaotischen, sich überall prinzipiell gleichbleibenden Lebens auf der anderen Seite aus, die auch und gerade als ästhetische Figur begriffen wird. So wird, wie Kockerbeck betont, neu gefundenen,

108 Carl Vogt, *Ocean und Mittelmeer: Reisebriefe*, 2 Bde. (Frankfurt am Main: J. Rütten, 1848), Bd. 1, 15f.

109 Zu Vogts meeresbiologischen Arbeiten, der ihnen impliziten Kritik an der zoologischen Taxonomie und deren ästhetischen Implikationen vgl. Christian Kockerbeck, *Die Schönheit des Lebendigen: Ästhetische Naturwahrnehmung im 19. Jahrhundert* (Wien: Böhlau, 1997), 54–67.

marinen Organismen einerseits völlige ästhetische Autarkie zugeschrieben. Gerade diese Zuschreibung aber wird, wie Kockerbeck ebenfalls anmerkt, andererseits zum Ansatzpunkt von wahrnehmungstheoretischen Überlegungen, die von einer je schon gegebenen Verbundenheit zwischen dem Menschen und diesen autark-schönen Organismen ausgehen, die schlicht mit dem Umstand begründet wird, es auf beiden Seiten der Gleichung mit Lebendigem zu tun zu haben.[110] In der gleichzeitigen Radikalisierung sowohl der Autonomie der Lebewesen (bis hin zur Sphäre der Wahrnehmung) als auch deren Wesensähnlichkeit und Verknüpftheit (die bis hin zur Vorstellung einer ungeteilten Natur reicht, die sich in unzählige Emanationsformen auffächert), gelingt hier so etwas wie die Quadratur des ökologischen Kreises.

Mit dieser zweigliedrigen Argumentation ist ein harter Bruch nicht nur zu überkommenen Theorien der Biologie, sondern auch zu solchen der Ästhetik gesetzt. Die zunächst postulierte Autarkie der Organismen, die noch eine Schönheit umfasst, die hier als ein Für-Sich und gerade kein Für-Anderes verstanden wird, verunmöglicht jene Logik der Repräsentation, die für Linné noch ebenso bindend war wie für die selektive Partnerwahl Darwins.[111] Sie bereitet den Boden für die Vorstellung von Wahrnehmung als einem Prozess vor, der sich im Inneren einer Ganzheit abspielt.[112]

110 Kockerbeck, *Die Schönheit des Lebendigen*, 50.

111 Zum Sichtbarkeitsregime Linnés und seiner Umsetzung in repräsentierender Beschreibungssprache vgl. Michel Foucault, *Die Ordnung der Dinge* (Frankfurt am Main: Suhrkamp, 1974), 170–177. Darwins selektive Partnerwahl baut ganz im Gegensatz zur den hier skizzierten Konzepten auf eine grundlegende Differenz, nämlich diejenige zwischen Körpern und Zeichen. So stehen etwa die potenzanzeigenden Merkmale der männlichen Individuen einiger Arten bei Darwin „nur assoziativ *für* Kraft oder Potenz", sie beeinflussen damit auch nur eine *Wahl* und lösen keinen völlig determinierten Prozess aus. Der *Eindruck* von Schönheit wird demnach dem tierischen Betrachter zugewiesen und gleichzeitig als Effekt eines funktionalen Entwicklungsprozesses beschrieben. Vgl. hierzu Philipp Sarasin, *Darwin und Foucault: Genealogie und Geschichte im Zeitalter der Biologie* (Frankfurt am Main: Suhrkamp, 2009), 272–286, Zitat auf 280.

112 Kockerbeck, *Die Schönheit des Lebendigen*, 51.

Diese Entwicklung kann als Fortführung einer holistischen Tradition betrachtet werden. Wo die Ansätze Linnés und Darwins nicht greifen, rekurrieren gerade deutsche Meeresbiologen auf einen anderen Gründungsvater, auf Goethe.[113] Die zweigliedrige Bewegung, die einerseits ein inneres Formgebungsprinzip postuliert und andererseits BetrachterIn und Betrachtetes in unmittelbare Nähe zueinander setzt, findet sich schon bei diesem. Als Naturphilosoph weniger der Form als vielmehr der Form*bildung* ist Goethe besonders anschlussfähig an Überlegungen, die sich mit den spezifischen Problemen auseinanderzusetzen haben, die oben skizziert wurden. Seine Arbeiten zur Metamorphose zeigen das deutlich. Goethe geht es um Transformationen, die – ähnlich wie in Johann Friedrich Blumenbachs Konzept des Bildungstriebs – aus sich heraus Formen und Strukturen bilden.[114]

Auch die oben skizzierte Strukturgleichheit zwischen BetrachterIn und Betrachtetem wird bei Goethe vorbereitet. Gegen Carl von Linné und dessen „so zerstückelte Art, die Natur zu behandeln" artikuliert Goethe das Ziel, diese stattdessen „wirkend und lebendig aus dem Ganzen in die Teile strebend darzustellen".[115]

113 Vgl. zu dieser Kontinuität Philip C. Ritterbush, *The Art of Organic Forms* (Washington D.C.: Smithsonian Institution Press, 1968); Hans Werner Ingensiep, „Metamorphosen der Metamorphosenlehre – Zur Goethe-Rezeption in der Biologie von der Romantik bis in die Gegenwart," in *Goethe und die Verzeitlichung der Natur*, hrsg. v. Peter Matussek (München: C.H. Beck, 1988), 259–275. Vgl. zudem die Rückschau auf diese Weiterführung von einem Unterzeichner des *Bekenntnisses der Professoren an den deutschen Universitäten und Hochschulen zu Adolf Hitler und dem nationalsozialistischen Staat*, dem holistischen Biologen Adolf Meyer-Abich, *Biologie der Goethezeit* (Stuttgart: Hippokrates, 1949).

114 Johann Wolfgang von Goethe, „Bildungstrieb," *Hefte zur Morphologie*, Bd. 1 (1817–1822). In *Johann Wolfgang Goethe: Sämtliche Werke*, Bd. 24 (Frankfurt am Main: Deutscher Klassiker-Verlag, 1987), 451; vgl. zu Blumenbach und Goethe Olaf Breidbach, „Blumenbachs Vorfeld und Umfeld – Wolff und Goethe und auch etwas Hegel," in *Wissenschaft und Natur: Studien zur Aktualität der Philosophiegeschichte. Festschrift für Wolfgang Neuser zum 60. Geburtstag*, hrsg. v. Klaus Wiegerling und Wolfgang Lenski (Nordhausen: Bautz, 2011), 149–171.

115 Johann Wolfgang von Goethe, *Werke: Hamburger Ausgabe in 14 Bänden*, hrsg. v. Erich Trunz, Bd. 10 (München: dtv, 1981), 540.

Diese Wende impliziert von Beginn an eine Veränderung nicht nur der in Betracht kommenden Gegenstände, sondern auch der Verhältnisse, in denen sie zueinander und zum/r forschenden BetrachterIn stehen. Goethes Holismus setzt folgerichtig in der „Mitte zwischen Natur und Subjekt"[116] an, an den Sinnesorganen. Gerade in diesen möchte Goethe einen Übergang zwischen Betrachtetem und BetrachterIn erkennen, der nicht mehr als Sprung über eine tiefe Kluft radikaler Verschiedenheit, sondern als harmonische Strukturähnlichkeit zu begreifen sei:

> [S]o können wir zuletzt wohl sagen, daß so wie unser Auge mit den sichtbaren Gegenständen, unsre Ohren mit den schwingenden Bewegungen erschütterter Körper völlig harmonisch gebaut sind, daß auch unser Geist mit den tiefer liegenden einfachern Kräften der Natur in Harmonie steht und sich solche ebenso rein vorstellen kann, als in einem klaren Auge sich die Gegenstände der Welt abbilden.[117]

Diese Passage wird in der Biologie ebenso wie in naturphilosophischen Texten des ausgehenden 19. Jahrhunderts vielfach variiert. So etwa bei dem überzeugten Monisten Wilhelm Bölsche, der Ende des 19. Jahrhunderts viel zur Popularisierung dieser Vorstellung des Verhältnisses zwischen Mensch und Natur beiträgt. In Anlehnung an Goethe und Haeckel postuliert Bölsche, dass sich das Gefühl der Schönheit nur vor dem Hintergrund einer Verwandtschaft zwischen dem Gesehenen und dem Betrachter einstellen könne. Beide seien Natur, einander also nahe bzw. gleich. Der ästhetische Genuss liege gerade im Erkennen dieser Nähe

116 Gunter Mann, Dieter Mollenhauer u.a., Hrsg. *In der Mitte zwischen Natur und Subjekt: Johann Wolfgang von Goethes Versuch, die Metamorphose der Pflanze zu erklären. 1790–1990* (Frankfurt am Main: Waldemar Kramer, 1990).

117 Johann Wolfgang von Goethe, „Reine Begriffe." Notiz in *Goethes Schriften zur Naturwissenschaft. Leopoldina-Ausgabe*, LA I 3 (Weimar: Böhlau, 1951), 290–291, zit. n. Wolf von Engelhardt, „Der Versuch als Vermittler zwischen Objekt und Subjekt: Goethes Aufsatz im Licht von Kants Vernunftkritik." *Athenäum. Jahrbuch für Romantik* 10 (2000): 23.

 und Strukturgleichheit. Bölsche stellt die in diesem Zusammenhang nur noch rhetorische Frage,

> ob nicht das, was dort unten vom Einzeller an im Körper formgebend im Sinne einer Art kristallinischer Richtkraft zum rhythmisch Stilisierten gewirkt hat, *identisch* sein könnte mit den materiellen Vorgängen in unserem menschlichen Gehirn, die uns psychisch als Hang zu rhythmischer Kunstgestaltung und Freude am Stilisierten erscheinen.[118]

Wie um 1900 von einer ganzen Reihe an Ästhetikern und Wahrnehmungsphysiologen konkretisiert (und in aktuellen Ansätzen zu einer ‚politischen Ökologie' wiederholt)[119] wird, liegt die Pointe dieser Vorstellung in der Reziprozität und Selbstbezüglichkeit des Wahrnehmungsaktes: Der/die Wahrnehmende nimmt im Akt der Wahrnehmung sich selbst als Teil eines universalen Ganzen wahr, dem auch das Wahrgenommene angehört. Genau dieses Gefühl universaler Teilhabe mache dann den Genuss aus, der in der Natur- wie in der Kunstwahrnehmung liege. Damit wird das Paradigma einer Distanz zwischen BetrachterIn und Betrachtetem fallen gelassen und durch Vorstellungen von Nähe und Gleichheit substituiert, die ein Band voraussetzen und bestätigen, welches alles Lebendige miteinander verknüpft.

Uexküll verweist häufig auf diese Tradition und baut einige ihrer Denkfiguren in seine Theorien ein.[120] So variiert etwa eine häufig

118 Wilhelm Bölsche, *Stirb und Werde! Naturwissenschaftliche und kulturelle Plaudereien* (Jena: Diederichs, 1913), 159f., Hervorhebung G. S.

119 U.a. greifen Steven Johnson und, daran anschließend, Jane Bennett dieses Konzept auf – wenn auch ohne Nennung von Haeckel, Bölsche oder Uexküll: „Clusters of neurons in a human brain, groupings of buildings in a city, and colonies of slime mold all have been shown to follow similar organizational rules; each is an instant of what Steven Johnson has called ‚organized complexity'." Jane Bennett, *Vibrant Matter: A Political Ecology of Things* (Durham, NC: Duke University Press, 2010), 100. Vgl. Steven Johnson, *Emergence: The Connected Lives of Ants, Brains, Cities, and Software* (New York: Scribner, 2001), 18.

120 Dies ist bislang vor allem hinsichtlich von Uexkülls Rückgriffen auf Goethe gezeigt worden. Vgl. Frederick Amrine, „The Music of the Organism: Uexküll,

zitierte Strophe aus Uexkülls *Bedeutungslehre* nicht nur Goethes berühmte Zeilen, sondern lässt sich inhaltlich auch an das oben gegebene Zitat von Bölsche anschließen: „Wäre nicht die Blume bienenhaft, / Wäre nicht die Biene blumenhaft, / Der Einklang könnte nie gelingen.“[121] Ein über die offensichtliche Anlehnung hinausgehender Verweis auf Goethe erübrigt sich hier ebenso wie ein Rückgriff auf die anderen genannten Autoren; informierte LeserInnen sind auch ohne solche Verweise im Bild.

Wo das Konzept keine Möglichkeit konkreter Vermittlungen vorsieht, behilft sich Uexküll mit einem Sprung in die Vorstellung einer je schon gegebenen Vermitteltheit. Auch er setzt, ähnlich wie etwa Haeckel oder Bölsche, eine „grandiose Einheit“[122] voraus, in der ein Universalwesen namens ‚Natur' die schroffe Vereinzeltheit aller Wesen je schon aufgehoben und die Relation der Kopplung über alle andernorts noch so genannten „*konstitutionellen Unterschiede* der verschiedenen Umwelten“ hinweg

Merleau-Ponty, Zuckerkandl, and Deleuze as Goethean Ecologists in Search of a New Paradigm," *Goethe Yearbook* 22 (2015): 45–72; Winfried Kudszus, „Linguistic-Literary Reflections on the Science of Light: Sensory Emergence in Goethe's *Theory of Colours* and Jakob von Uexkülls Metaphoricity of Semiotic *Scaffolding*," *Studies about Languages* 26 (2015): 83–109. Verbindungen zu zeitnaheren, biologischen Holismen sind aber ebenfalls anzunehmen. Die Naturforschungen der von Uexküll hochgeschätzten Johannes Müller oder Karl Ernst von Baer etwa berufen sich ebenso wie Haeckels biologischer Monismus immer wieder auf Goethe und führen einige von dessen Ansätzen fort. Dass Haeckel von Uexküll zwar vehement, (Vgl. u.a. Uexküll, *Bausteine zu einer biologischen Weltanschauung*, 35f., 109) aber erst ab den 1890er Jahren und keineswegs in seinem vollen Umfang abgelehnt und ihm gerade in dem hier interessierenden Punkt implizit zugestimmt wird, erklärt sich ebenfalls am ehesten aus Uexkülls Zugehörigkeit zu dieser diskursiven Konstellation. So verwirft Uexküll vor allem Haeckels Reduktionismus, ignoriert aber, wie oben bereits erwähnt, die seiner eigenen Position weit näher liegende Lesart, die das holistische Moment in Haeckels Monismus betont. Vgl. zu diesem Moment bei Haeckel Gebhard, *„Der Zusammenhang der Dinge"* und Bernhard Kleeberg, *Theophysis: Ernst Haeckels Philosophie des Naturganzen* (Köln: Böhlau, 2005).

121 Uexküll und Kriszat, *Streifzüge durch die Umwelten von Tieren und Menschen*, 151.

122 Uexküll, „Wie sehen wir die Natur und wie sieht sie sich selbst?," 321.

ausgedehnt hat.[123] Aus dem nach aller Wahrscheinlichkeit aus der bioholistischen Tradition angelesenen Vertrauen Uexkülls in die Existenz eines „allumfassenden Geschehen[s]"[124] erst ergibt sich die Möglichkeit, die harten Brüche zwischen den einzelnen Umweltseifenblasen zu überwinden und als das Ziel der Biologie die Wahrnehmung des „Zusammenhang[s] des großen, wunderbaren Gesamtwerdens"[125] auszugeben. Die Form, in der eine solche Wahrnehmung geschehen kann, entspricht dem oben skizzierten Wechselspiel zwischen Teilen *in einem Ganzen*: „Der Mensch und die ihn umgebende Natur bilden zusammen eine planvolle harmonische Einheit, in der alle Teile in zweckmäßiger Wechselwirkung stehen."[126] Es ist eben diese als gegeben begriffene harmonische Einheit, die einerseits die Pointe und andererseits, darauf wird gleich genauer einzugehen sein, das politisch Problematische in Uexkülls Umweltlehre ausmacht.

4.2 Erkenntnis im Ganzen

Uexkülls Rückgriffe auf ältere, holistische Denkfiguren ließen sich noch weitaus detaillierter darstellen. So teilt Uexküll etwa das Erkenntnisziel des formgebenden Prinzips, das nicht erst Haeckels, sondern, wie gezeigt, schon Goethes Morphologie bestimmt hatte. Wie diese Autoren, denen es nicht um die Darstellung gegebener Formen, sondern um die Beschreibung des Gesetzes der Formbildung gegangen war, fokussiert auch Uexküll den „unräumliche[n] Veranlasser räumlicher Vorgänge"[127] und setzt der „[s]terblich[en] [...] Struktur [...] [den] Strukturbildner

123 Ebd., 265, Hervorhebung i. O. Uexküll glaubt in der Natur als Ganzes ebenfalls einen „Bauplan" zu sehen, der den – auch von Haeckel schlicht negierten – zweiten Hauptsatz der Thermodynamik hintertreibt, indem er alles Existierende zu einem universalen *„perpetuum mobile"* zusammenschließt. Ebd, 321.

124 Ebd., 322.

125 Uexküll, *Bausteine zu einer biologischen Weltanschauung*, 104.

126 Ebd., 142.

127 Uexküll, *Theoretische Biologie*, 203.

[als] unzerstörbar und ewig"[128] voraus.[129] Dabei wird die Suche nach dem formgebenden Prinzip (die sich auf die Ebene der einzelnen Gestalt beschränkt), zur Suche nach einem strukturgebenden Prinzip, das Kopplungen wie diejenige zwischen Innenwelt und Umwelt regelt.

Uexküll rekurriert auf Goethes Konzept der Anschauung[130], und zwar gerade an Stellen, an denen es ihm darum geht, die „unsichtbare"[131] Planmäßigkeit evident zu machen.[132] Uexküll wählt in seiner oben skizzierten, größtenteils impliziten Abkehr von Kant ähnliche Wege wie Goethe.[133] Und er transformiert Goethes Holismus in der ab dem ausgehenden 19. Jahrhundert geradezu gängigen Weise, indem er dessen Praxis, unterschiedliche Phänomene und Bereiche durch Analogien zueinander ins Verhältnis zu bringen, durch das Postulat einer strukturellen

128 Uexküll, *Bausteine zu einer biologischen Weltanschauung*, 273.

129 Für Amrine etwa ist es „abundantly clear that Uexküll shares Goethe's view that biological forms ultimately have formal or archetypal causes". Amrine verweist, um diese These zu stützen, u.a. auf Uexkülls expliziten Rückgriff auf Goethes „Urbild" (Amrine, „The Music of the Organism", 50, 51), vgl. Uexküll und Kriszat, *Streifzüge durch die Umwelten von Tieren und Menschen. Bedeutungslehre*, 121.

130 Die Figur der Anschaulichkeit hat bei Goethe nichts mit Sichtbarkeit im landläufigen Sinn zu tun, sondern stellt den Versuch dar, Selbstverständlichkeit für Phänomene zu reklamieren, die in das Regime der Repräsentation gerade nicht integrierbar sind. Vgl. dazu Eva Geulen, „Urpflanze (und Goethes *Hefte zur Morphologie*)," in *Urworte: Zur Geschichte und Funktion erstbegründender Begriffe*, hrsg. v. Michael Ott und Tobias Döring (München: Fink, 2012), 155.

131 Vgl. u.a. Uexküll, *Bausteine zu einer biologischen Weltanschauung*, 55–66; Jakob von Uexküll, „Vorschläge zu einer subjektbezogenen Nomenklatur in der Biologie," in *Kompositionslehre der Natur: Biologie als undogmatische Naturwissenschaft. Ausgewählte Schriften Jakob von Uexkülls*, 133.

132 Vgl. zur Anschauung bei Uexküll Bühler, „Das Tier und die Experimentalisierung des Verhaltens," 46–51.

133 Wie Engelhardt darlegt, weigert sich Goethe trotz all seiner Faszination für Kant, die für dessen Transzendentalphilosophie so grundlegende „Kluft zwischen Geist und Natur" anzuerkennen (Engelhardt, „Der Versuch als Vermittler zwischen Objekt und Subjekt," 24).

 Gleichheit ersetzt.[134] Dass die Figur der Analogie bei vielen Goetherezipienten um 1900 verpönt ist – im Monismus wie im Organizismus und eben auch bei Uexküll[135] –, verweist auf eine bedeutende Verschiebung der holistischen Tradition auch dort, wo unter Vorgabe einer bruchlosen Weiterführung von dessen naturphilosophischer Überlegungen auf Goethe rekurriert wird. Diese verkürzende Radikalisierung des „alten" Holismus erst ermöglicht die starke Immanenz der Umweltlehre, die später gerade in Uexkülls politischen Texten wirksam wird.

Uexkülls Anleihen an der holistischen Tradition sind demnach ebenso vielfältig wie weitgehend. Sie bestimmen den theoretischen Boden, aus dem das Konzept der Planmäßigkeit erwächst. Damit ist auch gesagt, dass sich die Art und Weise, wie Uexküll generell wissenschaftliche Erkenntnis und speziell sein eigenes Denken und Erkennen zu fassen versucht, nur als im oben skizzierten Sinn holistisches beschreiben lässt. Uexküll versteht das Wissen, welches die Umweltlehre produziert, selbst wiederum als eine planmäßige Entäußerung der Natur. Auch damit schreibt er sich in eine holistische Tradition ein. Eben damit aber dichtet er seine Lehre auch gegen Kritik ab.

Wie bereits gesagt, begreift Uexküll das forschende Erkennen selbst als eine „planmäßige" Praxis. Damit greift er eine Figur auf, die seit Goethe immer wieder bemüht wird – auch in der Biologie. Mit der oben beschriebenen Harmonisierung des Verhältnisses zwischen Mensch und Natur, in der Uexkülls Kongruenz zwischen Bauplan und Umwelt schon anzuklingen scheint, wendet sich

134 Wie Eva Geulen gezeigt hat, verhindert Goethe mit dem Rückgriff auf die Analogie als ein jedem Denken in Gleichheiten entgegenstehendes Verfahren, das Verschiedenheit voraus- und nicht aussetzt, den Einbruch jener totalen Immanenz, die zahlreiche nachfolgende Theorien charakterisiert. Eva Geulen, *Aus dem Leben der Form: Goethes Morphologie und die Nager* (Berlin: August, 2016), 96.

135 Zwischen Staat und Organismus etwa sei, so Uexküll unisono mit bedeutenden Organizisten seiner Zeit, gerade nicht von einer bloßen Analogie zu sprechen, sondern eben von einer Gleichheit: Der Staat ist nicht *wie* ein Organismus, er *ist* ein Organismus. Uexküll, *Staatsbiologie*, 5.

bereits Goethe gegen die Forderung nach wissenschaftlicher Objektivität. Die in dieser Forderung vorausgesetzte radikale Trennung zwischen Wirklichkeit und Verstand macht es etwa bei Kant erst notwendig, dass letzterer „viel Arbeit zur Auflösung und wiederum Zusammensetzung seiner Begriffe"[136] aufzuwenden hat. Goethes Natur demgegenüber muss gerade nicht mühsam bearbeitet werden, sondern „bringt freiwillig aus sich" Erkenntnis hervor und trägt sie BetrachterInnen entgegen, sofern diese nur selbst „im Bemühen und Empfangen vorsichtig und treu zu Werke" gehen.[137] Diese Annahme setzt nicht nur ein Wissen, das nicht auf Beweisen, sondern auf Eröffnung beruht,[138] sondern auch ein Verhältnis zum Gegenstand voraus, das gegeben ist und durch allzu große Anstrengung schlimmstenfalls gestört, nicht aber gefördert werden kann.

Die starke Rezeption von Goethes Naturphilosophie in der Biologie des ausgehenden 19. Jahrhunderts mag dazu beigetragen haben, dass dieselbe Denkfigur auch dort immer wieder begegnet. Haeckel etwa gelten, wie Bernhard Kleeberg angibt, „nicht die Handlungen des Subjekts als der Grund, warum etwas überhaupt Gegenstand der Erkenntnis werden kann, sondern eine Übereinstimmung zwischen Strukturen des Gegenstandes und des Subjekts."[139] Der sich so häufig auf Goethe beziehende Biologe[140] leitet aus dieser Vorstellung eine Epistemologie ab, in der

136 Immanuel Kant, „Von einem neuerdings erhobenen vornehmen Ton in der Philosophie," *Berlinische Monatsschrift* 1 (1796): 388, zit. n. Martin Jörg Schäfer, *Die Gewalt der Muße: Wechselverhältnisse von Arbeit, Nichtarbeit, Ästhetik* (Zürich: Diaphanes, 2013), 42.

137 Goethe, *Werke. Hamburger Ausgabe in 14 Bänden*, Bd. 13, 40.

138 „Jede Wahrheit, deren Grund kein Beweis ist, ist der welche einen Beweis zum Grunde hat vorzuziehn." Johann Wolfgang von Goethe, zit. n. Hans Blumenberg, *Quellen*, hrsg. v. Ulrich v. Bülow und Dorit Krusche (Marbach am Neckar: Deutsche Schillergesellschaft, 2009), 38.

139 Bernhard Kleeberg, „Evolutionäre Ästhetik" In *Text und Wissen: Technologische und anthropologische Aspekte*, hrsg. v. Stefan Rieger und Renate Lachmann (Tübingen: G. Narr, 2003), 159.

140 Haeckel erwähnt Goethe nicht nur und jederzeit affirmativ in zahlreichen Texten, stellt diesen häufig Goethe-Motti voran und übernimmt gelegentlich

 „Erkenntnis der Wahrheit [als] [...] physiologischer Naturprozeß" gefasst werden kann.[141]

Wie Goethe und Haeckel wendet sich auch Uexküll gegen die auf Distanz und Objektivität bedachte Wissenschaft. Mit Winfried Kudszus könnte man sagen, dass sich hier eine Abkehr von dem zeige, „what both he and Goethe describe as a Newtonian world in which material objectivity reigns"[142], eine Abkehr von einer Welt also, die der im oben skizzierten Sinn „subjektivistisch" denkende Uexküll nicht annehmen kann. Er begründet seine Kritik an der modernen Naturforschung mit dem Argument, sie hätte die Kluft zwischen menschlichen Anschauungen und wissenschaftlichen Wahrheiten immer weiter geöffnet und damit, so könnte man hinzufügen, die Integrität der Umwelt-Blasen gefährdet. Was mit einem Forscherleben voller Enttäuschungen und der erst spät erfolgten akademischen Anerkennung zu tun haben könnte, fügt sich bruchlos in das Modell ganzheitlicher Erkenntnis, wie sie bereits von Goethe und später von Haeckel oder auch von Bölsche vertreten wurden.[143]

Wie deren Erkenntnismodelle ist auch dasjenige Uexkülls gleichzeitig relativistisch *und* total. Insofern ihm, wie er bereits 1905 schreibt, „Wissenschaft [...] planmäßig geordnete Erfahrung"

gar Wortschöpfungen Goethes als Buchtitel (Ernst Haeckel, *Gott-Natur (Theophysis): Studien über monistische Religion* (Leipzig: Alfred Kröner, 1914)). Er thematisiert dessen Naturphilosophie auch über längere Passagen. Dabei wird deutlich, dass es vor allem die Idee der innigen Beziehung zwischen einzelnen natürlichen Phänomenen und zwischen Mensch und Natur ist, die Haeckel von Goethe übernimmt und zu einem Konzept des universalen Zusammenhangs ausweitet.

141 Ernst Haeckel, *Die Lebenswunder*, (Stuttgart: Kröner, 1904), 26.

142 Winfried Kudszus, "Linguistico-Literary Reflections on the Science of Light: Sensory Emergence in Goethe's Theory of Colors, and Jakob von Uexküll's Metaphoricity of Semiosic Scaffolding," *Studies about Languages*, Nr. 26 (2015): 106.

143 Für Goethe und Haeckel wurde das bereits gezeigt. Vgl. zudem Bölsches Aussagen zu einem Parallelismus zwischen psychischen und physischen Erscheinungen in Wilhelm Bölsche, *Die naturwissenschaftlichen Grundlagen der Poesie: Prolegomena einer realistischen Ästhetik* (Leipzig: Carl Reissner, 1887), 39ff.

ist,[144] unterliegt sie demselben Prinzip wie jedes andere Phänomen des Lebens – und damit auch dessen ‚subjektivistischer' Struktur. Selbst die strengste Naturwissenschaft partizipiere demnach nicht etwa an einer *objektiven* „Autorität [der] Natur", die es nach Uexküll schlicht nicht gebe. Vielmehr bleibe jeder „Lehrsatz" insofern einer spezifischen Umwelt-Seifenblase und damit einer bestimmten Subjektivität immanent, als seine „Autorität" in nichts anderem bestehe als in derjenigen des „Forschers, der seine eigene Frage selbst beantwortet hat".[145] Daraus ergibt sich ein tiefgehender Widerstand gegen das moderne Objektivitätsparadigma: „Der Rahmen unserer eigenen Subjektivität [...] umspannt ohne Ausnahme alle Vorgänge der Natur. Daher kann nur noch von einer relativen Objektivität die Rede sein."[146] Dieser von Uexküll irreführenderweise als eine Fortführung der Philosophie Kants bezeichnete Relativismus[147] versucht nicht etwa eine Überschreitung naturwissenschaftlicher Paradigmen angesichts neugewonnener Erkenntnisse, wie das etwa zeitgleich besonders prominent bei Albert Einstein geschieht. Er argumentiert vielmehr, dabei etwa Oswald Spenglers ebenfalls an Goethe anschließendem Geschichtsrelativismus vergleichbar, für einen direkten Anschluss an die unmittelbare Weltsicht und damit an ‚die Natur' selbst. Diese Denkfigur verweist auf eine naturphilosophische Tradition, die spätestens seit der Romantik die „Hypothese einer Selbstbetrachtung der Natur [aufstellt, die es

144 Uexküll, *Leitfaden in das Studium der experimentellen Biologie der Wassertiere*, V.

145 Uexküll, *Theoretische Biologie*, 3; vgl. Harrington, *Reenchanted Science*, Kap. 2, Anm. 56.

146 Uexküll, *Bausteine zu einer biologischen Weltanschauung*, 186. Vgl. zu diesem Ausbruch Uexkülls aus dem „Objektivismus" Weber, *Die Natur als Bedeutung*, 77.

147 Kant ging daran, die Sicherheit, die er Wissenschaften wie der Mathematik und der Physik zugesteht, philosophisch zu legitimieren, indem er sie in Übereinstimmung zu den transzendentalen Verstandeskategorien setzte. Dieser Versuch, die Philosophie mit der strengen Naturwissenschaft auszusöhnen, ist von Uexküll gerade nicht weitergeführt, sondern vielmehr unter Berufung auf Kant in sein Gegenteil verkehrt worden. Vgl. Esposito, „Kantain Ticks, Uexküllian Melodies," 38.

 erlaubt], die theoretischen und ästhetischen Anstrengungen des Menschen in den Prozeß des Natürlichen einzubinden"[148].

Zwar räumt Uexküll ein, dass sich wissenschaftliche Paradigmen mit der Zeit veränderten, also historisch kontingent seien.[149] Dieser Wechsel wird allerdings als einer beschrieben, der sich an der Oberfläche abspiele. Unter dieser aber postuliert Uexküll ein unmittelbares Wissen, welches er ähnlich wie später Ludwig Klages als „Seele" dem notorisch ‚bloßen' Verstand entgegenstellt.[150] In eben diesem unmittelbaren Wissen begründet Uexküll auch die eigene Theorie und entzieht sie somit dem sich stetig transformierenden Lauf wissenschaftlicher Erkenntnis und der Kritik. So versucht Uexküll etwa, die Totalität der jeweils individuellen, also *inneren* Planmäßigkeit mit dem vermeintlich gemeinverständlichen, aber gleichzeitig irrationalen Begriff der Seele zu fassen und als naturgegebene Einsicht *aller* Menschen zu beschreiben. Und er beschreibt gleichzeitig dieselbe Planmäßigkeit als das Prinzip, das all diese Einsichten zueinander in eine naturgegebene Ordnung setzt.[151] Uexkülls Relativismus widerspricht demnach gerade nicht seinem zentralen Ziel der Herstellung bzw. Anschaulich-Machung einer universalen, naturgegebenen Ordnung, sondern stellt einen anderen Weg zu dieser Ordnung dar.[152] Das Beharren auf der subjektiven Form von Wahrheiten ist zwar als Absage an den Objektivismus zu verstehen. Dieser impliziert

148 Wolfgang Müller-Funk, *Die Rückkehr der Bilder. Beiträge zu einer „romantischen Ökologie"* (Wien: Böhlau, 1988), 52.

149 Pobojewska, „Die Subjektlehre Jakob von Uexkülls," 56.

150 Ludwig Klages, *Der Geist als Widersacher der Seele* (Leipzig: Barth, 1929).

151 „Diese Seele beherrscht seinen Körper, und eine gleiche beherrschende Seele setzt er bei seinen Mitmenschen voraus, welche die Handlungen ihres Körpers beherrscht. Dementsprechend wird er auch geneigt sein, anzunehmen, daß die Gesamtheit aller Gegenstände gleichfalls von einer Weltseele beherrscht werde, die er Gott nennt. Dies ist auch in der Tat der einzige vernünftige und der Natur des Menschen angemessene Schluß, zu dem er sich auch immer wieder zurückfindet, wenn er sich von aller Beeinflussung durch die Weisheit seiner Mitmenschen befreit hat." Uexküll, *Bausteine zu einer biologischen Weltanschauung*, 124.

152 „Das Ziel aller Naturwissenschaft ist die *Ordnung*." Ebd., 35.

aber keine Abkehr von der Vorstellung übergeordneter Wahrheit,
insofern das, was als subjektive Wahrheit des Forschers erscheint unter der Voraussetzung der „Weltmacht"[153] der Planmäßigkeit eben als Ausdruck der Natur selbst – und damit als die höchste zu erringende Wahrheit – zu gelten hat. Mit einer Passage Max Horkheimers, in der Mildenberger vielleicht nicht zu Unrecht eine implizite Kritik an der Umwelttheorie vermutet,[154] ließe sich diese Praxis der „Verabsolutierung [...] als die andere Seite der übertriebenen Relativierung der Wissenschaft" beschreiben.[155]

Uexkülls in der Umweltlehre eingesenkte Erkenntnistheorie ist demnach durch die harmonisierende Zusammenziehung von Relativismus und Determinismus charakterisiert. Diese beiden Momente werden nicht etwa abgemildert, um miteinander ins Einvernehmen gesetzt zu werden; vielmehr werden sie gerade als Zusammengezwungene jeweils für sich noch hypostasiert. Uexkülls Biologie ist total relativistisch *und* total deterministisch. Mit dieser Harmonisierung sich widersprechender Zugänge ist einerseits Uexkülls epistemologisches Problem gelöst. Die natürliche Planmäßigkeit bürgt dafür, dass in jeder Erkenntnis selbst noch der engsten Umwelt immer auch die universale Erkenntnis ‚der Natur' durchscheint. Nach derselben Formel versucht Uexküll, politische Probleme zu lösen. Auch ihnen wird mit der Harmonisierung von Subjektivismus und holistischer Planmäßigkeit, mit der Zusammenziehung eines relativistischen und eines deterministischen Zugangs begegnet.

153 Jakob von Uexküll, „Biologische Briefe an eine Dame, Brief 4–12," *Deutsche Rundschau* 179 (1919): 281.

154 Mildenberger, *Umwelt als Vision*, 161.

155 Max Horkheimer, „Materialismus und Metaphysik," *Zeitschrift für Sozialforschung* II/1 (1933): 20. Diese Verknüpfung von Relativismus und Absolutismus ist bei Kant selbst, um hier noch einmal die Kluft zwischen Uexkülls Ansatz und der Transzendentalphilosophie zu betonen, durch den Bezug der *noumena* auf die außer ihnen liegende Wirklichkeit des An-sich gebannt.

5. Planmäßig rechts: Zum deterministischen Relativismus der Umweltlehre

„Aber je mehr man beobachtet, desto mehr kommt man dazu, an die große geheimnisvolle Steuerung durch eine große biologische Vernunft zu glauben."
– Ernst Jünger[156]

1921 fasst Thomas Mann die „Synthese [von] Freiheit und Gebundenheit" als eines der wesentlichen Charakteristika der ‚konservativen Revolution'.[157] Das politisch Bedenkliche dieser Weltanschauung liegt durchaus nicht darin, dass sie das Individuum einer von Außen kommenden Gewalt unterwerfen möchte, sondern dass sie, weit grundlegender, jeden Widerspruch zwischen der hierbei so häufig bemühten „Gemeinschaft" und dem Individuum, zwischen naturalisierter Determiniertheit und souveränem Willen als widernatürlich verwirft. Die schon auf der semantischen Ebene aufscheinende Selbstwidersprüchlichkeit dieses „unhaltbare[n] Begriff[s]"[158], in dem die Vorstellung einer natürlichen Gesellschaftsordnung mit der Forderung nach einer revolutionären Veränderung zusammengezwungen wird, verlangt nach Denkfiguren, welche diesen Widerspruch auflösen. Kurt Sontheimer hat bereits 1957 darauf hingewiesen, dass solche Denkfiguren von Autoren wie Othmar Spann, Ernst Jünger, Oswald Spengler, Carl Schmitt, Karl Anton Rohan oder

156 Ernst Jünger, „Der Neue Typ des Deutschen Menschen," *Stahlhelm-Jahrbuch* (1926): 171

157 Thomas Mann, *Große kommentierte Frankfurter Ausgabe* (Frankfurt am Main: Fischer, 2015), Bd. 15, Buch 1, 338.

158 Stefan Breuer, *Anatomie der konservativen Revolution* (Darmstadt: Wissenschaftliche Buchgesellschaft, 1995), 4.

Arthur Moeller van den Bruck in aller Regel aus „Begriff[en] des Organismus, der Ganzheit“ abgeleitet werden.[159] Auch wenn mit Harrington festgehalten werden muss, dass die deutsche holistische Tradition keineswegs zur Gänze und auch nicht zwangsläufig in einem radikalkonservativen bis nationalsozialistischen Denken aufgeht,[160] so ist doch zu betonen, dass umgekehrt holistische Konzepte im Denken der ‚konservativen Revolution‘ die Regel und nicht etwa die Ausnahme darstellen.

Die in der Forschung nicht eben häufig thematisierte Zugehörigkeit Uexkülls zur ‚konservativen Revolution‘[161] gründet in dem Umstand, dass seine Umweltlehre eine solche Synthese herstellt, indem sie eine unauflösliche Verknüpfung von Subjektivität, Autonomie und Souveränität mit Planmäßigkeit, Totalität und Determinismus garantiert. „[E]in jeder ist Herr seiner Umwelt“[162] – diese Herrschaft aber untersteht der Planmäßigkeit, die allerdings keine äußere, sondern eine innere Determinante darstellt und damit mit eben dieser Herrschaft des „Subjekts“ in eins fällt. Subjektivität ist bei Uexküll absolut gesetzt – und gleichzeitig in der je eigenen Umwelt naturalisiert, jeder Spontanität beraubt. Sie ist gerade kein Prozess der Übersteigung, insofern das Subjekt nicht aus sich heraus auf anderes, sondern nur auf die je eigene, von ihm produzierte und beherrschte Umwelt bezogen ist. Nichts

159 Kurt Sontheimer, „Antidemokratisches Denken in der Weimarer Republik“ *Vierteljahreshefte für Zeitgeschichte* 5, Nr. 1 (1957): 50. Vgl. ausführlicher ders., *Antidemokratisches Denken in der Weimarer Republik: Die politischen Ideen des deutschen Nationalismus zwischen 1918 und 1933* (München: Nymphenburger Verlagshandlung, 1962).

160 Harrington, *Reenchanted Science*, XXI.

161 Armin Mohler, *Die konservative Revolution in Deutschland 1918–1932* (Darmstadt: Wissenschaftliche Buchgesellschaft, 1989). Mohler verweist vor allem auf die *Staatsbiologie* (ebd. 71). Hinsichtlich von Uexkülls Überlegungen zur und seiner Verwendung von Sprache hat diese Zugehörigkeit Milan Hornacek nachgewiesen. Vgl. Milan Hornacek, *Politik der Sprache in der ‚konservativen Revolution‘* (Dresden: Thelem, 2015). Weitere Hinweise finden sich u.a. bei Mildenberger, *Umwelt als Vision* und Weber, *Die Natur als Bedeutung*.

162 Jakob von Uexküll, „Weltanschauung und Gewissen,“ *Deutsche Rundschau*, Nr. 197 (1923): 266.

Transzendierendes haftet ihr an. Diese Subjektivität ist vielmehr selbst nichts anderes als Planmäßigkeit, und damit etwas jederzeit Immanentes – und dennoch totales und ubiquitäres Prinzip.

Die Frage nach der politischen Ebene der Umweltlehre kann sich daher nicht auf die Inblicknahme von Uexkülls Korrespondenz mit Houston Stewart Chamberlain, seiner aggressiven Haltung gegen die Weimarer Republik, seiner späteren Anbiederung an das nationalsozialistische Regime oder von seinen Publikationen in einschlägigen Zeitschriften wie *Die Tat* beschränken.[163] Sie wird nicht erst mit den Veröffentlichungen nach 1915 drängend, auch wenn Uexküll erst mit dem Ersten Weltkrieg im engeren Sinn politisch zu argumentieren beginnt. Und sie kommt nicht erst mit der *Staatsbiologie* ans Licht, auch wenn sich Uexküll hier erstmals breiter auf im Wortsinn biopolitische[164] Weise äußert. Zwar reiht sich Uexküll erst mit diesem 1920 erstveröffentlichten Text in die Liste organizistischer, radikalkonservativer Staatstheorien ein, indem er – ähnlich wie sein Landsmann, der organizistische Soziologe Paul von Lilienfeld in seinen einflussreichen *Gedanken zur Sozialwissenschaft der Zukunft* – den Staat nicht etwa in Analogie zu einem Organismus setzt, sondern als realen Organismus auffasst und ihn und damit auch die staatliche Herrschaft naturalisiert.[165] Die Quadratur des Kreises aus Freiheit und

163 Jakob von Uexküll, „Die Stellung des Naturforschers zu Goethes Gott-Natur," *Die Tat. Monatsschrift für die Zukunft deutscher Kultur* 15, Nr. 2 (1923): 492–506.

164 Der Begriff der Biopolitik wird 1920 vom organizistischen Staatstheoretiker Rudolf Kjellén geprägt, im Zusammenhang mit dem Denken über „Lebensformen" und ausdrücklich vor dem Hintergrund des „deutschen Staats". Rudolf Kjellén, *Grundriss zu einem System der Politik* (Leipzig: S. Hirzel, 1920), 17, Anm. 1. Vgl. zur Aufarbeitung dieser frühen Begriffs- und Theoriegeschichte der Biopolitik Roberto Esposito, *Bíos: Biopolitics and Philosophy* (Minneapolis: University of Minnesota Press, 2008).

165 Uexküll, *Staatsbiologie*, 5. Vgl. Paul von Lilienfeld, *Gedanken über die Sozialwissenschaft der Zukunft. Erster Theil: Die menschliche Gesellschaft als realer Organismus* (Mitau: E. Behre, 1873), 26: „[H]ätten wir alle allgemein gebräuchlichen und zum Theil in der Wissenschaft eingebürgerten Ausdrücke, die auf den Zusammenhang und die Verwandtschaft zwischen den Erscheinungen in der Natur und in der Gesellschaft hinwiesen, nur für rhetorische Figuren

Gebundenheit, aus autonomer Subjektivität und naturalisierter, das Individuum determinierender Gemeinschaft, die den Drehpunkt des Denkens der ‚konservativen Revolution' ausmacht, gelingt ihm jedoch bereits lange vor der *Staatsbiologie*.

Schon 1913, noch vor dem Ersten Weltkrieg und der Weimarer Republik und damit auch vor der Phase, in der sich Uexküll verstärkt politisch zu Wort meldet, tritt die politische Seite dieser Denkfigur hervor; etwa wenn Uexküll sorgenvoll vom „von der Natur losgerissene[n] Volk" spricht.[166] Der wohl am deutlichsten politische Text, die *Staatsbiologie*, baut auf den ganzheitlichen Denkfiguren auf, die die Umweltlehre von Beginn an bestimmen. Er überträgt diese zwar auf den Bereich der Politik, muss sie dafür aber gerade nicht wesentlich umformen. So sieht Uexküll in Staat und Volk einerseits natürliche, der Planmäßigkeit unterstehende Ganzheiten, die nach der Umweltlehre gar nicht anders sein können, als sie eben sind. Und er artikuliert andererseits in demselben Text eine paranoide Furcht vor Zersetzung und Zerstörung der Ordnung sowie die daraus abgeleitete Forderung nach der Stützung, Verteidigung oder gar Herstellung eben der Planmäßigkeiten, die ohnehin als gegeben, natürlich und unentrinnbar eingeführt wurden. Diese Zwieschlächtigkeit kann als Variante des in sich widersprüchlichen Denkens einer „Revolution" begriffen werden, die erst herbei-

angesehen, so wären wir in die Fussstapfen aller ökonomischen und politischen Doctrinäre, aller socialen Metaphysiker getreten [...]." Vgl. zu der Wandlung des Verständnisses des Staates in Analogie zu Organismen hin zu einem Verständnis des Staates als Organismus im ausgehenden 19. Jahrhundert Sophus Reinert, „Darwin and the Body Politic: A Note on Schäffle, Veblen and the Shift of Biological Metaphor in Economics," in *Albert Schäffle (1821–1903): The Legacy of an Underestimated Economist*, hrsg. v. Jürgen Backhaus (Frankfurt am Main: Haag und Herchen, 2010), 129–152; bes. 129f. Vgl. zudem zwei besonders einflussreiche, etwa zeitgleich mit Uexkülls Text erschienene Beispiele dieser Form des Staatsorganizismus: Othmar Spann, *Der wahre Staat – Vorlesungen über Abbruch und Neubau des Staates* (Leipzig: Quelle & Meyer, 1921); Carl Schmitt, „Die Staatsphilosophie der Gegenrevolution," *Archiv für Rechts- und Wirtschaftsphilosophie* 16 (1922): 121–131.

166 Uexküll, *Bausteine zu einer biologischen Weltanschauung*, 133.

 führen will, was sie selbst als unumgängliche Naturgegebenheit immer schon voraussetzt. Sie wurzelt aber in der weit älteren Verknüpfung von Umweltmonadismus und der Planmäßigkeit ‚der ganzen Natur', die auch für sich und vor jeder expliziten Politisierung bereits politisch problematisch ist. Die Umweltlehre impliziert bereits dort, wo sie „nur" eine biologische Lehre sein möchte, Denkfiguren, welche die Verbindung zur ‚konservativen Revolution' begründen. Und sie wird mithin auch als „nur" biologische Lehre mit Blick auf ihre politischen Implikationen gelesen.

So nähert sich Uexküll, um hierfür ein anschauliches Beispiel zu geben, seinem Leser Oswald Spengler, dem exemplarischen „Prophet[en] der heroischen Moderne"[167] nicht nur im Antisozialismus, im aggressiven Nationalismus, im Antidemokratismus oder in der Naturalisierung von Gesellschaft. Die belegbare und konzeptuelle Nähe der beiden Autoren[168] ist vielmehr bereits in der für das radikalkonservative Denken der Zwischenkriegszeit ebenso wie für Uexkülls Umwelttheorie zentralen Harmonisierung von Determinismus und Relativismus zu suchen.

Diese Harmonisierung, in der sich die Wirkung der Planmäßigkeit noch einmal und hinsichtlich der politischen Wirkung Uexkülls am schlagendsten zeigt, soll zunächst entlang eines Vergleichs mit Spengler dargestellt werden. Abschließend wird verdeutlicht, dass gerade sie auch die Offenheit der Umweltlehre gegenüber dem Nationalsozialismus begründet.

167 Heinz Dieter Kittsteiner, „Die Heroische Moderne" [Manuskript], *Nachlass*, Sig 10, zit. n. Jannis Wagner, „Spengler in der heroischen Moderne: Zu Heinz Dieter Kittsteiners Spengler-Rezeption," in *Spenglers Nachleben: Studien zu einer verdeckten Wirkungsgeschichte*, hrsg. v. Christian Voller, Gottfried Schnödl und Jannis Wagner (Springe: zu Klampen, 2018), 260.

168 Die Einschätzung Mildenbergers, Spengler würde eine „objektivistische [...] nicht [an] der Biologie" orientierte Weltanschauung vertreten und hätte daher „[k]aum Berührungspunkte" mit Uexküll (Mildenberger, *Umwelt als Vision*, 114), muss schon mit Blick auf Spenglers mit biophilosophischen Referenzen versehene Dissertation und die zahlreichen Verweise auf Goethes Naturphilosophie verworfen werden. Zudem finden sich bei Spengler sowohl implizite wie explizite Verweise und Rückgriffe auf Uexkülls Umweltlehre.

5.1 Die Umwelt der ‚konservativen Revolution': Uexküll und Spengler

Zwischen Spengler und Uexküll lassen sich einige wesentliche Parallelen erkennen. Schon in seiner Dissertation, dem einzigen Text, in dem er seine monistisch-holistische Denkhaltung auch mit Referenzen offenlegt und nicht nur, wie in seinen späteren Werken, beinahe ausschließlich auf Friedrich Nietzsche und Goethe rekurriert, opfert Spengler „den Substanzbegriff" der Idee eines „reinen, einheitlichen, unaufhörlichen ‚Werdens'"[169]. Natur wird hier, wie schon Anton Koktanek hervorhebt, von einem materiellen und in seiner Materialität widerständigen Phänomen zu einer hyperrelationalen Idee, die erst als solche den Menschen und die Kultur immer schon einschließen kann und damit die Voraussetzung für Spenglers späteres Konzept der Kultur*organismen* bildet.[170] Sie entpuppt sich zudem als Vorgriff auf den für die „morphologische" Methode des *Untergang des Abendlandes* so zentralen Relativismus, also der Annahme, dass alle erdenklichen Phänomene (ebenso wie deren jeweilige Beobachtung) kulturell kontingent seien – und dennoch natürlich determiniert. Schon 1904 ist Spengler nach Lektüre monistischer und bioholistischer Texte überzeugt, dass „Alle Schöpfungen der Kultur, Staat, Gesellschaft, Sitten, Anschauungen, [...] Produkte der Natur [sind]; sie unterliegen denselben Bedingungen des Daseins wie die übrigen"[171]. Wie bei Uexküll seien Kulturen und gesellschaftliche Institutionen nicht in Analogie zu jenen, sondern als reale

169 Oswald Spengler, *Der metaphysische Grundgedanke der Heraklitischen Philosophie*, Inaugural-Dissertation zur Erlangung der Doctorwürde (Halle a.d. Saale: Hofdruckerei v. C.A. Kaemmerer, 1904), 19 u. 18.

170 Anton Koktanek, *Oswald Spengler in seiner Zeit* (München: Beck, 1968), 77. Diese Entmaterialisierung der Natur und damit die Negation ihrer Widerständigkeit bleibt für Spenglers Denken konstitutiv. Mit Blick auf dessen Hauptwerk hat Adorno darauf hingewiesen, dass noch die „Natur, mit der die Menschen in der Geschichte sich auseinanderzusetzen haben, [...] von Spenglers Philosophie souverän beiseitegeschoben wird". Theodor W. Adorno, „Spengler nach dem Untergang," *Der Monat* 20 (1950): 126.

171 Spengler, *Der metaphysische Grundgedanke der Heraklitischen Philosophie*, 30.

 Organismen zu betrachten.[172] Wie Uexküll begreift auch Spengler die jeweilige Identität von Organismen jedweder Art und Form als Ausdruck einer bestimmten, vom Innen das Außen zurichtenden, in sich selbst immateriellen Formbildung. In Analogie zur Denkweise Ernst Jüngers könnte man hier mit Werner Hamacher von einer *Morphontologie* sprechen.[173] Wo Uexküll von der Planmäßigkeit handelt, da Spengler vom „Stil", der sich in allen Organismen, von der Pflanze bis zur Kultur des „Abendlands", in der je eigenen Weise als form- und verhaltensbildendes Prinzip zeige.[174] Und wie Uexküll bleibt auch Spengler nicht bei der Beschreibung einzelner „Organismen" stehen, sondern verweist immer wieder auf eine größere Ebene, die sich allerdings strukturell in nichts von der Ebene des Einzelphänomens unterscheidet.

Wie die Planmäßigkeit Uexkülls ‚die ganze Natur' und die jeweilige, spezifische Umwelt zusammenbindet, so verknüpft Spenglers Konzept des „Stils" die übergeordneten Kulturorganismen mit jedem noch so abseitigen Phänomen in ihrem Inneren. Was Adorno über Spenglers *Der Untergang des Abendlandes* schreibt, könnte daher auch über Uexkülls so harmonisch im Totalen aufgehender Umweltmannigfaltigkeit gesagt werden:

> Alles Einzelne und noch das Entlegene wird zur Chiffre des Großen, der ‚Kultur', weil die Welt so lückenlos gedacht ist, das für nichts Raum bleibt, was nicht seinem Wesen nach spannungslos mit jenem Großen identisch wäre."[175]

172 „Die letzte und einzige Seinsbestimmung ist: Kultur ist *Organismus*, eigenständiges Leben (Entfaltung, Blüte, Absterben). Spengler hat dieser Weise, Vergangenheit zu sehen, den konsequenten und überlegenen Ausdruck verschafft." Martin Heidegger, „Ontologie. (Hermeneutik der Faktizität)," in *Martin Heidegger, Gesamtausgabe*, Bd. 63, hrsg. v. Käte Bröcker-Oltmanns (Frankfurt am Main: Klostermann, [1923] 1988), 36f., Hervorhebung i. O.

173 Werner Hamacher, „Arbeiten. Durcharbeiten" In *Archäologie der Arbeit*, hrsg. v. Dirk Baecker (Berlin: Kadmos, 2002), 173.

174 Oswald Spengler, *Der Untergang des Abendlandes. Umrisse einer Morphologie der Weltgeschichte*, Mit einem Nachwort von Detlef Felken (München: dtv, 2006), 146.

175 Adorno, „Spengler nach dem Untergang," 121.

Spengler begreift eben diese Natürlichkeit der Kulturen gleichzeitig als Grund ihrer an Uexkülls Umwelten gemahnenden, monadischen Beschaffenheit: Gerade ihr jeweils innerer, spezifischer Stil mache sie autonom und scheide sie voneinander ab. Immer wieder betont er, dass sich die einzelnen Kulturen nicht voneinander ableiten und auch nicht auf ein außer ihnen Liegendes, Größeres zurückführen ließen. Selbst gegenseitige Beeinflussungen sieht er nur in seltenen Ausnahmefällen gegeben. Kulturen haben ihre jeweilige, innere Natur und sind durch diese, nicht etwa durch äußere Einflüsse bestimmt.

Daraus ergibt sich, dass auch jede Erkenntnis immer nur als Produkt einer bestimmten Kultur und in diesem Sinn als relativ angesehen werden kann. Auf diesem Gedanken baut die Methode von *Der Untergang des Abendlandes* auf. Spengler gibt an, dass es keine Möglichkeit gebe, eine objektiv ‚wahre' Geschichte zu schreiben, sondern der „Denker [...] keine Wahl" habe: „Er denkt, wie er denken muß, und wahr ist zuletzt für ihn, was als Bild seiner Welt mit ihm geboren wurde."[176] Bereits 1904, in seiner von biotheoretischen und monistischen Referenzen durchzogenen Dissertation über Heraklit, ist bei Spengler von einem *natürlichen* System die Rede, das *gleichzeitig* ein „vollkommen zu Ende gedachtes System des Relativismus"[177] darstelle.

Dieses System ist mit Uexkülls Umweltlehre kompatibel; Spengler schärft es im Rückgriff auf diese. Zwar wird der Biologe in Spenglers geschichtsphilosophischem Bestseller noch nicht namentlich genannt, aber der Begriff der „Umwelt" kommt hier bereits an zahlreichen und für die Argumentation zentralen Stellen vor. Und auch wenn Spengler hin und wieder in eine Deutung des Begriffs als einfacher „Umgebung" zurückfällt – wie im folgenden Kapitel gezeigt wird, stellt diese Unschärfe auch bei Uexküll selbst ein Problem dar –, finden sich doch viele Passagen, in denen er eindeutig Uexkülls Umweltlehre aufruft. So wird schon in der

176 Spengler, *Der Untergang des Abendlandes*, VII.
177 Spengler, *Der metaphysische Grundgedanke der Heraklitischen Philosophie*, 31.

Einleitung des *Untergang des Abendlandes* deutlich gemacht, dass „der Mensch seine Umwelt innerlich besitzen und erleben kann“. Es findet sich ein ganzes Unterkapitel, in dem es unter anderem darum geht, zu zeigen, dass eine „Welt“ nicht darauf hin beschrieben werden kann, was sie „ist“, sondern nur darauf hin, „was sie dem lebendigen Wesen bedeutet, das von ihr umgeben ist“. Und selbst die Verbindung zwischen Goethes Konzept der Anschauung und der Umwelttheorie wird von Spengler gezogen.[178]

Uexküll, der seinerseits Spengler rezipiert[179] und dem Aufsatz „Biologie des Staates“ von 1925 ein Motto des Kulturmorphologen voranstellt,[180] bleibt also in *Der Untergang des Abendlandes* noch unerwähnt.[181] 1930, in seinem Text *Der Mensch und die Technik* zieht Spengler ihn jedoch auch namentlich zur naturwissenschaftlichen Begründung einer in für dieses Milieu so typisch zwischen Ideologie und Epistemologie changierenden Weltanschauung heran. Er beruft sich dabei gerade nicht auf politische Texte Uexkülls, wie etwa die bereits zehn Jahre vorliegende *Staatsbiologie*, sondern auf die Aufsatzsammlung *Bausteine zu einer biologischen Weltanschauung* von 1913.[182]

In *Der Mensch und die Technik* entwickelt Spengler unter Rückgriff auf Uexküll den Begriff der „Lebenstaktik“, der bei ihm nichts mehr mit der Erleichterung oder auch nur Erhaltung des Lebens

178 Spengler, *Der Untergang des Abendlandes*, 7, 211, 155. Zudem findet sich der Begriff in Verwendungen, die deutlich an Uexküll gemahnen u.a. auf 75, 80, 106, 109, 172.

179 Mildenberger, *Umwelt als Vision*, 116.

180 Jakob von Uexküll, „Biologie des Staates,“ *Nationale Erziehung* 6, Nr. 7/8 (1925): 177.

181 Was allerdings wenig besagt und wohl als Beleg für Spenglers sehr konsequent durchgeführte, mit seiner intentionalen Idee von Erkenntnis zu erklärenden Praxis zu verstehen ist, so gut wie alle Referenzen aus seinen Schriften zu tilgen. Vgl. Frits Boterman, *Oswald Spengler und sein „Untergang des Abendlandes“* (Köln: S.H.-Verlag, 2000), 100. Für den Hinweis danke ich Fabian Mauch.

182 Oswald Spengler, *Der Mensch und die Technik* (München: Beck, 1931), 18, passim: 28, Anm. 1, u.a.

zu tun hat, sondern schlicht das Leben selbst benennt. Wie dieses ist die Lebenstaktik nicht nur zwecklos, sondern auch „ohne ‚Ursache' selbstverständlich, wie alles in der Wirklichkeit"[183]. Das Verhalten *zur* Natur wird von Spengler, der auch hier analog zu Uexküll argumentiert, nicht nur als selbst naturgegeben beschrieben, sondern als das basale, primäre Phänomen bezeichnet, von dem aus alle objektiven Vorstellungen von Natur allererst abgeleitet werden müssen: Die Relation innerhalb von Innenwelt-Umwelt, bei Spengler die Lebenstaktik, ist das Leben selbst. Diese Lebenstaktik, so Spengler in einem für rechtsgerichtete Autoren der Zwischenkriegszeit nachgerade typischen Rückgriff auf Nietzsches *Willen zur Macht*, untersteht je nach Ausformung dem Kampf oder der Flucht. Als Kampf erst kommt das Leben zu sich, so Spengler und Uexküll unisono.[184] Die spezifische Form des Relativismus der ‚konservativen Revolution', die nichts mit Toleranz gegenüber dem Fremden zu tun hat, sondern vielmehr die Vorstellung einer alles durchziehenden Agonalität bedingt, zeigt sich hier ebenso deutlich wie bei Jünger, der die „Werte [...] [zwar als] relativ, allerdings im Sinne einer kriegerischen Einseitigkeit" begreift.[185] Als kämpfendes bringt das Leben allererst die Unterscheidung zwischen Objekt und Subjekt hervor – die schon bei Uexküll sekundär gegenüber dem jeweiligen Merken und Wirken, die Produkt und gerade nicht Voraussetzung ist. Nach dem Vorbild Uexkülls auf physiologische Charakteristika zurückgreifend,[186] weist Spengler eine spezifische Form dieses Merkens und Wirkens den Raubtieren zu, als deren höchste Form

183 Spengler, *Der Mensch und die Technik*, 27.

184 Uexküll, *Bausteine zu einer biologischen Weltanschauung*, 118.

185 Ernst Jünger, *Der Arbeiter: Herrschaft und Gestalt* (Stuttgart: Klett-Cotta, 1982), 84. Vgl. u.a. auch Ernst Jünger, „Der Pazifismus," *Die Standarte (Sonderbeilage des Stahlhelm)* (15.11.1925): 2: „Alles Leben unterscheidet sich und ist schon deshalb kriegerisch gegeneinander gestellt." Die Distanz zu Uexkülls harmonistischer Weltsicht betrifft einerseits nicht die Voraussetzung: in sich geschlossene, monadische Lebens-Einheiten. Und sie fällt andererseits überall dort in sich zusammen, wo Uexküll auf Widerstände, vor allem, wie etwa in seiner Staatspathologie, auf gesellschaftliche Widerstände trifft.

186 Spengler, *Der Mensch und die Technik*, 19.

 er den Menschen begreift.[187] Raubtiere und Mensch würden sich vor allem durch einen besonderen Blick auf die Welt, mit Uexküll könnte man sagen, durch eine besondere „Weltanschauung" auszeichnen, worin eine bestimmte Form von Relation zur Welt gründe: „Das Fixieren der nach vorn und parallel gerichteten Augen ist aber gleichbedeutend *mit dem Entstehen der Welt* [...] als *Bild*. [...] Das Weltbild ist die vom Auge *beherrschte* Umwelt."[188]

Was wie als Natur, als Außen oder als Objekt erscheint, ist damit völlig in das jeweilige, selbst naturgegebene, unbewusste und unveränderliche Verhältnis, in die Lebenstaktik oder eben in das Merken und Wirken hineingezogen. Souveränes Beherrschen der Natur (in Gestalt *seiner* Umwelt) durch den Menschen und naturgegebene Determinierung der Natur des Menschen durch die gegebene Lebenstaktik bzw. Planmäßigkeit fallen bei Spengler wie bei Uexküll in eins. Hier ist die Vorstellung gegeben, die schon in *Der Untergang des Abendlandes* die auf den ersten Blick so merkwürdige Gleichzeitigkeit von Determinismus und Relativismus grundiert, welche am Ende von *Mensch und Technik* in der für die heroische Moderne so charakteristischen Dopplung von Heroismus und Fatalismus schillert. Spengler schließt seinen Text mit einem Blick auf den „römische[n] Soldat[en], dessen Gebeine man vor den Toren von Pompeji gefunden hat, der starb, weil man beim Ausbruch des Vesuvs vergessen hatte ihn abzulösen. Das ist Größe, das heißt Rasse haben. Dieses ehrliche Ende ist das einzige, das man dem Menschen *nicht* nehmen kann."[189]

Die Umwelt des Wächters determiniert ihn dazu, seinen Posten nicht zu verlassen; Spengler suggeriert, dass dem eben deshalb als Helden bezeichneten Römer eine solche Möglichkeit gar nicht erst in den Sinn kommt. Sein Heldentum und sein so klar definierter, enger Horizont bilden zwei Seiten derselben Medaille. Diese so stark an Uexkülls Konzept der Umwelt-Seifenblasen – in

187 Ebd., 14.
188 Ebd., 19, 20.
189 Ebd., 89.

denen es für Herrn Schulz nur Schulz-Dinge und für Herrn Meyer nur Meyer-Dinge (und damit auch nur die entsprechenden Handlungsmöglichkeiten) gibt[190] – erinnernde Denkfigur bestimmt Spenglers Denken wesentlich. In der in ihr liegenden Harmonisierung von Determinismus und relativistischem Subjektivismus liegt, so könnte man folgern, die Grundlage für die antidemokratischen, antirevolutionären und jede bestehende Herrschaft naturalisierenden Züge, die bei beiden Autoren auszumachen sind. Die Parallelen, die sich oben auf der Ebene der Relation zwischen Mensch und Natur bzw. Umwelt gezeigt haben, setzen sich jedenfalls im Bereich des Politischen fort.

Wie Uexküll zieht auch Spengler aus dieser Naturalisierung der Gesellschaft die Konsequenz, Unterschiede zwischen Menschen oder Gruppen nicht als Gegensätze anzusehen, sondern als *immanente* Gliederung *einer* sozialen Form. Sobald Widerständiges auftaucht, wird bei beiden Autoren nach oben skaliert, wird auf die nächsthöhere Ebene gesprungen: Den Unterschied zwischen Arbeiter und Staatsmann beispielsweise muss man sich mit Spengler als den Unterschied zwischen Hand und Hirn eines Organismus vorstellen, nicht als Klassenantagonismus bzw. Herrschaftsverhältnis. Revolutionen entstehen konsequenterweise auch nicht aus untragbar werdenden sozialen Gegensätzen die zu ihrer Aufhebung hindrängen, sondern allein durch die „Auflösung" der „Autorität"[191], also aus einer inneren Transformation der Metaebene, in diesem Fall des Staates. Die Relation, die Uexküll mit seinem Vergleich von Minister und Kanalreiniger verdeutlicht – indem er diese einerseits hart voneinander scheidet (als je in sich geschlossene und unvergleichbare Umwelten), sie gleichzeitig aber (im Metaorganismus „Staat") miteinander verbindet wie „Füße" und „Lehne" eines „Stuhls", die „aus dem gleichen Holz geschnitzt" seien[192] –, findet sich demnach auch bei Spengler. Was

190 Uexküll, „Zum Verständnis der Umweltlehre," 64.

191 Oswald Spengler, *Jahre der Entscheidung. Erster Teil: Deutschland und die weltgeschichtliche Entwicklung* (München: Beck, 1933), 25.

192 Uexküll, *Staatsbiologie*, 46.

der Biologe als Pathologie des Staates bezeichnet, fasst Spengler, ebenso immanent argumentierend, als Niedergang von Autorität aufgrund von innerem Kraftmangel. Die Formel „Blut und Boden", die Spengler in *Der Untergang des Abendlandes* verwendet und mit diesem Text populär macht, baut auf diesen Denkfiguren. In ihr verknüpft sich, in naturalisierter Weise, das innere, unabänderliche Wesen mit der angestammten Umwelt. Dass diese Formel schon zu Uexkülls Lebzeiten von mehreren Autoren, unter ihnen Karl Friederichs, August Thienemann oder Hermann Weber, mit seiner Umweltlehre in Verbindung gebracht worden ist, sollte nicht verwundern.[193]

5.2 Von der ‚konservativen Revolution' zum Nationalsozialismus

Wie die vorangegangenen Seiten gezeigt haben, vereint Uexkülls Umweltlehre zwei auf den ersten Blick sich ausschließende Momente: eine alles verbindende, totale Natur und die Pluralität solipsistischer Umwelt-Seifenblasen. In der Verklammerung dieser beiden Momente verschmilzt völlige Determiniertheit mit absoluter Herrschaft über die je eigene Umwelt. Wie Spenglers „Schicksal" wirkt auch Uexkülls „Planmäßigkeit" demnach als ein Klammerbegriff, in dem die für die ‚konservativen Revolution' so bedeutende Zwieschlächtigkeit von „Freiheit und Gebundenheit",[194] von relativistischer Subjektautonomie und ganzheitlichem Determinismus als Einheit ausgedrückt und so die Verknüpfung selbst noch naturalisiert wird. Uexkülls holistische Praxis der Harmonisierung solcher Widersprüche ist nicht zuletzt für dessen Relation zur nationalsozialistischen Ideologie relevant, die selbst an einigen Stellen auf holistische Denkfiguren rekurriert,

193 Stella und Kleisner, „Uexküllian Umwelt as Science and as Ideology," 42. Stella und Kleisner nennen u.a. Friedrichs, „Vom Wesen der Ökologie", Thienemann, *Leben und Umwelt* und Hermann Weber, „Organismus und Umwelt," *Der Biologe*, Nr. 11 (1942): 57–68, vgl. besonders 57.

194 Mann, *Große kommentierte Frankfurter Ausgabe*, Bd. 5, 341.

um Widersprüche aufzulösen.[195] Die Auflösung jener Widersprüche zwischen als autonom verstandenen Subjekten und einer größeren bzw. „höheren" Ordnung ist dabei von besonderer Bedeutung.[196] Gerade hinsichtlich von Konzeptionen des deterministischen Relativismus' lassen sich deutliche Kontinuitäten zwischen der ‚konservativen Revolution', Uexkülls Umweltlehre und dem Nationalsozialismus ziehen.

Dieser führt solche Konzeptionen etwa in der Idee des „totalen Staats" oder im sogenannten Führerprinzip weiter und rekurriert dabei auf Vorbilder aus der ‚konservativen Revolution'. Das etwa von Rohan 1930 formulierte Ideal des Führens, welches „[n]icht willenlose Unterordnung der Gefolgschaft unter die *potestas patris* des Führers [fordert], sondern hingebende Unterordnung an den als stärkste Verwirklichung seiner selbst erkannten Bruderführer"[197], wird ins nationalsozialistische Führerprinzip transformiert. Die Figur der Harmonisierung des Willens des Einzelnen mit dem Willen des Führers – die Rohan über die Etablierung einer „tiefere[n] nationale[n] Gemeinschaft" zu erreichen versucht[198] – wird übernommen. Diese Harmonisierung schnurrt in der Praxis zwar häufig auf den einen Teilaspekt zusammen, nach welchem dem als Befehl artikulierten Führerwillen absolute und letztgültige Bedeutung zuzumessen und dieser keinesfalls von irgendeiner Form der Erhebung des Willens der Bevölkerung

195 Vgl. etwa die eben referierten Vorstellungen Uexkülls und Spenglers, eine Kultur oder „Volksgemeinschaft" wäre nicht von Außen, sondern von der eigenen „Auflösung" bzw. der „Pathologie" im Inneren bedroht, mit der Aussage Hitlers, „die Menschen gehen nicht an verlorenen Kriegen zugrunde, sondern am Verlust jener Widerstandskraft, die nur dem reinen Blut zu eigen ist". Adolf Hitler, *Mein Kampf*, 127.–128. Aufl. (München: Franz Eher, 1934), 324. Vgl. allgemeiner zu Übernahmen bioholistischer Konzepte durch den Nationalsozialismus Harrington, *Reenchanted Science*, 175–212; Margrit Bensch, *Rassismus als kulturelle Entwicklungstheorie: Formen biologischen Denkens im Sozialdarwinismus*, Dissertation an der TU Berlin: 2009.

196 Vgl. Bensch, *Rassismus als kulturelle Entwicklungstheorie*, 162–167, 170–173.

197 Karl Anton Prinz Rohan, *Umbruch der Zeit 1923–1930* (Berlin: Stilke, 1930), 60.

198 Ebd., 62.

 abhängig zu machen wäre.[199] Dennoch wird die Idee der Harmonisierung zwischen Führerwille und Wille aller Einzelner im Nationalsozialismus häufig aufgegriffen und bildet wenn schon nicht die reale, so doch die ideelle Grundlage dieses Prinzips. So könne die konsequent von der „Diktatur" unterschiedene „Führung" des Nationalsozialismus etwa bei dem Jurist und nationalsozialistische Wissenschaftsfunktionär Paul Ritterbusch „weder durch den Kompromiß gegensätzlicher Elemente noch durch die Diktatur eines über die anderen" erlangt werden, und sie sei auch nicht „aus einem pluralistischen Begriffe des sozialen Seins gedanklich zu entwickeln".[200] Voraussetzung und gleichzeitig Ziel der Führung ist vielmehr die harmonische Übereinstimmung von Führer und Geführten.

Dieselbe Vorstellung davon, wie Individuum und politische Herrschaft miteinander in Beziehung gesetzt sind oder zumindest sein sollten, liegt der nationalsozialistischen Staatsidee zugrunde. Auch der „totale Staat" baut, wie bereits im vorangegangenen Kapitel im Rückgriff auf Carl Schmitt erwähnt wurde, auf die holistische Vorstellung einer Einheit „zwischen staatlich-politischen und gesellschaftlich-unpolitischen Sachgebieten"[201]. Die ebenfalls bereits erwähnte Übernahme des Begriffes des „totalen Staats" durch Uexküll ist daher kein bloßer Opportunismus. Sie verweist vielmehr darauf, dass die Grundpositionen hinsichtlich der Relation zwischen Staat und Gesellschaft – bzw. hier: „Volk" – miteinander kompatibel sind. Das Ideal, welches gleichzeitig als die natürliche Form der Staatsordnung betrachtet wird, ergibt sich nicht aus einer zwangsmäßigen oder gewaltvollen Unterordnung

199 Vgl. Ernst Rudolf Huber, „Verfassungsrecht des großdeutschen Reichs," in *Grundzüge der Rechts- und Wirtschaftswissenschaft: Reihe A (Rechtswissenschaft)*, hrsg. v. Georg Dahm u. Ernst Rudolf Huber (Hamburg: Hanseatische Verlagsanstalt Hamburg, 1939), 230.

200 Paul Ritterbusch, *Demokratie und Diktatur: Über Wesen und Wirklichkeit des westeuropäischen Parteienstaats* (Berlin, Wien: Deutscher Rechtsverlag, 1939), 67.

201 Carl Schmitt, *Der Hüter der Verfassung* (Berlin: Duncker & Humblot, [1931] 1996), 79.

aller Einzelnen oder der Gesellschaft unter den Staat bzw. die politische Führung, sondern aus einem harmonischen Aufgehen aller Individuen, gesellschaftlichen Prozesse und Phänomene im Staatsganzen bzw. im Führerwillen.

Diese Idee wird von Uexküll durchaus nicht erst mit der Neuauflage von 1933 in die *Staatsbiologie* eingearbeitet. Sie findet sich dort vielmehr bereits in der Erstauflage von 1920. Schon hier wird das Verhältnis zwischen Individuum und Staat als eines von bunten „Wollfäden" in einem „Stickmuster" gefasst.[202] Den Interessenskonflikt zwischen dem Individuum und dem Staat löst bei Uexküll das „Gewissen" und damit eine Macht, die wiederum der „allgegenwärtigen Planmäßigkeit der Natur" unterstellt ist. Dieses „Gewissen" zeigt sich zudem als Beleg dafür, dass jedes Individuum selbst einen „Naturplan verkörpert" – und in diesem Sinn an eben der Planmäßigkeit wesenhaft Teil hat, die auch den Staat bestimmt.[203] Ihre Wurzeln haben beide im „Gesamtcharakter des Volkes", der einerseits den zu ihm gehörigen Individuen „charakteristische Eigenschaftsanlagen" vermittelt und sich andererseits „dem Staate auf[prägt]".[204] Die Harmonisierung zwischen Determinismus und Subjektivismus ist demnach schon 1920 in einem biologischen Volksbegriff begründet.

Die Führung eines solchen Staatsganzen wird bei Uexküll wie bei Rohan und später dem Nationalsozialismus nicht in Form einer auf Zwang und Gewalt aufgebauten Diktatur begriffen, sondern als eine Führung verstanden, die den Ausdruck des Volkswillens und der natürlichen Ordnung des Staates darstellt. Herrschaft ist hier als eine naturalisierte Relation zwischen Führer und Geführten gedacht, die ein ebenso naturalisiertes Selbstverhältnis aller Beteiligten impliziert – an eben dieser Stelle spricht Uexküll vom „Gewissen". Jede Form der Aushandlung oder der Moderation würde dem postulierten Naturcharakter dieser

202 Uexküll, *Staatsbiologie*, 28.
203 Ebd., 30, 31.
204 Ebd., 52.

Relation widersprechen. Den Prämissen seiner Umweltlehre konsequent folgend betont Uexküll ebenfalls bereits 1920, dass diese Form der Harmonisierung von Herrschaft und natürlicher Ordnung, von zentraler Führung und dem „Gewissen" der Einzelnen durch eine Unterordnung des Monarchen unter „den Beschluß irgendeiner Körperschaft" zerstört würde. Er greift damit der Definition der sogenannten „Führergewalt" durch den nationalsozialistischen Verfassungsjuristen Ernst Rudolf Huber knapp 20 Jahre vor.[205]

Uexkülls Umweltlehre trifft sich demnach mit einigen Konzepten der ‚konservativen Revolution' und dem Nationalsozialismus nicht etwa in der Priorisierung des deterministischen zulasten des subjektivistischen Moments, sondern im harmonischen Zusammenfallen beider Momente. Die oben angeführte These Stellas und Kleisners, dass die Aufnahme der Umweltlehre in rechte und nationalsozialistische Diskurse notwendig mit einer Wende gegen das ihr implizite, „subjektivistische" und für das in dieser These von diesem abgetrennte „holistische" Moment einhergehen müsste,[206] baut auf der Annahme, dass in totalitären Systemen das „Subjekt" keine Rolle spielen könnte.[207] Diese Annahme muss angesichts der Bedeutung gerade von Konzepten wie dem des Führerprinzips oder des „totalen Staats" bezweifelt werden.

Sie trifft auch Uexkülls Verhältnis zum Nationalsozialismus nicht. Seine 1933 beginnenden, im vorangegangenen Kapitel ausführlich thematisierten Anbiederungsversuche an die Nationalsozialisten bedingen gerade keine Transformation der grundlegenden, im oben skizzierten Sinn Subjektivismus und Determinismus harmonisierenden Denkfiguren. Umgekehrt legen diese eine solche Anbiederung vielmehr nahe. Dass Uexküll der nationalsozialistischen „Bewegung" (wenn auch nicht ohne Widerstände) folgt,

205 Ebd., 23; vgl. denselben Gedanken bei Huber, „Verfassungsrecht des großdeutschen Reichs", 230.

206 Stella und Kleisner, „Uexküllian Umwelt as Science and as Ideology," 43.

207 Ebd., 50.

ist damit nicht nur auf seinen Opportunismus zurückzuführen. Und dieser wiederum äußert sich durchaus nicht zwangsläufig in einer Überbetonung des „holistischen" zulasten des „subjektivistischen" Moments, sondern eher in einer noch stärkeren Betonung des In-eins-Fallens beider Momente. Die *Staatsbiologie* in der Ausgabe von 1933 unterscheidet sich von derjenigen von 1920 vor allem darin, dass sie den *deutschen* Staat beschreibt, und nicht mehr abstrakt *den* Staat als solchen.[208] In dieser Umschrift zieht Uexküll allerdings nur die naheliegende Konsequenz aus der lange zuvor schon etablierten, subjektivistisch-monistischen Denkfigur, die nicht nur dem Bäcker eine andere Umwelt zuschreibt als dem Minister oder dem Kanalreiniger, sondern eben auch dem Deutschen eine andere als dem Fremden. In Uexkülls „subjektivistischem" Holismus bezieht man immer schon die einem selbst naturgemäße Stellung.

Aus diesem relativistischen Ansatz resultiert, wie oben gezeigt, jedoch keineswegs der Verzicht auf die Formulierung übergreifender Wahrheiten. Insofern der Zwang, nur aus der durch Bauplan und Stimmung planmäßig festgelegten Position heraus zu sprechen, explizit auch für den Forscher gilt, ist eine *Staatsbiologie* des Staates, in dem dieser Forscher lebt und dessen Staatsvolk er sich zurechnet, sogar konsequenter als die Rede vom Staat an sich, wie sie in der Version von 1920 geführt wurde. Die Verengung des Staats an sich auf den deutschen macht ihn nicht weniger total. Uexkülls Annäherung an den Nationalsozialismus widerspricht also keinesfalls der Umweltlehre, sondern ist

208 Jakob von Uexküll, *Staatsbiologie: Anatomie – Physiologie – Pathologie des Staates*, 2. Auflage (Hamburg: Hanseatische Verlagsanstalt, 1933). Vgl. die durchaus ähnliche Wende bei Spengler, der 1933 nicht mehr vom „Abendland" (und von sieben anderen Kulturen) schreibt, wie eineinhalb Jahrzehnte zuvor, sondern mit *Jahre der Entscheidung* eine Schrift vorlegt, die *Deutschland und die weltgeschichtliche Entwicklung* in den Blick zu nehmen versucht. Auch wenn dieser Text durchaus nicht nur Wohlwollendes zum Nationalsozialismus enthält, zeigt er doch deutlich eine Verschiebung der Perspektive, die derjenigen, die zwischen den beiden Ausgaben von Uexkülls *Staatsbiologie* zu bemerken ist, ähnelt.

umgekehrt gerade aus dem ihr zugrundeliegenden, holistischen Denken zu erklären.

Mit Blick auf die skizzierten Kontinuitäten kann Uexkülls Umweltlehre also der ‚konservativen Revolution' zugeordnet und in ein Nahverhältnis zu bestimmten nationalsozialistischen Ideologemen gesetzt werden. Diese Zugehörigkeit ergibt sich nicht aus bestimmten, isolierbaren Aspekten der Umweltlehre, sondern aus der Planmäßigkeit und deren Bedeutung für die Harmonisierung von Widersprüchen und die Naturalisierung von Relationen. Sie erwächst damit gerade aus dem Prinzip, welches Umweltmonaden mit ‚der Natur', BeobachterInnen mit Beobachtetem, Methoden mit dem jeweiligen Gegenstand, Subjektivismus mit Determinismus verschmilzt. Daraus ergibt sich, dass die Umweltlehre nicht erst von rechten Strömungen „vereinnahmt" werden muss, um politisch problematisch zu werden. Ihre Problematik wurzelt vielmehr bereits in den harmonistischen Denkfiguren der Planmäßigkeit, die sie durchziehen und selbst zu einem Ganzen machen.

[4]

Die Umgebung der Umwelt

Florian Sprenger

Im Mittelpunkt der Umwelt, wie sie Jakob von Uexküll beschreibt, steht ein Subjekt, sei es ein Tier oder ein Mensch. Als biologisches Wesen bringt es seine je eigene und unverwechselbare Umwelt hervor, indem es in ihr lebt. Dieser Akt der Hervorbringung wird von Uexküll in – wie das letzte Kapitel gezeigt hat – überaus eigensinniger Aneignung der Transzendentalphilosophie Immanuel Kants als Konstitutionsleistung verstanden. Transzendental ist diese Hervorbringung nur in dem Sinn, dass das Subjekt das Objekt nach eigenen Regeln schafft, indem es seine – bei Kant erkenntniskritisch, bei Uexküll biologisch begründeten – Kategorien der Erkenntnis auf das Objekt projiziert. Das Objekt existiert entsprechend nur durch den Bezug auf das Subjekt, das selbst wiederum lediglich in Relation zum Objekt fassbar ist. Sie bilden eine Dyade, in der das eine nicht ohne das andere zu denken ist. Die Sinnesorgane des Lebewesens bestimmen sowohl die Reichweite der jeweiligen Umwelt als auch die Erkennbarkeit der Objekte, aus denen die Umwelt gebildet wird. Diese ist alles, worüber das Lebewesen verfügt. Von außen betrachtet ist die Umwelt also kein Raum, sondern etwas, das dem Lebewesen seinen Ort gibt, indem es dieses als Um-Welt um-gibt. Wie im ersten Kapitel gezeigt, steht dieses Ordnungsversprechen im Hintergrund von Uexkülls Antisemitismus und seiner Umformung der Staatsbiologie in eine Lehre vom ‚totalen Staat'. Während es dort um die Rekonstruktion der historischen Konstellation 1934 ging, sollen nun die epistemologischen Konsequenzen dieses Gedankens weiterverfolgt werden.

Eine auf das Subjekt bezogene Umwelt ist, so Uexküll, zugleich Teil einer Außenwelt oder Umgebung[1], die unabhängig von den Subjekten, die im Mittelpunkt ihrer Umwelt stehen, alles umgibt. Die Räumlichkeit der Umgebung liegt darin, der Vielfalt der Umwelten ihren je spezifischen Ort zu geben und sie in der Welt zu verorten. Die Umwelten gehen nie in der Umgebung auf, weil sie diese zwar nicht überschreiten können, denn durch den sogenannten Funktionskreis bindet Uexküll das, was aus der Umgebung Teil einer Umwelt wird, an die Räume der Umgebung. Doch Umwelten sind nicht allein räumliche Relationen, sondern selektiv: Die Umwelt ist das, was in der Umgebung für das Lebewesen relevant ist, während es für die Umgebung kein Relevanzkriterium gibt.[2] In diesem Sinn bedeutet das Ort-Geben der Umwelt nicht, dass dem Lebewesen ein spezifischer Raum zugeteilt würde, sondern dass sein Ort innerhalb der Planmäßigkeit verortet wird. Diese Planmäßigkeit bestimmt die Eingepasstheit der Lebewesen in die Umgebung und legt damit auch fest, was für es relevant ist, das heißt Teil seiner Umwelt wird.

1 Diese Unterscheidung in Umwelt und Umgebung kann als Antwort auf das Problem organizistischer Philosophien verstanden werden, wie sie zu gleichen Zeit etwa John Scott Haldane oder Lawrence B. Henderson vertreten. Diese verstehen unter dem Ganzen die Verschränkung von Organismus und *environment*, was die Frage nach der Abgrenzung des *environment* eines Tieres vom Rest des Universums aufwirft. Eben diese vom Organizismus nicht beantwortete Frage kann Uexküll mit seiner Unterscheidung umgehen (vgl. Florian Sprenger, *Epistemologien des Umgebens: Zur Geschichte, Ökologie und Biopolitik künstlicher Environments* (Bielefeld: Transcript, 2019), 119–166).

2 So etwa Georg Toepfer, „Umwelt," in *Historisches Wörterbuch der Biologie*, Bd. 3, hrsg. v. Georg Toepfer (Stuttgart: Metzler, 2011), 573.

Bedeutung gibt es für Uexküll nur in der Umwelt, die als „distinct representational construct residing in the individual's mind"[3] auf ein Subjekt bezogen ist, nicht aber in der Umgebung. Weil die Umwelt stets mit den Funktionskreisen des Lebewesens und der Reichweite seiner Sinnesorgane übereinstimmt, kann sie alles in der Umgebung aufnehmen, was für das Lebewesen wichtig ist – aber eben nichts, was irrelevant wäre. Die Umgebung ist in diesem Sinn die Menge aller Objekte, die potentiell Teil einer oder mehrerer Umwelten sein können. *Umwelt* ist also kein primär räumliches, sondern ein erkenntnistheoretisches Konzept. Sie ist keine Extraktion aus der Umgebung, sondern eine auf deren Grundlage vollzogene Hervorbringung einer Welt der Relevanz, die das Lebendige auszeichnet und ihren „Aufbau dem Subjekt verdankt."[4]

Jedem Lebewesen ist diesem „erkenntnistheoretische[n] Autismus"[5] zufolge nur seine eigene Umwelt zugänglich. Dennoch setzt Uexküll voraus, dass es *eine* Umgebung gibt, die unabhängig von aller Subjektivität ist und eine räumliche Ausdehnung besitzt, welche unabhängig von den Perspektiven des Subjekts bleibt. Das subjektivistische Konzept der Umwelt, dessen Wurzeln, wie im vorangegangenen Kapitel gezeigt, in der Biologie und Ästhetik des 19. Jahrhunderts liegen, ist eng mit diesem räumlichen Begriff der Umgebung verschränkt, steht aber auch in einer Spannung zu ihm. Diese Spannungen werden im Folgenden herausgearbeitet.

Die Umwelt geht nicht in der Räumlichkeit auf (dann wäre sie eine Umgebung), weil sie immer nur eine bestimmte Perspektive auf diese umfasst, und die Umgebung ist nicht subjektiv, sonst wäre sie eine Umwelt. Trotzdem sind beide verknüpft, weil

3 Martin Fultot und Michael T. Turvey, „von Uexküll's Theory of Meaning and Gibson's Organism-Environment Reciprocity," *Ecological Psychology* 31, Nr. 4 (2019): 292. Die Biosemiotik baut auf dieser Zeichenhaftigkeit der Umwelt auf.

4 Jakob von Uexküll, *Theoretische Biologie* (Berlin: Paetel, 1920), 9.

5 Kijan M. Espahangizi, *Wissenschaft im Glas: Eine historische Ökologie moderner Laborforschung* (Dissertation ETH Zürich, 2010), 30.

die Umgebung die Möglichkeit der Erforschung von Umwelten darstellt, während jede Umwelt von einer Umgebung umfasst wird, die ihr ihren Ort gibt. Durch das, was Uexküll Planmäßigkeit nennt, sind alle Umwelten so geordnet, dass sie als Teile eines Ganzen einer übergeordneten Harmonie gehorchen. Diese Harmonie speist sich, darauf weist Leander Scholz hin, nicht aus einer Kosmologie, in der eine größere Ordnung das Ganze beherrscht, sondern aus der Konstitution der Umwelten selbst: „Quelle und Träger der Ordnung ist das einzelne subjektive Leben selbst."[6] Uexküll durchbricht diese Logik nicht durch irgendeine Form von Transzendenz, aber er skaliert sie: auch der Staat, ja selbst die Natur seien als subjektive Lebensformen zu verstehen.

Beide Umgebungsbegriffe – Umwelt wie Umgebung – implizieren unterschiedliche räumliche Verhältnisse: Sie geben dem, was sie umgeben, einen Ort. Die Umwelt gibt dem Subjekt, das diese hervorbringt, seinen Ort in der Mitte. Die Umgebung gibt, qua Planmäßigkeit, den Umwelten ihren Ort in der Welt. Vergleichbar einer objektiven Realität umfasst Uexkülls Umgebung als Raum, was außerhalb der Umwelten liegt ebenso wie alle ihre Bestandteile. Diese Annahme einer die Umwelt umgebenden Umgebung hat innerhalb von Uexkülls Ansatz zwei Funktionen: Erstens bezieht sie die Multiplizität der Umwelten, d.h. die Vielfalt subjektiver Erfahrungswelten, auf die Einheit der planmäßigen Ordnung der Welt, in der alles seinen angestammten Ort hat. Und zweitens begründet sie, wie ein Forscher, dem als Lebewesen stets nur seine eigene Umwelt zugänglich ist, die Umwelten anderer Lebewesen erforschen und über sie kommunizieren kann.[7] Wenn Umwelt und Umgebung bei Uexküll theoretisch verschränkt

6 Leander Scholz, *Die Menge der Menschen: Eine Figur der politischen Ökologie* (Berlin: Kadmos, 2019), 99. Wie Scholz zeigt, ontologisiert Uexküll damit Kants Transzendentalismus (vgl. ebd., 101).

7 Geoffrey Winthrop-Young hat dies als „hermeneutic dilemma of Romanticism" beschrieben: „The price for the increased ability to express subjective inwardness is the growing inability to successfully communicate it to others." Geoffrey Winthrop-Young, „Afterword: Bubbles and Webs: A Backdoor Stroll through the Readings of Uexküll," in *A Foray into the Worlds of*

sind und sich zugleich epistemologisch ausschließen, stellt sich die Frage, was die Umwelt der Umgebung und was die Umgebung der Umwelt ist. In diesem Verhältnis liegt, so die in diesem Kapitel ausgearbeitete These, ein epistemologischer Schlüssel zur Umweltlehre und zugleich eine unaufhebbare Aporie, die im Folgenden noch einmal in einer anderen Perspektive herausgearbeitet werden soll.

Trotz widersprüchlicher Aussagen bildet dieses spannungsgeladene Verhältnis von Umwelt und Umgebung den Kern von Uexkülls Auseinandersetzung mit unterschiedlichen Beobachtungspositionen, Subjektmodellen und Wissensordnungen. Bislang ist diese Spannung noch nicht systematisch durchgearbeitet worden. Vielmehr zeigt sich beim Blick auf viele Texte, die an Uexküll anschließen, dass sie die Widersprüche der Umweltlehre verkennen und damit deren jede Veränderung ablehnende, strukturell und politisch konservative, holistische Dimension ausblenden.

Um die nicht nur politisch, sondern auch epistemologisch problematischen Implikationen der Umweltlehre herauszuarbeiten, sollen im Folgenden ausgehend von der Spannung von Umwelt und Umgebung die Aporien der Umweltlehre dekonstruiert werden. Die Inkonsequenz der gleichzeitigen Verschränkung und Trennung der kategorial unterschiedlichen Begriffe Umwelt und Umgebung taucht an einigen wenigen Stellen im Werk Uexkülls auf, die sich aber – auch für die Geschichte seiner Rezeption – als zentral erweisen. An ihnen lassen sich nicht zuletzt die metaphysischen und biopolitischen Implikationen jener Epistemologie des Umgebens aufzeigen, die die Umweltlehre durchzieht.

Animals and Humans: With a Theory of Meaning, hrsg. v. Geoffrey Winthrop-Young (Minneapolis: University of Minnesota Press, 2010), 217f.

1. Begriffe des Umgebens

Historisch betrachtet steht Uexkülls Begriff der Umwelt im Kontext einer Reihe anderer Umgebungsbegriffe, die in den ersten Dekaden des 20. Jahrhunderts zu zentralen lebenswissenschaftlichen Konzepten aufsteigen und mitunter ähnliche Fragen verhandeln, aber nicht miteinander gleichgesetzt werden sollten. Diese Umgebungsbegriffe – neben Umwelt insbesondere *milieu* und *environment* – bezeichnen je eigene relationale Verhältnisse, denn etwas Umgebendes kann nicht ohne etwas Umgebenes gedacht werden.[8] Sie implizieren jeweils spezifische Epistemologien des Umgebens, die festlegen, wie die eine Seite mit der anderen verschränkt ist und welche kausalen Wechselwirkungen zwischen ihnen vermitteln. Die Differenzen zwischen den drei prominentesten Umgebungsbegriffen und ihren historischen Semantiken sind aufschlussreicher als ihre Kontinuitäten.[9] Aufgrund dieser Unterschiede entziehen sie sich, obwohl sie immer wieder füreinander eingesetzt werden, der wechselseitigen Übersetzbarkeit: Ein *environment* ist kein *milieu*, ist keine *Umwelt*.

Die Unterschiede zwischen den drei Begriffen und ihren historischen Semantiken machen die von ihnen transportierten

8 Vgl. zum Verhältnis dieser Begriffe Florian Sprenger, „Zwischen Umwelt und milieu: Zur Begriffsgeschichte von environment in der Evolutionstheorie." *Forum interdisziplinäre Begriffsgeschichte* 3, Nr. 2 (2014), http://www.zfl-berlin.org/tl_files/zfl/downloads/publikationen/forum_begriffsgeschichte/ZfL_FIB_3_2014_2_Sprenger.pdf.

9 In dieser Hinsicht ist es bemerkenswert, dass auch in der Forschungsliteratur zu Uexküll selten zwischen den Übersetzungsmöglichkeiten differenziert wird. Brett Buchanan schreibt in einer großangelegten Monographie zur Geschichte des Konzepts bei Uexküll, Heidegger, Merleau-Ponty und Deleuze, Umwelt sei „a term that more literally means ‚surrounding world' or ‚environment'" (Brett Buchanan, *Onto-Ethologies: The Animal Environments of Uexküll, Heidegger, Merleau-Ponty, and Deleuze* (New York: University of New York Press, 2008), 7). Auch in der Übersetzung von Deleuzes und Guattaris *Mille Plateaux* wird Umwelt mit *milieu* gleichbedeutend verwendet (vgl. Gilles Deleuze und Félix Guattari, *Tausend Plateaus: Kapitalismus und Schizophrenie* (Berlin: Merve, 1992), 75).

epistemologischen Verhältnisse deutlich und damit im Kontrast auch die Eigenheiten des Umwelt-Begriffs: Er ist stärker als *environment* und noch stärker als *milieu* von einer Zentrierung geprägt, die das Umgebene fixiert und an das Umgebende bindet. Im Zentrum der Umwelt steht das Lebewesen, das diese Umwelt durch das Verhältnis von Merkwelt und Wirkwelt hervorbringt. Was die Umwelt bildet, hängt von diesem Zentrum ab, um das sich die Umwelt wie eine Seifenblase wölbt.[10] Von der Mitte aus erfasst das Lebewesen seine je eigene Welt, in der alles auf dieses Zentrum bezogen ist, während alles außerhalb der Umwelt als Umgebung unerreichbar bleibt. In dieser Doppelung der subjektiven Mitte der Umwelt und des räumlichen Ausgangspunkts der Umgebung ist die Welt des Subjekts geschlossen, weil ihr Horizont von den Organen des Lebewesens bedingt ist, während die Umgebung alles umfasst und kein Zentrum hat.

Die Spannung zwischen der potentiellen Offenheit der Umgebung und der Zentriertheit der Umwelt auf das innere Zentrum des Lebwesens, von dem abhängt, was Teil der Umwelt werden kann, prägt den Begriff der Umwelt. Das *milieu* hingegen ähnelt, so betont der Wissenschaftshistoriker Georges Canguilhem, „der kontinuierlichen und homogenen, unendlich ausdehnbaren Gerade oder Ebene, die weder eine Gestalt noch eine privilegierte Position hat."[11] Das *milieu* wird in der von Canguilhem referierten Forschung von Jean-Baptiste de Lamarck über Auguste Comte bis zu Hippolyte Taine als eine Ausdehnung ohne Zentrum beschrieben, während in der Umwelt alle Ausdehnung vom Zentrum ausgeht. Ein *environment* ist hingegen ebenfalls von einem Mittelpunkt geprägt und wird in zahlreichen ökologischen Diagrammen als Kreis um den umgebenen Organismus dargestellt.[12] Wie ein

10 Jakob von Uexküll und Georg Kriszat, *Streifzüge durch die Umwelten von Tieren und Menschen* (Berlin: Springer, 1934), IX.

11 Georges Canguilhem, „Das Lebendige und sein Milieu," in *Georges Canguilhem. Die Erkenntnis des Lebens* (Berlin: August, 2009), 243.

12 Vgl. Florian Sprenger, „Zirkulationen des Kreises: Von der Regulation zur Adaption," *Zeitschrift für Medienwissenschaft* 23 (2020).

environment hat auch die Umwelt einen Mittelpunkt als Zentralposition, was die Unterscheidung von umgebendem Außen und umgebenem Innen nahelegt.

Über seine Verwendung von Umwelt und die Unübersetzbarkeit dieses Begriffs in andere Umgebungskonzepte schreibt Uexküll bereits 1912:

> Das Wort hat sich schnell eingebürgert – der Begriff aber nicht. Es wird jetzt das Wort ,Umwelt' für die spezielle Umgebung eines Lebewesens in dem gleichen Sinne wie früher das Wort ,Milieu' angewendet. Dadurch ist ihm sein eigentlicher Sinn verloren gegangen.[13]

Die politische Dimension dieser Ablehnung des Begriffs *milieu* hat der Wissenschaftshistoriker Wolf Feuerhahn herausgehoben und gezeigt, dass Umwelt keine Übersetzung des bereits im 18. Jahrhundert als biologischer Fachterminus verwendeten *milieu* ist, sondern ein explizites Gegenmodell.[14] Innerhalb seiner Umwelt hat ein Lebewesen für Uexküll eine gestaltende, hervorbringende Kraft. Diese Annahme impliziert eine Freiheit, welche dieses Konzept ebenfalls von anderen Umgebungskonzepten unterscheidet. Das Lebewesen bringt seine Umwelt hervor, anstatt von seiner Umgebung determiniert zu werden wie von einem *milieu*: „Niemand ist Produkt seines Milieus – ein jeder ist Herr seiner Umwelt."[15] An Stellen wie diesen vermischt sich, wie Feuerhahn

13 Jakob von Uexküll, „Die Merkwelten der Tiere," *Deutsche Revue* 37, Nr. 9 (1912): 352. In seinem Aufsatz „Die Umrisse einer kommenden Weltanschauung" von 1907 spricht Uexküll kurz vor seiner Prägung des Umweltbegriffs noch von Milieu (vgl. Jakob von Uexküll, „Die Umrisse einer kommenden Weltanschauung," *Neue Rundschau* 18, Nr. 1 (1907)).

14 Vgl. Wolf Feuerhahn, „Du milieu à l'Umwelt: Enjeux d'un changement terminologique," *Revue philosophique de la France et de l'étranger* 134, Nr. 4 (2009) sowie Marco Stella und Karel Kleisner, „Uexküllian Umwelt as Science and as Ideology: The Light and the Dark Side of a Concept," *Theory in Biosciences* 129, Nr. 1 (2010).

15 Jakob von Uexküll, „Weltanschauung und Gewissen," *Deutsche Rundschau*, Nr. 197 (1923): 266. Auf diese überaus simplifizierende Lesart des Begriffs *milieu* kann ich an dieser Stelle nicht näher eingehen. Vgl. auch Uexkülls

unterstreicht, Uexkülls Anti-Darwinismus mit seiner Kritik am *milieu*-Begriff, der äußere Faktoren wichtiger nehme als innere, angeborene Eigenschaften. In der Umwelt sei der Organismus autonom und nicht heteronom von äußeren Bedingungen gesteuert, sondern stehe in ausgewogenem Verhältnis zu ihnen.

Die Freiheit über und durch seine Umwelt, die der vermeintlichen Determination des französischen *milieus* ebenso strikt entgegengesetzt ist wie dem Darwinismus, hat für den anti-demokratischen Aristokraten Uexküll eine politische Dimension: Ein starkes, selbstbestimmtes Subjekt, das aus seiner biologischen Gestaltungskraft und im Fall des Menschen aus eigenem Willen heraus agiert, gibt es nur in der deutschen Umwelt – auch und gerade weil diese Kraft und dieser Wille selbst nichts anderes als Planmäßigkeit und demnach das Naturprinzip schlechthin darstellen. Das *milieu* hingegen wendet den Zwang der Strukturen gegen die Innerlichkeit. Die schwachen, von außen bestimmten Subjekte des französischen *milieus* verlieren sich für Uexküll in Fremdbestimmung, Liberalismus und Demokratie.[16] Die Autonomie eines Lebewesens – insbesondere, aber nicht nur des Menschen – innerhalb seiner Umwelt verhilft diesem zu Souveränität und gibt ihm zugleich einen festgelegten und unveränderlichen Ort in der Welt, der seiner organischen Ausstattung entspricht. Hier treffen sich, wie im vorangegangenen Kapitel gezeigt, „subjektive" Freiheit und planmäßiger Determinismus.

Entsprechend ist für Uexküll mit dem Begriff des *milieus* keine biologische Wissenschaft möglich, weil die von ihm ausgehende Determination die Erforschung von *milieus* unmöglich mache. Das Subjekt des Forschenden kann sich in einer solchen Umgebungskonzeption nicht aus seiner Determination befreien und

Aufsatz „Biologie in der Mausefalle", der sich mit den Unterschieden von Umwelt, Wohnwelt, Umgebung und Milieu beschäftigt, aber zu keiner weitreichenden Unterscheidung kommt: Jakob von Uexküll, „Biologie in der Mausefalle," *Zeitschrift für die gesamte Naturwissenschaft* 2 (1936/37).

16 Zum Begriff *environment* habe ich keine Äußerungen Uexkülls ausfindig machen können.

 das *milieu* als Umgebung erkennen. Uexküll selbst ist gezwungen, diese Erforschbarkeit der Umwelt umständlich zu begründen, denn dafür ist es nötig, dass der Wissenschaftler aus seiner Umwelt aussteigt und andere Umwelten vom Standpunkt der Umgebung – objektiv und nicht subjektiv – beobachtet, während er zugleich als starkes Subjekt agiert. Für den Begriff *milieu* gibt es hingegen für Uexküll keine solche starke Beobachterposition.

2. Mengen der Umgebung

Uexkülls Lehre kann zum besseren Verständnis als Umgebungsverhältnis mengentheoretisch ausbuchstabiert werden. Es gibt demnach eine Obermenge aller Objekte als Umgebung und eine Vielzahl von Untermengen von Objekten, die abhängig von den jeweiligen Lebewesen als Umwelten jene Objekte umfassen, die spezifischen Organismen als Merkmale dienen. Die geschlossenen Untermengen können sich – von außen betrachtet – überlappen oder sogar identisch sein, aber nicht miteinander in Austausch stehen. Die Frage, die implizit an einer Reihe von Stellen in Uexkülls Werk aufscheint, aber nie explizit erörtert wird, lautet, ob es einen Beobachter gibt, der die Obermenge aller Objekte beobachten und somit auch die Untermengen in ihrem Verhältnis zu den jeweiligen Organismen beschreiben kann, weil er – das Maskulinum ist Uexküll geschuldet – als Teil der Obermenge bzw. der Umgebung Zugang zu verschiedenen Untermengen hat. Wenn es keine Obermenge gibt, sondern nur Untermengen, dann könnte der Beobachter nur durch den Wechsel von einer in die andere Untermenge Umwelten vergleichen. Dies ist aber für Uexküll unmöglich.[17] Wenn es eine Obermenge gibt, könnte

17 Dass Niklas Luhmanns Definition des Umwelt-Begriffs eher der Verwendung des *environment*-Begriffs als Uexkülls Modell entspricht, hängt – so eine These, die hier nur angedeutet, aber nicht weiter verfolgt werden kann – damit zusammen, dass seine Referenzen allesamt mit dem *environment*-Begriff operieren: Er rekurriert sowohl auf Heinz von Foersters sowie Humberto Maturanas und Francisco Varelas auf Uexküll zurückgreifende Formulierung eines ökologisch-kybernetischen Verständnisses von *environment* als

der Beobachter hingegen durch die Überlappung von Objekten in seiner Umwelt mit Objekten in anderen Umwelten Zugang zu den Merk- und Wirkwelten fremder Lebewesen, also zu anderen Untermengen erlangen. In Uexkülls Schriften finden sich Belege für beide Positionen: für die kategorische Geschlossenheit einer Multiplizität von Umwelten wie für die Möglichkeit des Vergleichs durch die Umgebung.

Die äußere Umgebung der Außenwelt umfasst, wie gezeigt, alle ‚objektiven' Gegenstände, die überhaupt Teil von Umwelten sein können, auch wenn die Umwelten aufgrund ihrer subjektiven Konstitution nicht in den Räumen der Umgebung aufgehen. Doch wer hat Zugang zu dieser Umgebung der Umwelten, wenn jedes Lebewesen, also auch der Beobachter, nur Zugang zu seiner

auch auf Talcott Parsons organizistisch-organisationstheoretischen Begriff, der in Harvard im sogenannte Pareto Circle geprägt wird. Über diese beiden Linien ließe sich Luhmanns Umwelt-Begriff enger an den *environment*-Begriff knüpfen als an Uexkülls Konzept. Zwar entwickelt Luhmann mit Bezug auf Uexküll die Unterscheidung in Umwelt und Umgebung weiter. Die Umwelt ist in diesem Kontext das System aus der Sicht des Systems und die Umgebung das, was der externe Beobachter des Systems erkennt: „Jakob von Uexküll hat [...] schon sehr früh in der Biologie bewusst gemacht, dass die Umwelt eines Tieres nicht das ist, was wir als Milieu, als Umgebung beschreiben würden. Wir können mehr oder andere Dinge, vielleicht auch weniger, sehen, als ein Tier wahrnehmen und verarbeiten kann. Diese beiden Umweltbegriffe sind also zu unterscheiden." (Niklas Luhmann, *Einführung in die Systemtheorie* (Heidelberg: Auer, 2011), 83). Doch so klar wie Luhmanns Unterscheidung ist Uexkülls Abgrenzung nicht, weil dieser keine selbstreferentielle Figur des Beobachters kennt und mit dessen Position ringt. Zwischen Uexküll und Luhmann liegen die Systemtheorie Ludwig von Bertalanffys, der Ökosystem-Begriff und die Kybernetik, die allesamt zur Konsolidierung des Beobachters beitragen. Luhmanns Lösung für das Problem der Umgebung der Umwelt besteht in der Einführung des Beobachters: Der Beobachter der Beobachtung unterscheidet in das, was beobachtet und das Medium, in dem sich die Beobachtung vollzieht. Für den Beobachter erster Ordnung ist die Umwelt als Umwelt beobachtbar (was wiederum Teil der Umwelt des Beobachters zweiter Ordnung ist). Die Umgebung der Umwelt ist daher das, was dem Beobachter zweiter Ordnung als Welt erscheint. Es können zwar Beobachter beliebig vieler Ordnungen angefügt werden, doch zur Welt außerhalb der Umwelt kann man nicht gelangen. Sie ist bei Luhmann die epistemologische Grenze aller Umwelten, bei Uexküll aber deren metaphysische Einheit.

eigenen Umwelt hat? Im Zentrum von Uexkülls Lehre liegt mithin die Frage nach der Realität der Außenwelt und den Bedingungen von Erkenntnis, im Speziellen von wissenschaftlicher Erkenntnis. Im Unterschied zur Philosophie will der Biologe Uexküll Umwelten experimentell erforschen, steht aber vor dem methodischen Hindernis, dass der von ihm eingeführte Beobachter nur das an der Umgebung eines anderen Lebewesens erkennt, was Teil seiner eigenen Umwelt ist und als Wirk- bzw. Merkmal abhängig von seinen Organen auftritt. Uexkülls Umweltlehre arbeitet sich immer wieder an dieser Grenze ab. Beide Optionen – der Abbruch der Umgebungsrelationen und ihre Multiplizierung – sind für Uexküll trotz ihrer Widersprüchlichkeit wichtig. So finden sich Argumente für eine unhintergehbare Relativität aller Standpunkte wie für eine unhintergehbare Realität der Außenwelt. Neben der Betonung der radikalen Subjektivität stehen Versuche, daraus auszubrechen, um allen Einwänden zum Trotz Zugang zu den Umwelten anderer Lebewesen zu erlangen. Entscheidend ist dabei, dass Uexküll die Außenwelt argumentativ benötigt, um seine wissenschaftliche Methodik evident zu machen. Sein vermeintlicher Kantianismus ist kein konstruktivistischer Perspektivismus, weil die Außenwelt als Regulativ einsteht. Vielmehr handelt es sich, so könnte man sagen, um einen Monismus der Mannigfaltigkeit, in dem die Vielfalt subjektiver Umwelten auf die Einheit der Umgebung bezogen bleibt, auf die Planmäßigkeit der Welt verweist und damit metaphysischen Ursprungs ist.

Mit dieser Konstellation tritt eine Reihe von Fragen auf, die alle Umgebungsbegriffe auf unterschiedliche Weise betrifft: Was gibt einer Umgebung und was gibt einer Umwelt ihren Ort? Was liegt außerhalb einer Umgebung, die selbst das Außen der Umwelten ist? Gibt es eine Umgebung, die Umgebungen umgibt, welche sich damit in Umgebenes verwandeln? Gibt es nur eine Umgebung, in der alle Umwelten Platz haben? Oder sind auch Umgebungen um ein Subjekt zentriert? Wenn eine Umgebung selbst von etwas umgeben ist, ist sie in dieser Relation keine Umgebung mehr, sondern ein Umgebenes. Gibt es also un-umgebene Umgebungen, die keine Umwelten werden können? Diese Fragen berühren den Kern jedes Nachdenkens über Umgebungsverhältnisse, denn sie betreffen die Reichweite der Relationen des Umgebens: Handelt es sich um ein ineinander verschachteltes, multiplizierbares Verhältnis, oder ist eine Umgebung etwas, das dem Umgebenen seinen Ort gibt, selbst aber keinen Ort hat? Wenn eine Umgebung nicht von anderen Umgebungen umgeben sein kann, wie verhält sie sich dann zu ihrem Außen? Und wenn eine Umgebung umgeben ist, welches Wechselverhältnis herrscht dann zwischen der Umgebung und der Umgebung der Umgebung? Diese Fragen kreisen um das Verhältnis von Innen und Außen, von Zentrum und Peripherie. Und sie weisen darauf hin, dass die Relationalität des Umgebens nicht nur epistemologische Herausforderungen stellt, sondern in kosmologische, metaphysische und schließlich politische Aushandlungen verwickelt ist, selbst dort, wo dies von Uexküll nicht reflektiert wird. Seine Unterscheidung von Umwelt und Umgebung betrifft genau diese letztlich unbeantwortbaren, weil aporetischen Fragen, die sich als Schlüssel zum epistemologischen Kern seines Umweltbegriffs erweisen.

3. Die Aporie der umgebenen Umgebung

In Epistemologien des Umgebens taucht immer wieder eine Spannung auf, die sie auf die Probe stellt: die Frage, was das Umgebende umgibt. Wie weit reicht, anders gefragt, die Relationalität des Umgebens? Kann sie in ein gegebenes Umgebungsverhältnis inkludiert werden und es von Innen erweitern oder handelt es sich um ein einfaches Schema, das nicht multipliziert werden kann? Diese Spannung kann als Aporie der umgebenen Umgebung formuliert werden: Wenn eine Umgebung – die stets nur relational durch ihr Verhältnis zum Umgebenen gegeben ist – von etwas umgeben ist, dann ist sie nicht nur Umgebung, obwohl sie weiterhin umgibt. Wenn die Umgebung hingegen nur unumgeben sein kann, dann ist jene Relation, die sie zur Umgebung macht, nicht auf sie selbst anwendbar.

 Vereinfacht gesagt gibt es zwei Optionen, diese Aporie aufzulösen: Auf der einen Seite steht die Möglichkeit, dass außerhalb der Umgebung, sei sie als Umwelt, als *milieu* oder als *environment* gefasst, weitere Umgebungen liegen und das Umgebene im Rahmen einer neuen und möglicherweise beliebig fortsetzbaren Relation von etwas umgeben sein kann. Das Verhältnis des Umgebens kann demnach aufgefaltet und relational multipliziert werden, ohne dass es einen festen Standpunkt geben würde, von dem aus Umgebungen miteinander verglichen werden könnten. Diese Argumentation läuft auf eine Relationalität des Umgebens hinaus, in der immer wieder neu bestimmt werden kann, was umgibt und was umgeben ist. Die andere Option bildet die Annahme einer absoluten Grenze, eines universellen Außen außerhalb der Umgebung, die nicht zum Umgebenen werden kann. Wenn es einen externen, unabhängigen Beobachtungsstandpunkt gibt, von dem aus die Grenze zwischen Umgebenem und Umgebendem gezogen werden kann, dann impliziert dies ein Außen, das außerhalb der Umgebung liegt, aber selbst keine Umgebung der jeweils beobachteten Umgebung ist. Die Grenze der Umgebung wäre damit vom objektiven Standpunkt des externen Beobachters aus eindeutig bestimmbar. Uexkülls Unterscheidung von Umwelt und Umgebung sowie seine vielen Versuche, trotz der Gebundenheit jedes Lebewesens an seine Umwelt den Zugriff auf die übergeordnete Umgebung zu begründen, zeugen von dieser Spannung und artikulieren beide Optionen: Vor allem die Versuche, seine wissenschaftliche Methode zu fundieren und nicht zu subjektiv werden zu lassen, aber auch die Annahme einer Planmäßigkeit der Natur, demonstrieren die Spannung zwischen der Räumlichkeit der Umgebung und der Subjektzentriertheit der Umwelt sowie zwischen der Absolutheit und der Relationalität des Umgebens.[18]

18 Die Planmäßigkeit geht über das kantische Prinzip der Zweckmäßigkeit hinaus, welches Julian Jochmaring beschrieben hat (Julian Jochmaring, „Streuen/Strahlen: Negative Ambientialität bei Merleau-Ponty," in *Medienanthropologische Szenen: Die conditio humana im Zeitalter der Medien*, hrsg. v. Lorenz Engell, Katerina Kritlova und Christiane Voss (München: Fink, 2018),

Diese Formulierung der beiden Optionen deutet bereits an, dass sie philosophische und politische Konsequenzen haben, die zwischen Idealismus und Relativismus pendeln. Beide Optionen schließen sich nicht zwangsläufig aus und können auch im Widerspruch zueinander existieren; die konservative Revolution etwa zwingt sie zusammen und stellt den Widerspruch zwischen ihnen dabei tendenziell still. Die Frage, was eine Umgebung umgibt, ist also nicht einfach eine spitzfindige Denkaufgabe, sondern betrifft die Frage nach dem Außen und seiner Beobachtbarkeit. Diese Frage nach dem Außen wiederum liegt im Kern der Geschichte des Umgebungsdenkens im 20. Jahrhundert.[19]

Das Verhältnis von Umgebung und Umgebendem impliziert metaphysische Fragen, die bereits die antike Philosophie mit dem wohl ersten Umgebungskonzept, dem Begriff *periechon*, zu erfassen versucht hat.[20] Die Präposition *peri* meint *um*, *herum* oder *mit*; als Partizip von *echein* steht *echon* für *haben* oder *halten*. *Periechon* nennen die Griechen entsprechend das Umhüllende, das Umschließende, das Umfassende, das Umgebende. Der Begriff steht für den Versuch, den Ort als etwas zu bestimmen, das nicht unabhängig von dem ist, was sich an ihm befindet, wie auch das, was sich an einem Ort befindet, nicht unabhängig von dem ist, was diesen umgibt. Aristoteles definiert *periechon* von der umgebenden Begrenzung her und fasst diese wiederum als bedingendes Verhältnis. Als *periechon* gibt das Umgebende einen Ort, indem es ihn umgibt. Folglich gibt es kein Ding, das nicht umgeben wäre, weil alles seinen Ort hat. Im vierten Buch seiner *Physik* bestimmt Aristoteles den Ort, *topos*, als „die Grenze des umfassenden Körpers, insofern sie mit dem Umfassten in

68). Planmäßigkeit umfasst nicht nur die Einpassung eines Lebewesens in seine Umwelt, sondern auch die Einpassung aller Umwelten in das Ganze der Natur.

19 Vgl. Anselm Franke, „Earthrise und das Verschwinden des Außen," in *The Whole Earth: Kalifornien und das Verschwinden des Außen*, hrsg. v. Diedrich Diedrichsen und Anselm Franke (Berlin: Sternberg Press, 2013).

20 Vgl. dazu ausführlicher Sprenger, *Epistemologien des Umgebens*, 31f.

 Berührung steht"[21]. Wie ein Krug das in ihm enthaltene Wasser umgibt, so umhüllt *periechon* analog etwas, ohne selbst Teil davon zu sein und bestimmt zugleich dessen Ausdehnung. Das Gefäß ist nicht als Ding gedacht, sondern als Umgebendes und Enthaltendes, dessen Umfang bestimmt, was es enthält. Die Umgebung bildet daher die Grenze von Umgebendem und Umgebenem. Das Umgebende ist wie der Krug „weder ein Teil des in ihm Befindlichen, noch ist er größer als das, was dazwischen ist"[22]. Wie die Wände des Krugs dem in ihm befindlichen Wasser, weist das Umgebende dem Umgebenen seinen Ort zu, es schließt ein und umschließt.

Periechon ist für Aristoteles weder ein Ding noch ein Ort. Es handelt sich vielmehr um ein Verhältnis: das, was um etwas herum ist. Eine Umgebung ist für Aristoteles ein Singular, auch wenn sie viele Bestandteile enthalten kann: der Fisch ist vom Wasser umgeben, das wiederum andere Fische und Felsen umgibt. All diese umgebenden Dinge sind Bestandteil dessen, was dem Fisch seinen Ort gibt. Was zu einer Umgebung von etwas gehört, was also den Ort des Umgebenen gibt, hängt von den jeweiligen Verhältnissen ab und muss immer wieder neu bestimmt werden. Jede irdische Umgebung ist Teil anderer Umgebungen, über denen sich nur noch die unüberschreitbare Sphäre des Himmels als das letzte Umgebende wölbt. In dieser Hinsicht kann das Verhältnis des Umgebens, wie bereits angedeutet, entweder an eine feste Grenze gebunden oder aber als unendlich ineinander verschachtelt gedacht werden. Doch was, so kann

21 Aristoteles, *Physik* (Hamburg: Meiner, 1987), 169, 212a. Vgl. dazu auch Benjamin Morison, *On Location: Aristotle's Concept of Place* (Oxford: Clarendon Press, 2002) sowie Peter Berz, „Contenant Contenu: Anordnungen des Enthaltens," in *Das Motiv der Kästchenwahl: Container in Psychoanalyse, Kunst, Kultur*, hrsg. v. Insa Härtel und Olaf Knellessen (Göttingen: Vandenhoeck & Ruprecht, 2012).

22 Aristoteles, *Physik*, 167, 211a. *Periechon* ist daher, dies sei an dieser Stelle angemerkt, nicht mit dem *Dazwischen* identisch, das heißt, es ist kein *Medium* im Sinne eines Vermittelnden oder Dazwischenliegenden, auch wenn beide Konzepte verwandt sind.

man über Aristoteles hinausgehend fragen, umgibt dann das Umgebende? Umgebungen geben einen Ort, weil ein Ort nicht selbst einen Ort haben kann, wie Aristoteles zeigt: Der Ort ist weder die Form noch die Materie eines Dings, weil er dann am Ort des Dings sein müsste, ein Ort aber nicht an einem Ort sein kann. Eine Umgebung gibt einen Ort, ohne selbst ein Ort zu sein. Deshalb begrenzt, so hat Werner Hamacher diesen Gedanken fortgeführt, die Umgebung ein Ding, ohne die Grenze des Dings zu sein.[23] Wenn das Umgebende als *periechon* keinen eigenen Ort hat, sondern eine Relation bezeichnet und einen Ort gibt, dann stellt sich die Frage, wie man diese Relation auf sich selbst beziehen kann.

Diese Frage steht im Hintergrund aller Umgebungskonzepte und wird im 20. Jahrhundert besonders intensiv verhandelt. Was Dinge durch Verhältnisse verortet, Anordnungen durch das bestimmt, was es um sie herum gibt, das Innen vom Außen scheidet und all dies schließlich als Ort benennbar macht, ist im Verlauf der Geschichte in eine Reihe unterschiedlicher Konzepte und Begriffe diffundiert. An den systematischen Ort von *periechon* treten neue Begriffe und Konzepte, die seinen Einsatz auf andere Art fortsetzen, verschieben oder überschreiben. Sie führen auf sehr unterschiedliche Weise fort, was *periechon* in aller Allgemeinheit zu umreißen versuchte: Umwelt, *milieu* und *environment*, Ambiente und Äther, Sphäre und Element, aber in bestimmten historischen Kontexten auch Medium, Aura, Lebensraum, Lebenswelt, Klima. Diese Begriffe sind bis in die Gegenwart und auch dort, wo man es nicht vermuten würde, zutiefst in metaphysische Grundannahmen eingebunden, tradieren sie doch mit ihren spezifischen Epistemologien des Umgebens eben jene Fragen nach dem Verhältnis des äußeren Umgebenden und des inneren Umgebenen, nach der Grenze des Umgebenden und

23 Vgl. Werner Hamacher, „Amphora (Extracts)," *Assemblage* 20, April (1993): 40–41.

 schließlich nach dem, was außerhalb des Umgebenden liegt und dieses umgibt.

4. Umgebung und Umwelt

Auch die Umweltlehre kann als Versuch verstanden werden, mit diesen Fragen umzugehen. Sie behandelt alle Lebewesen als Subjekte und stellt mit diesem einzigartigen Ansatz bis heute – oder gerade heute – eine wichtige theoretische Referenz für Versuche dar, die sich gegen anthropomorphe Beschreibungen der Natur wenden.[24] Uexkülls erkenntnistheoretisch fundierte Variante des Umgebungsdenkens spielt unterschiedliche Möglichkeiten der Erkennbarkeit der Umwelt und somit potentielle Orte des Beobachters durch. An verschiedenen Stellen in Uexkülls Werk finden sich Versuche einer Lösung der Aporie der umgebenen Umgebung, deren Stadien im Folgenden dargestellt und kontrastiert werden sollen. Das Hindernis einer solchen Lektüre besteht darin, dass Uexküll nicht immer präzise konzeptuelle Arbeit leistet oder gar Herleitungen gibt und Begriffe in divergierenden Bedeutungen verwendet. Seine Anschlüsse an philosophische Theorien erweisen sich bei genauerem Hinsehen nicht selten als Sinnstiftungsversuche für die Beantwortung weltanschaulicher Fragen.[25] Seine Texte werfen bei genauer Lektüre mehr Fragen auf als sie Antworten anbieten, sind aber gerade aufgrund dieser Unstimmigkeiten aufschlussreich.

24 Im Gegensatz zu Kant muss das Subjekt kein Mensch, sondern kann auch ein Tier sein. Diese Ausweitung ist, wie Pobojewska gezeigt hat, möglich, weil Subjektivität bei Uexküll nicht an das Denkvermögen, sondern an Merken und Wirken gebunden ist (vgl. Aldona Pobojewska, „Die Subjektlehre Jakob von Uexkülls," *Sudhoffs Archiv* 77, Nr. 1 (1993): 70).

25 Martin Heideggers Urteil über Uexküll ist in dieser Hinsicht deutlich: „Es wäre albern, wollten wir nun versuchen, den Uexküllschen Interpretationen eine philosophische Mangelhaftigkeit nach- oder vorzurechnen, statt zu bedenken, daß die Auseinandersetzung mit seinen konkreten Forschungen zum Fruchtbarsten gehört, was die Philosophie heute sich aus der herrschenden Biologie zueignen kann." Martin Heidegger, *Grundbegriffe der Metaphysik* (Frankfurt am Main: Klostermann, [1929] 1983), 383.

1909 führt Uexküll in *Umwelt und Innenwelt der Tiere* die genannte Unterscheidung als zwei Arten des Umgebens ein, die subjektive Umwelt und die objektive Außenwelt oder Umgebung. Was sie unterscheidet, erklärt Uexküll an verschiedenen Stellen unterschiedlich und nicht immer konsistent. Die in kantianischer Hinsicht konsequente Verdoppelung der Umgebung in einen vom Organismus abhängigen und einen unabhängig vom Organismus gegebenen Teil ruft die Frage nach ihrer wechselseitigen Abgrenzung hervor. Die Umwelt wird, dieser Punkt ist für das hier verfolgte Argument entscheidend, zwar wie geschildert aus den Bestandteilen dessen gebildet, was Uexküll Umgebung nennt und was Canguilhem als die „banale geographische Umgebung"[26] bezeichnet. Aus der Fülle ihrer Reize nimmt das Lebewesen nur jene Merkmale auf, die seine Sinnesorgane erfassen können, mit denen es in seiner Wirkwelt interagieren kann und die von vitaler Bedeutung sind. Eine Umwelt ist demnach kein Gegenstand passiver Anpassung wie eine evolutionäre Nische, sondern ein Objekt aktiver Gestaltung durch den jeweiligen Organismus. Der in diesem Kontext von Uexküll eingeführte Begriff der Einpassung umfasst das Wechselverhältnis von Umgebendem und Umgebenem, weil beide ineinander eingepasst sind und nicht nur aneinander angepasst werden.

Die Umwelt entspricht stets und notwendigerweise der optimalen Einpassung, wie Uexküll mit Bezug auf den Begriff der ‚pessimalen Welt' des jüdischen Biologen Shimon Fritz Bodenheimer ausführt:

> Bodenheimer hat ganz recht, wenn er von einer pessimalen, d. h. denkbar ungünstigen Welt redet, in der die meisten Tiere leben. Nur ist diese Welt nicht ihre Umwelt, sondern ihre Umgebung. *Optimale*, d. h. denkbar günstige *Umwelt* und

26 Georges Canguilhem, Hrsg., *Die Erkenntnis des Lebens* (Berlin: August, 2009), 261. Uexküll führt eine Unterscheidung zwischen Umwelt und Umgebung ein, die sich, so viel sei nebenbei bemerkt, in anderen Sprachkreisen nur selten findet. *Surrounding* und *environment* werden meist synonym verwendet.

> *pessimale Umgebung* wird als allgemeine Regel gelten können. Denn es kommt immer darauf an, dass die Art erhalten bleibe, möchten noch so viele Einzelindividuen zugrunde gehen. Wäre die Umgebung bei einer Art nicht pessimal, so würde sie dank ihrer optimalen Umwelten das Übergewicht über alle anderen Arten erlangen.[27]

Es gibt also keine bessere oder schlechtere Einpassung, so dass jede je eigene Umwelt unvergleichlich und zugleich planmäßig ist.

In seiner Umwelt ist jedes Lebewesen für Uexküll ein autonom handelndes Subjekt. Das Verhältnis zwischen Lebewesen und Umwelt ist immer vollständig passend, weil sie sich gegenseitig bedingen, so dass man nicht von schlechter oder besser angepassten Lebewesen sprechen kann. Keine Umwelt ist defizitär und es gibt keine Hierarchie von Umwelten. Einpassung bedeutet also etwas anderes als die evolutionstheoretische Beobachtung, dass die Eigenschaften von Lebewesen mit den Faktoren ihrer Umgebungen korrespondieren. Anpassung im Darwinschen Sinn bezeichnet, so hat es Julian Jochmaring formuliert, „eine vorgängige Trennung von Lebewesen und Umgebung, die durch eine reaktive Anpassungsleistung auf Seiten des Lebewesens überwunden werden muss"[28]. Einpassung besteht darin, dass jedes Lebewesen so in seine Wirkwelt eingepasst ist, dass der Bauplan seines Körpers und seiner Merkorgane gesetzmäßig organisiert und alle Umwelten harmonisch ineinander gefügt sind, ohne sich zu stören.

Alle bedeutungsvollen Umwelten stehen gleichberechtigt nebeneinander, wie Uexküll mit einer Theatermetapher andeutet: „Die Umweltlehre betrachtet das Tiersubjekt als Mittelpunkt

27 Uexküll und Kriszat, *Streifzüge*, 9. Zu Bodenheimer vgl. Marco Mazzeo, „Giorgio Agamben: The Political Meaning of Uexküll's ‚Sleeping Tick',“ in *Jakob von Uexküll and Philosophy: Life, Environments, Anthropology*, hrsg. v. Francesca Michelini und Kristian Köchy (London: Routledge, 2020).

28 Julian Jochmaring, „Im gläsernen Gehäuse: Zur Medialität der Umwelt bei Uexküll und Merleau-Ponty,“ in *Gehäuse: Mediale Einkapselungen*, hrsg. v. Christina Bartz et al. (München: Fink, 2017), 261.

einer Spezialweltbühne."[29] Auch die zahlreichen musikalischen Metaphern, die Uexküll anführt, beschreiben dieses Verhältnis in ähnlichem Sinn, als Fuge oder als kontrapunktische Abstimmung von Lebewesen und Umwelt.[30] Die Einpassung gehorcht damit der Planmäßigkeit, die notwendigerweise zu einem optimalen Verhältnis führt, in dem jedes Lebewesen mit seiner Umwelt seinen Ort hat und diese Umwelten planmäßig zueinander passen. Auch wenn diese Planmäßigkeit nicht auf den Vitalismus einer Lebenskraft reduzierbar ist, sorgt sie qua ihrer Realisation im Bauplan für die zweckmäßige Einrichtung der Natur. Um die Erkenntnis dieser Planmäßigkeit der Natur geht es der Umweltlehre in letzter Konsequenz.

Die Umwelt eines Tieres ist für Uexküll somit nicht durch äußere Umgebungsfaktoren wie Nahrungszyklen oder Stoffwechselvorgänge begrenzt, sondern durch das Passungsverhältnis von Merkwelt und Wirkwelt.[31] Einpassung ist demnach ein Verhältnis des Subjekts zur Welt, Anpassung ein Verhältnis von Arten und Umgebungsfaktoren untereinander. Einpassung ist für Uexküll konstitutiv für die Umwelt, Anpassung eine mechanische Wirkung. Jedes eingepasste Lebewesen nimmt seine individuelle Umwelt durch die artspezifischen Reize der Merkmale wahr und interagiert mit ihr: „Merkwelt und Wirkungswelt bilden gemeinsam die Umwelt."[32] Darin ist Uexkülls Umweltkonzept stärker um das Lebewesen zentriert als *milieu* und *environment*. Im Zentrum der Wechselwirkung mit der Umwelt stehen als erkennende Subjekte qualifizierte Lebewesen, die jeweils über individuelle Umwelten verfügen.

29 Jakob von Uexküll und E. G. Sarris, „Das Duftfeld des Hundes," *Zeitschrift für Hundeforschung* 1, Nr. 3/4 (1931): 55.

30 Vgl. Veit Erlmann, „Klang, Raum und Umwelt: Jakob von Uexkülls Musiktheorie des Lebens," *Zeitschrift für Semiotik* 34, Nr. 1/2 (2012).

31 Vgl. Jakob von Uexküll, „Darwin und die englische Moral," *Deutsche Rundschau*, Nr. 173 (1917).

32 Jakob von Uexküll, „Wie sehen wir die Natur und wie sieht die Natur sich selber?" *Die Naturwissenschaften* 10 (1922): 266.

5. Von Umwelt zu Umwelt

Uexkülls Modell wird bezeichnenderweise dort diffus, wo es um den Austausch mit anderen Lebewesen geht, vor allem mit solchen der eigenen Art – also genau dort, wo Darwins Konzept der Konkurrenz ansetzt. Andere Lebewesen können in der Umwelt des Tieres nur als Teil der subjektiven Umwelt erscheinen. Die Abgeschlossenheit und Isolation der Umwelten voneinander führt dazu, dass Uexküll den Austausch, die Kommunikation und die Kooperation zwischen Lebewesen mit dem aufwändigen Theoriegerüst des Funktionskreises rechtfertigen muss (Abb. 1). Mit ihm modelliert er das Verhältnis der Bezugnahme eines Subjekts auf ein Objekt, ohne jedoch eine Begegnung mit einem Subjekt als Subjekt zuzulassen. Insofern ist Intersubjektivität eine Herausforderung für die Umweltlehre oder gar, wie Florian Höfer schreibt, ein ignoriertes Problem Uexkülls.[33]

Nicht nur ist die Innenwelt anderer Lebewesen unzugänglich, sondern auch Interaktion nur über den Umweg der sogenannten Merk- und Wirkwelten möglich. Die Gegenstände der Außenwelt, aber auch die Handlungen anderer Lebewesen, lösen in einem Lebewesen artspezifische Reize aus, die in der Innenwelt als Merkzeichen erscheinen. Interaktion mit anderen Lebewesen ist daher immer Interaktion mit Zeichen in der eigenen Umwelt. Alle Organismen einer Art haben entsprechend ihres gemeinsamen Bauplans die gleiche, aber nicht dieselbe Umwelt. Durch die sogenannten Funktionskreise werden Organismen durch Merk- und Wirkwelt mit ihrer Umgebung, aber auch verschiedene Lebewesen miteinander verbunden, wenn Exemplare unterschiedlicher

33 Höfer argumentiert in einer ähnlichen Stoßrichtung, dass Uexküll das Phänomen der Kommunikation missachte, bleibt aber mit dem Ziel einer Kommunikationstheorie meist auf einer deskriptiven Ebene. Vgl. Florian Höfer, *Die Notwendigkeit der Kommunikation: Die Missachtung eines Phänomens bei Jakob von Uexküll* (Dissertation Rheinische Friedrich-Wilhelms-Universität Bonn, 2007); Dazu auch Cornelius Borck, „Hans Blumenberg: The Transformation of Uexküll's Bioepistemology into Phenomenology," in Michelini und Köchy, *Jakob von Uexküll and Philosophy*.

Arten miteinander interagieren. In diesem Fall werden Lebewesen als Merkmale Teil der Umwelten anderer Lebewesen. Das Zusammenwirken der Funktionskreise wiederum gehorcht einer Planmäßigkeit, mit der jeder einzelne Bestandteil auf das Ganze bezogen wird. „Das gesamte Universum, das aus lauter Umwelten besteht, wird durch die Funktionskreise zusammengehalten und nach einem Gesamtplan zu einer Einheit verbunden, die wir Natur nennen."[34]

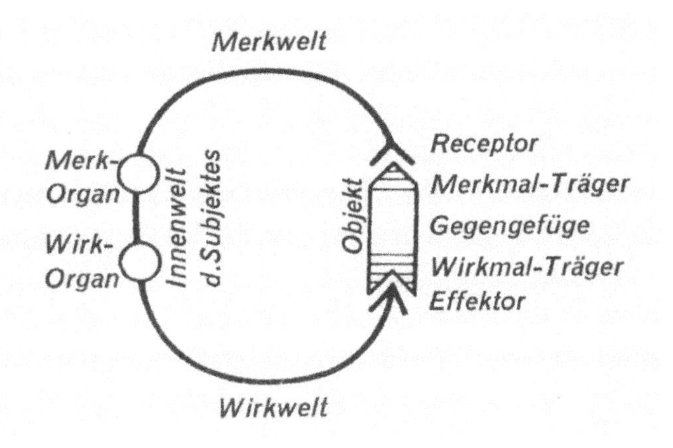

[Abb. 1] Funktionskreis nach Uexküll und Kriszat, *Streifzüge*, 7.

34 Uexküll, *Theoretische Biologie*, 324. Der Mediziner Kurt Goldstein hat, so Georges Canguilhems Darstellung, mit Uexküll gegen Uexküll argumentiert, dass ein Organismus nicht nur das aus seiner Umwelt aufnimmt, was seiner Merkwelt entspricht, sondern auch potentiell negative Stimuli. Bei Goldstein ist die Umwelt keine geschlossene Seifenblase, sondern wird durch die Aktivitäten und Entwicklungen des Organismus geformt – so kann Goldstein die Entstehung von Pathologien und Krankheiten erklären. Vgl. Georges Canguilhem, „Das Lebendige und sein Milieu," 260. Zum Funktionskreis vgl. auch Thomas Potthast, „Lebensführung (in) der Dialektik von Innenwelt und Umwelt: Jakob von Uexküll, seine philosophische Rezeption und die Transformation des Begriffs ‚Funktionskreis' in der Ökologie," in *Das Leben führen? Das Konzept Lebensführung zwischen Technikphilosophie und Lebensphilosophie*, hrsg. v. Nicole Karafyllis (Berlin: Edition Sigma, 2014).

Aus dieser Beobachtung ergeben sich drei Konsequenzen, die im Folgenden aufgeschlüsselt werden: *Erstens* ist die kleinste Einheit dieser Biologie das Individuum in seiner je eigenen Umwelt, nicht aber die Art oder gar die Gemeinschaft. Die Dyade von Umgebenem und Umgebendem erscheint bei Uexküll als Singularität: Jedes Lebewesen hat nur eine Umwelt. Die kollektive, kooperative oder konkurrierende Verfertigung von Umgebungen – mithin die Vielfalt ökologischer Fragen – spielt nur eine marginale Rolle, insofern andere Lebewesen als Merk- oder Wirkmale auftreten und sich die Merk- und Wirkorgane von Lebewesen einer Art gleichen.

Daraus folgt *zweitens*, dass der Austausch von Zeichen zwischen Lebewesen in der Umweltlehre nicht die lebensbestimmende Regel, sondern die unwahrscheinliche Ausnahme ist. Der Austausch von Stoff oder Energie ist für Uexküll kein Gegenstand der Biologie, sondern allenfalls der Physiologie, die aber zur Erkenntnistheorie der Umweltlehre nichts beitragen könne.[35] In der Folge ist die Umweltlehre weder an die an Zirkulationsprozessen und Regelkreisläufen orientierte, frühe Systemtheorie Ludwig von Bertalanffys noch an die Ökologie der zweiten Hälfte des 20. Jahrhunderts anschlußfähig, die sich am Konzept des Ökosystems orientiert und ihre wichtigsten Impulse aus der Populationsbiologie sowie aus der Limnologie zieht. Den quantifizierbaren Energie- und Materieströmen, durch die ein Ökosystem erforscht wird, steht mit Uexkülls Umweltlehre eine Alternative gegenüber, die sich auf die Qualität der Beziehung eines Lebewesens

35 Vgl. Jakob von Uexküll, „Die Rolle des Subjekts in der Biologie," *Die Naturwissenschaften* 19, Mai (1931). Wie Juan Manuel Heredia gezeigt hat, entwirft Uexküll 1895 in seinem ersten Buch *Leitfaden für das Studium der experimentellen Biologie der Wassertiere* eine Aufgabenteilung zwischen der Physiologie und der Biologie: erstere beschäftige sich mit dem energetischen und materiellen Haushalt der Lebewesen und sei entsprechend mechanistisch geprägt, während letztere mit dem Blick auf das Ganze dessen organische Einheit untersuchen solle (vgl. Juan M. Heredia, „Jakob von Uexküll, an Intellectual History," in Michelini und Köchy, *Jakob von Uexküll and Philosophy*, 17–35).

zu seiner Umwelt und deren rein subjektive Konstitution richtet. Darin bleibt sie jedoch, trotz ihrer unleugbaren Einflüsse auf die Anthropologie, die Verhaltenstheorie, die Philosophie und die Literatur, ein solitärer Ansatz, während die Ökosystem-Ökologie zum breiten Forschungsfeld aufsteigt.[36]

Drittens schließlich wird das Problem des Beobachterstandpunkts in diesem Kontext besonders virulent: Auch dem wissenschaftlichen Beobachter erscheinen andere Lebewesen nur als Teil seiner Umwelt. Um die Umwelt eines anderen Lebewesens zu erforschen, muss der Beobachter einen Weg finden, von seiner Umwelt aus auf die Umgebung zu schließen, die er mit dem Tier teilt. Lebewesen können daher nur in ihrer prozessualen Wechselwirkung mit der Umwelt des Forschenden sinnvoll erforscht werden – doch fremde Umwelten bleiben kategorisch unzugänglich.

Es geht Uexküll entsprechend nicht um eine objektive Bestimmung jener Faktoren einer Umgebung, die ein Lebewesen determinieren, sondern um die Beschreibung des Passungsverhältnisses, das alle Lebewesen bzw. Arten dynamisch an ihre Umwelten bindet. Der sich in die innovativen Praktiken der neuen, ab dem ausgehenden 19. Jahrhundert so bedeutenden Meeresbiologie einfügende Ansatz seiner frühen Forschungsarbeiten, vor allem in den Bereichen der anatomischen Meeresbiologie und der Neurophysiologie, besteht darin, Lebewesen soweit wie möglich in ihren natürlichen, gegebenenfalls aber auch in künstlichen Umgebungen wie Aquarien zu untersuchen.[37] Durch Modifikation

36 Dieter Merschs Annahme, dass Uexkülls Ansatz, der sich nicht als ökologisch versteht, die Ökosystem-Theorie beeinflusst habe, lässt sich nicht halten (vgl. Dieter Mersch, „Ökologie und Ökologisierung," *Internationales Jahrbuch für Medienphilosophie* 4, Nr. 1 (2018): 190). Innerhalb der Ökologie ist Uexkülls zumindest seit den 1920er Jahren nicht auf experimenteller Basis stehender Ansatz vielmehr lange Zeit weitestgehend ignoriert und vornehmlich in der Philosophischen Anthropologie, der Biosemiotik und der Kulturwissenschaft rezipiert worden.

37 Zu den frühen Forschungen Uexkülls vgl. Kristian Köchy, „Uexküll's Legacy: Biological Reception and Biophilosophical Impact," in Michelini und Köchy,

dieser Umgebungen, so buchstabiert Uexküll dieses Vorgehen seit den 1910er Jahren aus, können dann einzelne Reize isoliert und Rückschlüsse auf die Merk- bzw. Wirkwelt der Organismen gezogen werden, ohne psychologische Spekulationen über die Innenwelt der Tiere anzustellen, sich also in ihre Umwelten hineinversetzen zu müssen. Dass solche Spekulationen über die Außenwelt und über die abgeschlossenen Innenwelten anderer Lebewesen Uexkülls Schriften dennoch durchziehen und die Grundlage seiner wissenschaftlichen Methodik bilden, zeigt, dass Uexküll die Isolation der Umwelten nicht konsequent durchhalten kann.[38] Den Schritt hin zu einem radikalen Perspektivismus, in dem es keine Außenwelt gibt, wagt er nicht. Die Frage, was die Umwelt umgibt, beantwortet er mit einer unüberschreitbaren Umgebung, die für alle Lebewesen gleich, aber unzugänglich ist.

Entsprechend stellt sich für Uexküll vor dem Hintergrund der zu dieser Zeit voranschreitenden Experimentalisierung des Verhaltens[39] die Herausforderung, durch Experimente zu bestimmen, was zur Umwelt eines Lebewesens gehört und was nicht. Ein Objekt, das für den Organismus Bedeutung hat, ruft eine Reaktion hervor, das heißt es wird wahrgenommen und damit Teil der Umwelt, weil es spezifische Merkmale trägt, die für das Leben des Organismus wichtig und an denen dessen Wahrnehmungsorgane ausgerichtet sind. Diese Prozesse versucht Uexküll einerseits experimentell durch anatomische und neurologische Forschungen zu den Sinnesorganen von Seeigeln,

Jakob von Uexküll and Philosophy, 52–70.

38 Ähnliche Fragen stellen sich, wie Julia Gruevska gezeigt hat, mit direktem Bezug auf Uexküll auch dem Biologen Frederik Buytendijk (Julia Gruevska, „‚mit und in seiner Umwelt geboren': Frederik Buytendijks experimentelle Konzeptualisierung einer Tier-Umwelt-Einheit," *NTM Zeitschrift für Geschichte der Wissenschaften, Technik und Medizin* 27, Nr. 3 (2019)).

39 Vgl. etwa Stefan Rieger, *Schall und Rauch: Eine Mediengeschichte der Kurve* (Frankfurt am Main: Suhrkamp, 2009) sowie die Beiträge in Hans-Jörg Rheinberger und Michael Hagner, Hrsg., *Die Experimentalisierung des Lebens: Experimentalsysteme in den biologischen Wissenschaften 1850/1950* (Berlin: Akademie, 1993).

Katzen und Libellen, andererseits aber auch philosophisch und schließlich weltanschaulich zu erforschen. Der Organismus reagiert, so beschreibt es Uexküll seit seinem Buch *Umwelt und Innenwelt der Tiere* von 1909, durch eine Antwort in Form einer wirkenden Handlung, abhängig davon, was er mit dem Bauplan seiner körperlichen Fähigkeiten in der Umwelt ausrichten kann.[40] Die Merkmale eines Objekts und Objekte, die keine für den Organismus wichtigen Merkmale haben, die also nicht als Merkmalsträger die Merkorgane des Organismus ansprechen, werden nicht wahrgenommen und zählen nicht zur Umwelt des Organismus, wohl aber zur Umgebung. Auf sie kann nicht reagiert werden. Die Umwelt endet somit abhängig vom Bauplan des Lebewesens dort, wo ein gegebenes Objekt keine Rolle mehr für das Lebewesen spielt. Doch welchen Ort haben Objekte, die nicht als Teil einer Umwelt, aber als Teil einer Umgebung gegeben sind? Gibt es Objekte, die für kein Lebewesen als Merkmalsträger fungieren? Unter welchen Bedingungen können solche Objekte erkannt werden? Diese Fragen ignoriert Uexküll weitestgehend, doch machen sie sich in seinen Schriften immer wieder bemerkbar. Wichtig sind sie für die mit der Umweltlehre einhergehende Epistemologie des Umgebens, denn sie laufen in der Frage nach dem Außen der Umgebung zusammen.

6. Die Wissenschaft der Umwelt

Eine biologische Wissenschaft der Umwelten untersucht ihren Gegenstand notwendigerweise von außen als Umgebung über den Umweg der Merk- und Wirkmale. Will Uexkülls Biologie der Umwelten Gültigkeit beanspruchen, müssen die Methoden des Beobachters darauf ausgerichtet sein, die entscheidenden Bestandteile der Umwelt des in Frage stehenden Lebewesens zu identifizieren, auch wenn es, wie Uexküll in Referenz zu einem klassischen erkenntnisskeptischen Argument immer wieder

40 Vgl. Jakob von Uexküll, *Umwelt und Innenwelt der Tiere* (Berlin: Springer, [1909] 2014), hrsg. v. Florian Mildenberger und Bernd Herrmann.

 unterstreicht, nie möglich sein wird, die Umwelt eines Tieres so zu erfassen, wie dieses sie erlebt.

> Alle Versuche, die Wirklichkeit hinter der Erscheinungswelt, das heißt mit Vernachlässigung des Subjekts aufzufinden, sind immer gescheitert, weil das Subjekt beim Aufbau der Erscheinungswelt die entscheidende Rolle spielt und es keine Welt jenseits der Erscheinungswelt gibt.[41]

Die Umwelt eines Lebewesens könne nie von dessen Standpunkt aus erfahren werden, weil die Innenwelt anderer Arten kategorisch unzugänglich sei: „Alle Wirklichkeit ist subjektive Erscheinung."[42] Allenfalls eine tastende, literarische oder künstlerische Annäherung stellt Uexküll mit den in seinem populärstem Buch *Streifzüge durch die Umwelten von Tieren und Menschen: Ein Bilderbuch unsichtbarer Welten* abgedruckten Zeichnungen seines Hamburger Mitarbeiters Georg Kriszat in Aussicht (Abb. 2). Sie versuchen zu zeigen, wie tierische Umwelten dem Menschen erscheinen können und operieren dabei mit einer Evidenz der Verfremdung. Sie führen Uexkülls Verfahren der „Reduktion auf denselben Standpunkt"[43] vor: Der Forschende soll Objekte von dort aus beobachten, von wo aus das andere Lebewesen sie auch betrachtet und so trotz der Unaustauschbarkeit der Standpunkte Merk- und Wirkmale identifizieren. Denn es gilt, dass das Subjekt mit jeder Bewegung nicht nur seinen Ort verändert, sondern seine Umwelt neugestaltet. Eben diese Zuordnung von Objekten zu Umwelten sollen die Abbildungen vorführen.

41 Uexküll, *Theoretische Biologie*, 2.

42 Ebd. Uexküll verwendet den Begriff Rezeptor statt Sinnesorgan, um den Anschein zu vermeiden, die unzugänglichen Sinnesempfindungen zu beschreiben und stattdessen äußere Reize zu thematisieren. Vgl. Uexküll, „Biologie in der Mausefalle," 215.

43 H. Lassen, „Der Umgebungsbegriff als Planbegriff: Ein Beitrag zu den erkenntnistheoretischen Grundfragen der Umweltlehre," *Sudhoffs Archiv* 27, Nr. 6 (1935): 482.

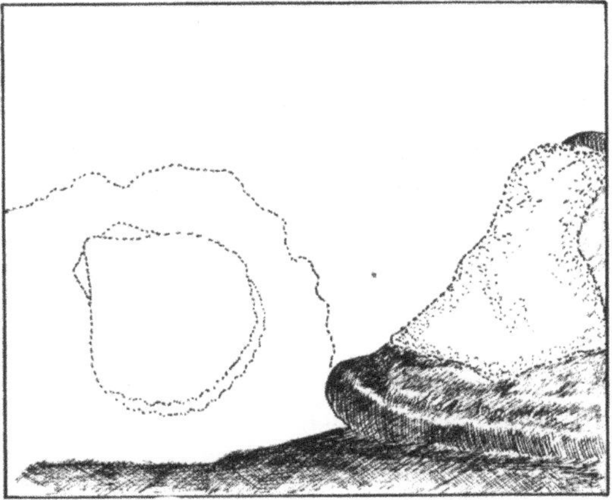

[Abb. 2] Umgebung und Umwelt der Pilgermuschel (Uexküll und Kriszat 1934, 45)

Doch Uexkülls detaillierte Darstellungen von Tier-Umwelten bleiben nicht bei der Perspektive des Beobachters, sondern beanspruchen konsequenterweise objektive Gültigkeit als wissenschaftliche Behauptungen. Der Absage an den Zugang zu fremden Subjektivitäten zum Trotz führt Uexküll eine Welt jenseits der Erscheinungen an, in der Objekte in unterschiedlichen Umwelten übereinstimmen. Wenn er in den *Streifzügen* anhand von Fotografien oder Zeichnungen illustriert, wie ein Mensch und wie eine Fliege eine Dorfstraße wahrnehmen, dann betrachtet er zwar explizit die Umwelt der Fliege durch die Umwelt des Menschen. Doch dass er die Umwelt der Fliege sowohl in den Abbildungen als auch im Text beschreiben kann, impliziert einen Zugang zu einer Außenwelt jenseits der menschlichen Umwelt. Wäre die Zugänglichkeit fremder Umwelten in radikaler Weise versiegelt, dann wären solche Darstellungen nichts anderes als Spekulation, weil sie eine unüberschreitbare Grenze überschreiten würden.[44] Für Uexküll hingegen führen sie die Essenz seiner Lehre vor und sind wissenschaftlichen Instrumenten gleichgestellt. Auch wenn die Innenwelt eines Lebewesens unzugänglich bleibt, kann es dem Biologen gelingen, die Merk- und Wirkmale einer Umwelt zu identifizieren – etwas, das Uexküll vornehmlich in den Experimentalstudien um die Jahrhundertwende unternommen, später aber zugunsten theoretischer Überlegungen aufgegeben hat. Für ein solches Vorgehen ist die Annahme einer Außenwelt und der Zugang zur Umgebung nötig, in der Objekte identifiziert werden können, die verschiedenen Umwelten angehören. Dieses Vorgehen mag kantianisch gesehen konsequent sein, weil die Annahme einer gemeinsamen Außenwelt nötig ist. Doch fragt sich, was dies für die Epistemologie des Umgebens bedeutet, die der Umweltlehre zugrunde liegt.

Diese Spannung ist bereits im Aufsatz *Die Umwelt* von 1909 angelegt, in dem Uexküll diesen Begriff erstmals erläutert. Zunächst schreibt er: „Alle Pflanzen und Tiere befinden sich, wie wir uns jederzeit überzeugen können, überall von den gleichen

44 Vgl. den klassischen Text Nagels: Thomas Nagel, „What Is It Like to Be a Bat?" *The Philosophical Review* 83, Nr. 4 (1974). Aus konstruktivistischer Sicht geht Uexküll nicht weit genug, weil alle seine Beschreibungen tierischer Umwelten die unüberschreitbare Grenze zu einem fremden Empfindungsvermögen zu überschreiten versuchen und allen Versuchen zum Trotz dem Vokabular, den Ausdrucksmöglichkeiten und den Medien der Biologie verhaftet bleiben.

Gegenständen umgeben wie wir."[45] Im Anschluss verdeutlicht er, dass die

> uns umgebende Welt nur einen Einzelfall bildet, aber keineswegs als normgebend angesehen werden darf. Freilich sind wir als Menschen gezwungen, von unserer menschlichen Umwelt auszugehen, wenn wir ein Verständnis für die Umwelten der Tiere gewinnen wollen. Denn eine absolute Welt, die auch ohne irgendwelche Beziehungen auf irgendwelche Sinnesorgane für sich allein bestünde, ist für uns unvorstellbar, ihre Gegenstände besäßen gar keine Eigenschaften.[46]

Außer, so könnte man mit der vorherigen Bemerkung anschließen, der Eigenschaft, Pflanzen und Tiere zu umgeben. Wenn ein Objekt in unterschiedlichen Umwelten zu finden ist, muss es einen Beobachter geben, der diese Übereinstimmung erkennen kann. Weil wir Zugang zur Welt nur durch unsere Sinnesorgane haben, diese aber „die ihnen eigentümliche Gestalt besitzen"[47], können wir nur von subjektiven Umwelten ausgehen. Die objektive Außenwelt, in der Lebewesen „von den gleichen Gegenständen umgeben [sind] wie wir"[48], existiert, so kann man Uexküll auslegen, unabhängig von jeder Beobachtung und hat innerhalb dieser Theorie die Funktion, die Vergleichbarkeit der Umwelten zu sichern.

An anderer Stelle ist in den *Streifzügen* von 1934 die Umgebung, in der ein Tier sich bewegt und in der es erforscht werden kann, „nichts anderes als unsere eigene menschliche Umwelt. Die erste Aufgabe der Umweltforschung besteht darin, die Merkmale des Tieres aus den Merkmalen seiner Umgebung herauszusuchen und mit ihnen die Umwelt des Tieres aufzubauen."[49] Was hier

45 Jakob von Uexküll, „Die Umwelt," *Neue Rundschau* 21, Nr. 2 (1910): 639.

46 Ebd.

47 Ebd.

48 Ebd.

49 Uexküll und Kriszat, *Streifzüge*, 11.

gleichsam als Programm einer kommenden Biologie formuliert ist (an deren Aufbau sich Uexküll zu diesem Zeitpunkt nur noch mit theoretischen Überlegungen beteiligt), wird jedoch auch anderswo nicht weiter ausbuchstabiert. Uexküll kritisiert zwar den „Glauben an die Existenz einer einzigen Welt, in der alle Lebewesen eingeschachtelt sind"[50], aber er tut dies – gegen Kant – in Bezug auf die Relativität von Raum und Zeit, die zu dieser Zeit mit Bezug auf Einsteins Relativitätstheorie diskutiert wird. Eine absolute, für alle Lebewesen gültige Zeit und einen ebensolchen Raum gebe es nicht, wie Uexküll in einem Brief an Adolf von Harnack schreibt:

> Nun hat aber Einstein diesen einheitlichen Vorstellungsraum vernichtet, indem er ihm sein Centrum nahm. Ohne Centrum kann ein Raum aber nicht existieren und wenn man ihm mehrere Centren gibt, so spaltet man ihn eben in mehrere Räume. D.h. wir kehren damit wieder zu den subjektiven Räumen zurück.[51]

Die Umweltlehre ergänzt in diesem Sinn die Relativität um die Zentrierung eines Subjekts in seiner Umwelt. Doch dieses Argument stellt nicht in Frage, dass es eine Möglichkeit gibt, die Gegenstände in den Umwelten der Tiere von außen und objektiv zu beobachten, selbst wenn die Tiere andere Räume und Zeiten bewohnen.

7. Der Beobachter des Außen

Die Ökologie gehört zu den prominenten Wissenschaften der ersten Hälfte des 20. Jahrhunderts, in denen – neben der Physik – die Figur des Beobachters eingeführt wird und verschiedene Stadien durchläuft: vom objektiven, sezierenden Blick von außen

50 Ebd.

51 Brief an Adolf von Harnack, 10. September 1928, zitiert nach Jutta Schmidt, „Jakob von Uexküll und Houston Stewart Chamberlain: Ein Briefwechsel in Auszügen," *Medizinhistorisches Journal* 10, Nr. 2 (1975): 122.

hin zum involvierten Teilnehmer, dessen Beobachtung das Beobachtete verändert. Uexkülls Theorie ist, auch wenn er sie nicht als Ökologie versteht, Bestandteil dieses Übergangs und pendelt unentschieden zwischen diesen beiden Figuren des Beobachters. Als bekennender, aber, wie gezeigt, sehr eigenwilliger Kantianer untersucht Uexküll den Bauplan der Lebewesen als apriorische Bedingung für die Umwelt. Wie kann also ein Beobachter etwas von der Umgebung wissen und vor allem die Umwelten anderer Lebewesen beschreiben?

Wichtig werden vor diesem Hintergrund Passagen, in denen Uexküll die Methodik seines Vorgehens beschreibt. Mit ihr reagiert er auf die Unmöglichkeit eines direkten Zugangs zu Umwelten. Er wendet sich sowohl gegen psychologisierende Versuche, die Umwelt mit den Augen des Tieres zu sehen (auch wenn er in den *Streifzügen* genau solche Versuche anstellt), als auch gegen anthropomorphe Analogien zu Umwelten von Tieren. Begriffe wie Merk- oder Wirkmal sind Versuche, aus dieser Psychologisierung auszusteigen und entsprechend im letzten Drittel des 20. Jahrhunderts von der Semiotik aufgenommen worden.[52] Uexkülls erkenntnistheoretisch fundierte Methodik führt daher ins Zentrum der die Umweltlehre prägenden Epistemologie des Umgebens. In der Retrospektion seiner Autobiographie *Niegeschaute Welten* von 1936, zu einer Zeit also, als er sich längst aus dem Tagesgeschäft des Experimentators zurückgezogen hat, beschreibt Uexküll sein Vorgehen in aller Deutlichkeit als subjektives Aneignen vom unhintergehbaren Standpunkt des Beobachters aus: „Umweltlehre ist eine Art nach außen verlegter Seelenkunde, die vom Standpunkt des Beobachters aus betrieben wird."[53]

52 Vgl. etwa die Uexküll-Sonderausgabe der Zeitschrift *Semiotica* 134, Nr. 1/4 (2001).

53 Jakob von Uexküll, *Niegeschaute Welten: Die Umwelten meiner Freunde. Ein Erinnerungsbuch* (Berlin: Fischer, 1936), 25.

An einer zentralen Stelle der Einleitung zu *Umwelt und Innenwelt der Tiere* von 1909 situiert Uexküll noch konträr zu dieser späteren Bemerkung einen Beobachter der Umwelt des Tieres, der die Umgebung außerhalb der Umwelt als Umgebung erkennt: „Es ist freilich nicht schwierig, ein beliebiges Tier in seiner Umgebung zu beobachten. Aber damit ist die Aufgabe keineswegs gelöst. Der Experimentator muss festzustellen suchen, welche Teile der Umgebung auf das Tier einwirken und in welcher Form das geschieht."[54] Diese programmatischen Zeilen haben im Kontext des bisher Gesagten drei Implikationen:

Erstens wird ein experimentierender Beobachter eingeführt, der über seine individuelle Umwelt hinaus die Umgebung beobachten kann, ohne in ein Wechselverhältnis zu ihr zu treten und sie dadurch zur Umwelt zu machen. Dieser Beobachter von 1909 kann durch die Anwendung von Uexkülls Methoden aus seiner Umwelt heraustreten und deshalb objektiv beobachten, wie das Tier in seine Umgebung eingepasst ist und was zu seiner Umwelt gehört bzw. was nicht.

Zweitens gibt Uexküll durch diese Einführung des Beobachters eine Anleitung für die Aufgaben des Biologen. Uexkülls Beobachter verfügt über den objektiven Blick, der Wissenschaft möglich machen soll. Nur mit dieser Objektivität kann er sich über die Mannigfaltigkeit von Umwelten erheben und vom herausgehobenen Standpunkt der Wissenschaft aus die Umwelten der Tiere methodisch untersuchen. Entsprechend kann Uexküll an anderer Stelle schreiben: „Das Leben eines Tieres ist uns erst dann bekannt, wenn wir seine sämtlichen Funktionskreise umschritten haben. Dann erst steht das Tier inmitten seiner Umwelt als sinnvolles Ganzes vor uns."[55] Die Handlungsanweisung, Funktionskreise zu umschreiten, erfordert die Möglichkeit, sie von außen zu beobachten, ohne Teil von ihnen zu werden. Wo die Vielfalt und Verschachtelung von Umwelten Vergleich und Experiment

54 Uexküll, *Umwelt und Innenwelt der Tiere*, 5.
55 Uexküll, „Biologie in der Mausefalle," 218.

unmöglich zu machen droht, sichert der Standpunkt von außen auch den Ort wissenschaftlichen Wissens ab. Gäbe es nur eine Mannigfaltigkeit von Umwelten und keinen Zugang zur Umgebung, wäre eine wissenschaftlich-objektive Auseinandersetzung mit Lebewesen in ihren Umwelten und eine Identifizierung ihrer Merk- und Wirkmale, wie sie Uexküll als Idealbild und Methode vorschwebt, kaum möglich. In anderen Worten: Die Grenze des Perspektivismus ist der Beginn objektiver Wissenschaft.

8. Im Labor der Umwelt

Bevor wir uns der dritten Implikation zuwenden, ist es aufschlussreich, einen Blick auf die experimentellen Praktiken Uexkülls zu werfen, soweit sie sich aus seinen Schriften rekonstruieren lassen.[56] Wie Christina Wessely gezeigt hat, führt Uexküll um die Jahrhundertwende umfangreiche und umständliche experimentelle Forschungen durch, die durch die eingängigen Narrationen seiner für ein breites Publikum geschriebenen Bücher überblendet und tendenziell unsichtbar gemacht werden. Er schließt in seiner ertragreichsten Phase als Experimentator und Anatom in den ersten beiden Dekaden des 20. Jahrhunderts an die Praxis der Aquarianer an, Umgebungen zu gestalten, in denen Meeresorganismen auch an Land in künstlichen Umgebungen überleben können. Dazu „mussten die Umgebungen besonders genau studiert werden, um aus der systematischen Abänderung einzelner Elemente Erkenntnisse ziehen zu können."[57] Die künstliche Umgebung des Aquariums hängt, so Wessely, eng mit der Entstehung der Ökologie zusammen: Nicht nur können in Aquarien

56 Vgl. zur Experimentalpraxis Uexkülls auch Astrid Schwarz, „Baron Jakob von Uexküll: Das Experiment als Ordnungsprinzip in der Biologie," in *Das bunte Gewand der Theorie: Vierzehn Begegnungen mit philosophierenden Forschern*, hrsg. v. Astrid Schwarz und Alfred Nordmann (Freiburg: Alber, 2009).

57 Christina Wessely, „Wässrige Milieus: Ökologische Perspektiven in Meeresbiologie und Aquarienkunde um 1900," *Berichte zur Wissenschaftsgeschichte* 36, Nr. 2 (2013): 141. Vgl. dazu auch Mareike Vennen, *Das Aquarium: Praktiken, Techniken und Medien der Wissensproduktion* (Göttingen: Wallstein, 2018).

Lebewesen in beobachtbaren Anordnungen leben oder sterben, sondern auch in Abhängigkeit von ihren Umgebungen kontrolliert werden. Auch die Figur des Beobachters tritt in dieser Forschung besonders deutlich hervor: Er steht auf der anderen Seite der Glasscheibe und betrachtet die Wechselwirkung von Umgebung und Lebewesen von außen, kann aber modifizierend eingreifen und die Umgebung nach seinen Interessen verändern, um Merk- und Wirkmale zu identifizieren. Die Besonderheit des mit dem Aquarium konstituierten Umgebungswissens liegt darin, dass Umgebenes nur durch Umgebendes und Umgebendes nur durch Umgebenes erforscht werden können, was eine Erfassung ihrer Abhängigkeitsverhältnisse der Regulation und Reziprozität nötig macht. In diesem Sinn kann Uexkülls Forschung als ökologisch verstanden werden, auch wenn er sie selbst nie so bezeichnet hätte.

In unterschiedlichen Stadien seiner Karriere überführt Uexküll in den Laboren in Heidelberg, Neapel und Hamburg auf diese Weise Lebewesen in eine reduzierte Umgebung, um das Einzelwesen in Bezug zu isolierten Merkgegenständen zu setzen. Wissenschaftliches Vorgehen besteht für Uexküll, wie er in vielen seiner Beispiele vorführt, im Zergliedern und Isolieren. Dem neuzeitlichen Wissenschaftsverständnis entsprechend ist die Synthese als Analyse des Bauplans und der Organisation erst der anschließende Schritt. Zwar sei der Bauplan nicht durch Zergliederung und Isolierung von Einzelelementen erfassbar, doch um überhaupt in die Position zu kommen, eine Umwelt in wissenschaftliches Wissen zu übersetzen, seien diese Schritte notwendig. Es geht dabei jedoch nicht nur um die Zusammensetzung der jeweiligen Umwelt, sondern um die Planmäßigkeit der Natur:

> Die Aufgabe der Biologie besteht infolgedessen neben der Erforschung der Einzelfunktionen auch darin, den Plan kennen zu lernen, nach welchem sich die Einzelfunktionen der Teile zu Gesamtfunktionen des Ganzen

> zusammenfinden. Man nennt dies die Erforschung des Funktionsplanes oder Bauplanes der Organismen.[58]

Der Bauplan ist, wie Gregor Schmieg ausgeführt hat, zugleich ein „physiologisches Strukturprinzip des individuellen Organismus" als auch ein „Spielraum für die konkrete Ausprägung des Organismus" in der „Ordnung der lebendigen Natur"[59]. Uexkülls Methodik versucht, beides zu berücksichtigen.

Die künstliche Umgebung des Labors dient zwar dazu, das Lebewesen in seiner Umgebung und nicht von ihr losgelöst zu erforschen. Doch die wissenschaftliche Methodik besteht darin, die Eigenschaften des Lebewesens zu zergliedern und dann ihr Wechselverhältnis mit den vorselektierten Bedingungen der streng kontrollierten Laborumgebung über den „Umwege der Erforschung seiner Bedeutungsträger"[60] zu untersuchen. Uexkülls Experimentieren geht es also weniger um die ganzheitliche Betrachtung, die er in seinen Texten in den Vordergrund rückt, als vielmehr um eine rationalistische Isolation und die Zergliederung durch anatomische Studien an Sinnes- und Fortbewegungsorganen. Auch die von Uexküll bereits um 1900 eingesetzten Verfahren der Chronophotographie und etwas später der Kinematographie erlauben ihm, wie Katja Kynast und Inga Pollmann gezeigt haben[61], mittels Zeitachsenmanipulation und unabhängig von

58 Jakob von Uexküll, „Die neuen Fragen in der experimentellen Biologie," *Rivista di Scienza* 4 (1908): 80.

59 Gregor Schmieg, „Die Systematik der Umwelt: Leben, Reiz und Reaktion bei Uexküll und Plessner," in *Das Leben im Menschen oder der Mensch im Leben? Deutsch-französische Genealogien zwischen Anthropologie und Anti-Humanismus*, hrsg. v. Thomas Ebke und Caterina Zanfi (Potsdam: Universitätsverlag Potsdam, 2017), 360.

60 Jakob von Uexküll, „Die Bedeutung der Umweltforschung für die Erkenntnis des Lebens," *Zeitschrift für die gesamte Naturwissenschaft* 1 (1935/36): 272.

61 Katja Kynast hat argumentiert, dass die Konturierung des Uexküllschen Subjekts eng mit kinematographischen Metaphern verbunden ist (vgl. Katja Kynast, „Kinematografie als Medium der Umweltforschung Jakob von Uexkülls," *Kunsttexte.de* 4 (2010)). Zu Uexkülls Medienmetaphern vgl. Julian Jochmaring, „Im gläsernen Gehäuse".

menschlicher Wahrnehmung die Umwelt des Tieres zu erforschen.[62] Mit diesen unterschiedlichen Verfahren können schrittweise die Wirk- und Merkmale identifiziert werden, aus denen die jeweilige Umwelt zusammengesetzt ist.

Im Falle der Zecke, Uexkülls wohl einflussreichstem Beispiel aus den *Streifzügen*, reichen drei Merk- und Wirkmale, um ihre Umwelt zu charakterisieren: Wärme, Buttersäure und der mechanische Reiz der Hautoberfläche des Wirtstieres. Aus diesen drei Elementen kann die Umwelt der Zecke extrapoliert werden. Umweltforschung besteht aber nicht nur in der Identifizierung von Wirk- und Merkmalen. Insofern es dieser Biologie um die Erforschung der Planmäßigkeit geht, setzt sie in der Untersuchung von Umwelten voraus, was sie erforschen will:

> Das einzige, was wir feststellen können, ist ein unerhört reiches Gewebe von sich überschneidenden und ineinander eingepasster subjektiver [sic] Umwelten. Dies Umweltgewebe wird von einer über allen Zweifel erhabenen Planmäßigkeit beherrscht, die uns auf Schritt und Tritt begegnet, sobald wir es gelernt haben, auf die biologischen Beziehungen zu achten.[63]

9. Der Blindenhund

Um auf das oben zitierte Zitat von Uexküll zurückzukommen, impliziert es drittens und letztens eine Umgebung, die alle Umwelten umfasst. Es mag eine Vielzahl von gleichberechtigten Umwelten geben, in denen unterschiedliche Lebewesen leben, doch über ihnen wölbt sich diesem Zitat zufolge eine objektive Umgebung, zu der allein der Wissenschaftler mit seinen Verfahren Zugang hat. Er kann Objekte erkennen, die

62 Inga Pollmann, „Invisible Worlds, Visible: Uexküll's Umwelt, Film, and Film Theory," *Critical Inquiry* 39, Nr. 3 (2013): 798.

63 Uexküll, „Die Bedeutung der Umweltforschung für die Erkenntnis des Lebens," 269.

in unterschiedlichen Umwelten als Merkmalsträger vorhanden
sind und dann durch Isolation und Zergliederung spezifische Merkmale an ihnen identifizieren, von denen aus eine Synthese geleistet werden kann. Die Spannung zwischen der räumlichen Umgebung und der subjektiven Umwelt tritt hier deutlich hervor: Obwohl die Qualitäten der Empfindung notwendigerweise verschlossen bleiben, erscheint die Umwelt als ein vom jeweiligen Lebewesen abhängiger Bestandteil einer Umgebung, aus der sie vom Beobachter entsprechend des Bauplans des Lebewesens herausgelöst wird.

> Um das Subjekt Tier in dem Teil der Außenwelt, mit dem es allein in Beziehung steht, und den ich seine ‚Umwelt' nenne, zu untersuchen, stehen dem Biologen sowohl die physikalischen Faktoren der Außenwelt wie die physiologischen Faktoren des Tierkörpers zur Verfügung; auf den psychologischen Faktor muss er verzichten.[64]

Die psychologische Unzugänglichkeit fremder Umwelten – die Unmöglichkeit, sich in ein Tier hineinzuversetzen und die Welt mit seinen Sinnesorganen zu erkennen – bedeutet nicht, dass diese Umwelt nicht mit anderen Verfahren erforscht werden könnte. Die Erforschbarkeit von Umwelten hängt an der Planmäßigkeit, d.h. an deren vorgegebener Ordnung. Doch mit dieser Annahme wird die Unterscheidung zwischen Umwelt und Umgebung für den wissenschaftlichen Beobachter brüchig – sie wird als erkenntnistheoretische Barriere aufrechterhalten und zugleich experimentell überwunden.

Besonders deutlich wird all dies an Uexkülls Arbeiten zum Blindenhund aus den 1930er Jahren.[65] Der Blindenhund darf sich,

64 Jakob von Uexküll, „Biologische Briefe an eine Dame, Brief 4–12," *Deutsche Rundschau*, Nr. 179 (1919): 144. „[D]er Bauplan eines jeden Lebewesens drückt sich nicht nur im Gefüge seines Körpers aus, sondern auch in den Beziehungen des Körpers zu der ihn umgebenden Welt." Uexküll, *Umwelt und Innenwelt der Tiere*, 4.

65 Katja Kynast hat diese Forschungen ausführlich dargestellt, weshalb ich mich hier auf einen Aspekt konzentrierte (vgl. Katja Kynast,

 so die Prämisse, nicht nur durch seine angestammte Umwelt bewegen, sondern muss zugleich jene Hindernisse umgehen, die dem Blinden gefährlich werden könnten, aber nicht Teil der Hundeumwelt sind. Bereits vor seiner Beschäftigung mit Blindenhunden waren Hunde in Uexkülls Interesse gerückt, weil sie mit ihrer auch dem Menschen zugänglichen Reviermarkierung einen Einblick in ihre Merkwelt bieten. In seinem gemeinsam mit Emmanuel G. Sarris verfassten Aufsatz *Das Duftfeld des Hundes* von 1931 führt Uexküll aus, wie sich über die „Beziehung vom Hund zum Eckstein"[66] auf einer Karte des Hamburger Zoologischen Gartens die Umwelt von vier Uexküll zur Verfügung stehenden Hunden anhand ihrer Urinierfrequenz an bestimmten Orten und abhängig von der Anwesenheit anderer Hunde rekonstruieren lässt. Holzklötze wirken dabei als bewegliche Merkzeichen für den Hund. Das Ziel dieser empirischen Untersuchung besteht darin, „die Ich-Tönung der Hundewelten"[67] zu verdeutlichen, durch die alles innerhalb ihres Reviers zum Eigentum erklärt wird.

Die praktische Dimension solcher Anwendungen der Umweltlehre wird deutlich, wenn Uexküll die Dressur von Blindenhunden als philosophische Schwierigkeit der Überwindung des tiefen Abgrunds zwischen Umwelten darstellt: Der Blindenhund muss im Rahmen seiner Dressur seiner eigenen Umwelt eine Reihe von für den Blinden bedeutsamen Merkmalen hinzufügen und an ihnen seine Wirkwelt ausrichten. Die Texte, die Uexküll in diesem Zusammenhang veröffentlicht, beschäftigen sich mit den notwendigen praktischen Überschreitungen zwischen den Umwelten nicht durch eine Verschmelzung der Subjektivitäten, sondern durch eine kleinteilige Anleitung zur Steuerung von Wirk- und Merkmalen. Der Hund muss nicht nur auf ein bestimmtes

„Personalerweiterung: Gefüge von Menschen, Phantomen und Hunden in der Blindenführhundausbildung nach Jakob von Uexküll und Emanuel Sarris," in *Animal Encounters: Kontakt, Interaktion und Relationalität*, hrsg. v. Alexandra Böhm und Jessica Ullrich (Berlin: Metzler, 2019)).

66 Uexküll und Sarris, „Das Duftfeld des Hundes," 53.

67 Ebd., 68.

Verhalten dressiert werden, sondern es müssen Merkzeichen in seiner Umwelt geprägt werden, die nicht Teil der ursprünglichen Hundeumwelt sind. Der Hund muss diese Bedingungen dann in die Umwelt des Blinden tragen.

> In der Hundewelt gibt es nur Hundedinge, in der Libellenwelt nur Libellendinge und in der Menschenwelt nur Menschendinge. Ja noch weiter: Herr Schulz wird nur mit Schulzendingen zusammentreten und nicht mit Meyerdingen und umgekehrt niemals Meyer mit Schulzendingen. Jeder Mensch muss seine Welt mit Hilfe seiner Sinnesbrille um sich aufbauen.[68]

Wie Uexküll beschreibt, werden Blindenhunden während der Dressur Hindernisse eingeprägt, die nicht Teil ihrer Umwelt sind und auch vom Blinden nicht gesehen werden können, sondern nur vom Dresseur. Uexküll fordert, in die Dressur die Überlappung der Umwelt des Hundes mit der Umwelt des Blinden einzubeziehen, um den Hund so zur Selbständigkeit in seiner modifizierten Umwelt zu erziehen.[69] Eine praktische Anweisung zum Erreichen dieses Ziels gibt Uexküll mit dem Vorschlag, einen Abrichtewagen in der Größe eines Menschen einzusetzen, den der Hund ziehen soll.[70] Dadurch würde dessen Merkwelt auf den Menschen erweitert – in den Worten Stefan Riegers würden „Menschendinge zu Hundedingen"[71] –, insofern Kollisionen direkten Einfluss auf die Bewegungen des Hundes hätten. Anhand dieser Ausführungen wird deutlich, dass die Bestimmung eben jener zu erreichenden Überlappung der beiden Umwelten voraussetzt, dass beide als Umgebungen und somit von einem höheren Standpunkt aus betrachtet werden können.

68 Jakob von Uexküll, „Zum Verständnis der Umweltlehre," *Deutsche Rundschau* 256, Nr. 7 (1938): 64.

69 Vgl. Uexküll und Sarris, „Das Duftfeld des Hundes."

70 Vgl. Jakob von Uexküll und Emmanuel G. Sarris, „Dressur und Erziehung der Führhunde für Blinde," *Der Kriegsblinde* 16, Nr. 6 (1932).

71 Stefan Rieger, „Bipersonalität: Menschenversuche an den Rändern des Sozialen," in *Kulturgeschichte des Menschenversuchs im 20. Jahrhundert*, hrsg. v. Birgit Griesecke et al. (Frankfurt am Main: Suhrkamp, 2009), 196.

10. Die Metaphysik der Planmäßigkeit

Die Umwelt ist für Uexkülls Beobachter in diesem Sinne von einer Umgebung umgeben, die selbst nicht umgeben, sondern der Ort der Beobachtung von außen ist. Wäre die Umgebung umgeben, wäre sie eine Umwelt, die es aufgrund ihres perspektivischen Status nicht ermöglichen würde, andere Umwelten zu beobachten. Weil er eine un-umgebene Umgebung annimmt, ist es für Uexküll so wichtig, die Beobachtbarkeit der Umwelten vom Standpunkt der Umgebung her zu begründen. So kann er den Unterschied zwischen der subjektiven Hervorbringung der Umwelt und der räumlichen, vom Subjekt unabhängigen Umgebung begründen. Doch mit dieser Unterscheidung handelt er sich das Problem ein, klären zu müssen, wie ein Subjekt die Umgebung erfassen kann.

An den zitierten Stellen postuliert Uexküll demnach eine in der *Theoretischen Biologie* verneinte Umgebung aller Umwelten, von der aus die Umwelten der Tiere dem wissenschaftlichen Beobachter über die Erforschung von Wirk- und Merkmalen zugänglich seien. Diese Annahme einer Umgebung der Umwelten hat innerhalb seiner Theorie eine vereinheitlichende Funktion, weil sie die Vielfalt der Umwelten erfasst, ohne dass deren subjektive Qualität damit als zugänglich postuliert würde. Auch wenn diese Schranke bestehen bleibt, sorgt die Umgebung – durchaus im Sinn des antiken *periechon* – dafür, dass alle Umwelten ihren Ort haben, selbst wenn sie keine räumlichen Verhältnisse bezeichnen. Ihre Vielfalt wird, wie man den *Streifzügen* entnehmen kann, von einer Einheit organisiert, die den aus der Umgebung herausgelösten Umwelten Sinn stiftet:

> Es ist die Rolle, die die Natur als Objekt in den verschiedenen Umwelten der Naturforscher spielt, höchst widerspruchsvoll. Wenn man ihre objektiven Eigenschaften zusammenfassen wollte, so ergäbe sich ein Chaos. Und doch werden alle diese verschiedenen Umwelten gehegt und getragen von dem Einen, das allen Umwelten für ewig verschlossen bleibt.

> Hinter all seinen von ihm erzeugten Welten verbirgt sich ewig unerkennbar das Subjekt – Natur.[72]

Uexkülls Wissenschaft geht es letzten Endes um die Erkenntnis dieser als Subjekt gefassten Natur. Sie wird von Uexküll als die Ordnung hinter allen Erscheinungen und damit als das Prinzip beschrieben, das allen Umwelten ihren Ort gibt. Sie ist unerkennbar und deshalb kein Objekt, sondern ein Subjekt. Ihre Erkenntnis sei möglich, weil der Bauplan der Tiere, der erforscht werden soll, einer Planmäßigkeit folgt, die die Natur selbst zum Gegenstand des Erkennens macht: „An die Stelle des zentralen Subjektes tritt ein alle Subjekte verbindender und beherrschender Plan."[73] Der Bauplan aller Lebewesen sei ein „zweckmäßiger Zusammenhang"[74] der Beziehungen zwischen Lebewesen und Umwelten, der jedem Teil seinen Ort im Ganzen gebe. Von Anfang an ist jedes Lebewesen in seine Welt eingepasst. Evolution ist unnötig. Die Annahme der Planmäßigkeit ist auch eine Kritik am Darwinismus, weil Umwelt und Lebewesen notwendigerweise eingepasst sind und sich Uexküll zufolge nicht anpassen müssen. Entsprechend kann der Beobachter das

> lückenlose Zusammenstimmen der Körperorganisation mit der Umwelt anstaunen. Nichts ist dem Zufall überlassen – alles passt ineinander. Die Sonne der Umwelt trägt das Maß des Auges, und das Auge des Lebewesens trägt das Maß der Sonne seiner Welt. [...] Eine überräumliche und überzeitliche Macht trägt, bewegt und bildet alles – die Planmäßigkeit.[75]

Weil in dieser monadologischen Ordnung alle Subjekte ihren Ort haben und eingepasst sind, schließt Uexküll darauf, dass die Vielfalt von Bauplänen im Ganzen aufgeht und dabei die Subjektivität der Natur selbst konstituiert. Uexküll spielt an dieser Stelle, wie bereits gezeigt, auf die von Goethe postulierte Harmonie

72 Uexküll und Kriszat, *Streifzüge*, 103.
73 Uexküll, „Wie sehen wir die Natur und wie sieht die Natur sich selber?," 316.
74 Uexküll, „Die Umwelt," 640.
75 Uexküll, „Biologische Briefe an eine Dame, Brief 4–12," 148.

der Natur an, in der das Auge sonnenhaft ist, um die Sonne zu erblicken. Der Bauplan ist in diesem Sinn „noch keine abgeschlossene Einheit, bevor man nicht die Gegenstände der Umwelt mit hineinzieht."[76] Doch dazu ist es nötig, dass ein Beobachter die Objekte der Außenwelt erkennt und anhand von experimenteller Forschung jene auswählt, die zur Umwelt des Tieres gehören: „Dieser Rest der Welt bildet unsere Umwelt."[77] Biologie ist für Uexküll zuallererst die Wissenschaft von den Bauplänen der Lebewesen und damit von ihrer Planmäßigkeit.

An die Stelle des erkennenden Subjekts, das die Umgebung zur Umwelt machen würde, tritt mithin das Subjekt der Natur, deren Planmäßigkeit und Einheit in der Vielheit begründet, warum die Umwelten in ihrer Mannigfaltigkeit auf eine Umgebung bezogen sind. Die Umgebung braucht bei Uexküll keine Umgebung, weil sie Teil der Natur ist, die sie umgibt. Mit dieser Aufhebung der Mannigfaltigkeit in die Natur im Singular, die alle Umwelten umspannt, lässt Uexküll somit die Vielfalt in der Einheit aufgehen und setzt das Subjekt der Natur an die Stelle der Unterschiede zwischen unzugänglichen Umwelten. Die Planmäßigkeit der Natur, in der alles seinen Ort hat, wird damit zur Möglichkeit, die Abgeschlossenheit der Umwelt hinter sich zu lassen: „Nur die Erkenntnis, dass alles in der Natur seiner Bedeutung gemäß erschaffen ist, und daß alle Umwelten als Stimmen in die Weltpartitur hineinkomponiert sind, eröffnet uns den Weg, der aus der Enge der eigenen Umwelt hinausführt."[78] Ohne diese Metaphysik der Planmäßigkeit ist die Umweltlehre Uexkülls undenkbar.

76 Uexküll, „Die Umwelt," 641.

77 Ebd.

78 Jakob von Uexküll, *Bedeutungslehre* (Leipzig: Barth, 1940), 168. Benjamin Bühler hat die rhetorische Strategie aufgezeigt, mit der es Uexküll gelingt, „das Phantasma einer organismischen Ganzheit [zu erzeugen], deren Hypostasierung den Weg in die Umwelt-Lehre eröffnete." Benjamin Bühler, „Das Tier und die Experimentalisierung des Verhaltens: Zur Rhetorik der Umwelt-Lehre Jakob von Uexkülls," in *Wissen. Erzählen: Narrative der Humanwissenschaften*, hrsg. v. Arne Höcker, Jeannie Moser und Philippe Weber (Bielefeld: Transcript, 2006), 49.

In den *Streifzügen* schleicht sich bei der Diskussion der Planmäßigkeit ein vielsagender, von Uexküll unverschuldeter Rechtschreibfehler ein: In der Originalausgabe, 1934 bei Julius Springer erschienen, ist davon die Rede, das Subjekt Natur sei „unerkennbar", während in der von Adolf Portmann eingeleiteten Neuauflage für Rowohlts Deutsche Enzyklopädie von 1956 „unverkennbar" steht.[79] Dass Uexkülls Satz in beiden Varianten Sinn macht, verweist auf das im vorangegangenen Kapitel skizzierte Konzept der Anschaulichkeit, dessen Pointe es ist, Unsichtbares zum Selbstverständlichen zu erklären. Es zeigt zudem, wie nah sich die beiden aufgeworfenen Annahmen sind. Dass das Subjekt Natur unerkennbar ist, ist erkennbar unverkennbar. Die Ordnung des Bauplans, in dem alles ineinander eingepasst ist, zeugt von der unhintergehbaren Harmonie der Natur, die aus den Umwelten heraus unzugänglich bleibt, obwohl alles Teil ihrer Ordnung ist. In diesem Sinn ist die Umweltlehre holistisch: Das Ganze gibt den Teilen ihren Ort in der Organisation. Als Einzelne sind sie isoliert. Erst als Teil des Ganzen gewinnen sie ihren Sinn, indem sie an einen festen Ort gefügt werden. Auch dieser strukturelle Konservatismus, der sich gleichermaßen aus Uexkülls Anti-Darwinismus wie aus seiner politischen Haltung speist, ist in der Umweltlehre verankert.

Die Planmäßigkeit der un/v/erkennbaren Natur, die den Bauplänen der Lebewesen zugrundeliegt, gibt der Umweltlehre einen Platz in einer harmonischen Naturphilosophie, die auf eine universelle Einheit zustrebt: „Die Planmäßigkeit ist die Weltmacht,

79 Vgl. Jakob von Uexküll und Georg Kriszat, *Streifzüge durch die Umwelten von Tieren und Menschen: Ein Bilderbuch unsichtbarer Welten* (Reinbek: Rowohlt, 1956), 101. Die beiden englischen Übersetzungen von 1957 und von 2010 halten sich an die frühere Formulierung „unerkennbar": Jakob von Uexküll, „A Stroll Through the Worlds of Animals and Men: A Picture Book of Invisible Worlds," in *Instinctive Behaviour: The Development of a Modern Concept*, hrsg. v. Claire Schiller (New York: International Universities Press, 1957), 80 sowie Jakob von Uexküll, *A Foray into the Worlds of Animals and Humans: With a Theory of Meaning* (Minneapolis: University of Minnesota Press, 2010), 135.

 die Subjekte schafft.“[80] Wie im vorangegangenen Kapitel gezeigt, impliziert diese für die deutschsprachige Biologie von Goethe und Haeckel formulierte Position des in das Beobachtete involvierten Beobachters die Möglichkeit einer universellen Verbundenheit. Diese umfasst nicht nur alle Bestandteile der Natur, sondern auch die Einheit des Beobachters mit dem Beobachteten. Die Annahme einer vom Subjekt unabhängigen, un-umgebenen Umgebung hingegen legt nahe, dass diese Umgebung als für sich subjektive, für andere objektive Bedingung aller Umwelten existiert.

Die vermeintlich subjektive Qualität des Umweltbegriffs, laut dem jedes Lebewesen einschließlich des Biologen seine Umwelt hervorbringt, wird mithin durch den Beobachter von 1909, der außerhalb der Umwelt steht, sowie durch die ebenso unerkennbare wie unverkennbare Annahme einer Planmäßigkeit der Natur konterkariert. Zwar führt Uexküll an verschiedenen Stellen einen subjektiven Beobachter ein, doch die Differenz von Umwelt und Umgebung bleibt davon unangetastet. Im folgenden Zitat aus den *Streifzügen* tritt diese Problematik ebenfalls deutlich hervor: „Es gibt also reine subjektive Wirklichkeiten in den Umwelten. Aber die objektiven Wirklichkeiten der Umgebung treten nie als solche in den Umwelten auf.“[81] Es gibt demnach objektive Wirklichkeiten, selbst wenn sie in den subjektiven Umwelten nicht in Erscheinung treten. Der Beobachter hat Zugriff auf diese objektiven Wirklichkeiten, insofern er sich außerhalb der Umwelt bewegt. An dieser Stelle, ein Vierteljahrhundert nach *Umwelt und Innenwelt der Tiere* niedergeschrieben, erscheint die Umgebung, in der ein Wissenschaftler die Umwelt eines Tieres beobachtet, wiederum als dessen Umwelt und zugleich als Möglichkeit des Zugangs zur Umgebung. Der Zirkel, in dem die Subjektivität des Beobachters, der aus der Umgebung eine Umwelt macht, die wiederum dazu dient, andere Umwelten zu erforschen, ist damit geschlossen.

80 Uexküll, „Biologische Briefe an eine Dame, Brief 4–12,“ 281.

81 Uexküll und Kriszat, *Streifzüge*, 91.

Doch bleibt die Frage, wie dann wissenschaftliche Erkenntnis möglich sein kann. Selbst wenn die Behauptung einer Unhintergehbarkeit der Umwelt in Uexkülls Werk anhand seiner Beispiele *in extenso* ausgeführt ist – die Umwelt der Zecke bleibt dem Menschen verschlossen – und man viele Belege für die Mannigfaltigkeit von Umwelten anführen kann, bleibt die objektive Beobachtbarkeit der Umgebung in Uexkülls Büchern zentral für die methodische Grundlage seiner Umweltlehre. Uexküll braucht die Annahme einer objektiven Außenwelt nicht für seine Umweltlehre – dort widerspricht er ihr –, aber er braucht sie, um seine Lehre methodisch zu fundieren und auf die Metaphysik der Planmäßigkeit hin auszurichten. Die Annahme einer Außenwelt ist nötig, um die Validität der wissenschaftlichen Beobachtung mit dem Ziel einer Erkenntnis der Planmäßigkeit der Natur zu begründen und sie nicht einem unendlichen Perspektivismus anheimfallen zu lassen, in dem es keinen festen Standpunkt gibt. Ein solcher erkenntnistheoretischer Relativismus macht für Uexküll nur dann Sinn, wenn er der Planmäßigkeit untergeordnet und seine Relativität damit eingehegt ist.

Die Planmäßigkeit impliziert die Annahme, dass in der Verschachtelung von Umwelten jedes Lebewesen seinen Ort hat. Veränderungen sind, wenn überhaupt, nur in sehr kleinen Schritten möglich und bringen die Stabilität des Gefüges in Gefahr. Evolutionäre Anpassung, die Variabilität der Arten, die Geschichtlichkeit von Positionen oder gesellschaftliche Veränderungen sind in diesem Modell undenkbar. Dies spiegelt sich auch in der Ausweitung auf die Politik, die Uexküll in der *Staatsbiologie* anstrebt – 1920 noch abstrakt, 1933 als Lob des Nationalsozialismus. Dort wird die Isolation der Umwelten voneinander zum Ordnungsmodell eines auf dieser Lehre aufbauenden Staates sowie einer kulturkritischen Pathologie der Demokratie. Uexkülls Staatsorganizismus zieht seine Kraft daraus, dass jeder tut, was er zu tun hat, seine Funktionen erfüllt und den angestammten Ort nicht verlässt. Deswegen kann Uexküll diese Theorie problemlos in eine Lehre vom totalen Staat umformen. Nur wenn jeder seine

Funktion ausübt, kann dieser Staat sein volles Potential entfalten. In diesem Ordnungsmodell garantiert, wie Leander Scholz gezeigt hat, die Planmäßigkeit der Natur die Stabilität des Staates.[82] Es gibt nur eine vorgefundene Ordnung, die solange stabil bleibt, wie sich jeder an seine Rolle hält. Die „Weltmacht"[83] der Planmäßigkeit, die in dieser Epistemologie des Umgebens allem Umgebenen seinen Ort gibt und jedes Teil auf das Ganze bezieht, ist somit untrennbar mit Uexkülls Ausweitung der Biologie auf die Politik verbunden. Seine Anbiederung an den Nationalsozialismus basiert auf dieser Grundlage.

11. Die Einheit der Umwelt

In der Rezeption Uexkülls sind die Metaphysik der Planmäßigkeit und die Aporie des Umgebens häufig ignoriert worden, gerade wenn es in den letzten Jahren darum ging, die Umweltlehre für emanzipatorische Theoriebildungen zu erschließen. Dabei sind die problematischen Aspekte der Umweltlehre mitunter aus dem Blick geraten, was wiederum dazu geführt hat, dass Uexkülls politische Haltung entweder ignoriert oder aber heruntergespielt wurde. Sein Holismus und sein Engagement für den Nationalsozialismus lassen sich jedoch weder biographisch noch theoretisch trennen.

Uexkülls wiederkehrende Behauptung einer Multiplizierung der Umwelten in einer „unüberschaubare[n] Fülle sich überschneidender und sich widersprechender Welten"[84] wird gegenwärtig als politisch tragfähiges Fundament etwa für eine relationale Erkenntnistheorie, für eine Philosophie der Mannigfaltigkeit, für eine „pluralistische Ontologie"[85], für ein „milieu of pure

82 Vgl. Leander Scholz, „Karl August Möbius und die Politik der Lebensgemeinschaft," *Zeitschrift für Medien- und Kulturforschung* 7, Nr. 2 (2016).

83 Uexküll, „Biologische Briefe an eine Dame, Brief 4–12," 281.

84 Uexküll, *Theoretische Biologie*, 221.

85 Thorsten Rüting, „Ohne biologische Körper kein intelligentes Modell der Welt: Wissenschaftshistorische Betrachtungen zur Rezeption Jakob von Uexkülls und zur Kritik an der Entwicklung Künstlicher Intelligenz (KI)," in

relationality and perspectivism“[86] oder für „multispecies relationships“[87] in Anspruch genommen.[88] Seine Absage an eine auf den Menschen fixierte Perspektive macht ihn zum Vorbild einer nondualistischen Weltsicht, in der menschliche und tierische Lebensformen gleichberechtigt nebeneinander stehen.[89] Uexkülls Arbeiten zu den Funktionskreisen von Seeigeln, Schnecken oder Hunden, die diese Lebewesen in ihrer Komplexität ernstnehmen,

Modelle, hrsg. v. Ulrich Dirks und Eberhard Knobloch (Frankfurt am Main, New York: Peter Lang, 2008), 265.

86 Leonie A. de Vries, „Political Life beyond the Biopolitical?“ *Theoria* 60, Nr. 134 (2013): 61.

87 Sara A. Schroer, „Jakob von Uexküll: The Concept of Umwelt and its Potentials for an Anthropology Beyond the Human,“ *Ethnos* 6, Nr. 3 (2019): 2.

88 Vgl. etwa Tom Greaves, „A Silent Dance: Eco-Political Compositions after Uexküll's Umwelt Biology,“ in *An [Un]Likely Alliance: Thinking Environment[s] with Deleuze|Guattari*, hrsg. v. Bernd Herzogenrath (Newcastle upon Tyne: Cambridge Scholars Publishing, 2008). Die Multiplizität der Umwelten wird etwa in folgenden Texten zur Grundlage gemacht: Ian G.R. Shaw, John P. Jones und Melinda K. Butterworth, „The mosquito's umwelt, or one monster's standpoint ontology,“ *Geoforum* 48 (2013); Stephen Loo und Undine Sellbach, „A Picture Book of Invisible Worlds: Semblances of Insects and Humans in Jakob von Uexküll's Laboratory,“ *Angelaki* 18, Nr. 1 (2013); Thom van Dooren, *Flight Ways: Life and Loss at the Edge of Extinction* (New York: Columbia University Press, 2016), 67. Graham Harman hat mit Verweis auf das Kapitel „Die magischen Umwelten“ aus den Streifzügen vorgeschlagen, alle Versuche eines Subjekts, über die Grenzen seiner Umwelt hinauszugelangen, als Magie zu bezeichnen. Uexküll meine damit einen „non-perceptual access to the world“ (Graham Harman, „Magic Uexküll,“ in *Living Earth: Field Notes from the Dark Ecology Project 2014–2016*, hrsg. v. Mirna Belina (Amsterdam: Sonic Acts Press, 2016), 128). Warum Harman den Begriff der Planmäßigkeit ignoriert, mit dem Uexküll Verhaltensweisen erklärt, die nicht durch das Zusammenspiel von Merk- und Wirkzeichen begründet werden können, bleibt unklar. Uexküll schreibt: „Nun sind wir zum Schluss auf die magische Erscheinung des angeborenen Weges gestoßen, die jeder Objektivität spottet und doch planmäßig in die Umwelt eingreift.“ (Uexküll und Kriszat, *Streifzüge*, 91). Harman zieht eine Analogie zwischen Uexküll und der Object-Oriented Ontology, die auf ähnliche Weise wie Uexküll einen Zugang zur Außenwelt durch ästhetische und magische Kanäle verfolgt.

89 So etwa Matthew Chrulew, „Reconstructing the Worlds of Wildlife: Uexküll, Hediger, and Beyond,“ *Biosemiotics* 13, Nr. 1 (2020). Dass dieser Anti-Anthropozentrismus immer Uexkülls Kantianismus verpflichtet bleibt, hat Julian Jochmaring herausgestellt: Jochmaring, „Im gläsernen Gehäuse.“

haben diese Perspektiven fraglos inspiriert. Seine „radikale Enthumanisierung der Natur“[90] gilt entsprechend als Leitfaden für eine Aufhebung der Differenz zwischen Menschen und Nicht-Menschen.

Wie Geoffrey Winthrop-Young gezeigt hat, beruht die Plausibilität der Uexküllschen Theorie für den Posthumanismus und die Animal Studies[91] auf der Absage an eine herausgehobene Stellung des Menschen, die letztlich den Humanismus charakterisieren würde. „Animals are promoted by virtue of their human-like ability to construct their environment; humans are demoted by virtue of our animal-like inability to transcend our Umwelt.“[92] Giorgio Agamben beispielsweise, der offensichtlich nur die *Streifzüge* gelesen hat, interpretiert in *Das Offene* die oben zitierte Aussage Uexkülls, dass die Umgebung des Tieres die Umwelt des Wissenschaftlers sei, als Beleg dafür, dass „die Umgebung in Wirklichkeit unsere eigene Umwelt [ist], die von Uexküll mit keinerlei Privilegien versehen wird und die somit je nach Perspektive veränderbar ist.“[93] Auch Bruno Latour behauptet, dass es keine alle Umwelten umfassende Umwelt gebe:

> Being alive means not only adapting to but also modifying one's surroundings, or, to use Julius Von Uexküll's [sic] famous expression, there exists no general Umwelt (a term to which we will have to return) that could encompass the Umwelt of each organism.[94]

90 Giorgio Agamben, *Das Offene: Der Mensch und das Tier* (Frankfurt am Main: Suhrkamp, 2003), 45.

91 Zu einer solchen Deutung Uexkülls vgl. Jussi Parikka, *Insect Media: An Archaeology of Animals and Technology* (Minneapolis: University of Minnesota Press, 2010), 66; Buchanan, *Onto-Ethologies* sowie Schroer, „Jakob von Uexküll.“

92 Winthrop-Young, „Afterword,“ 222.

93 Agamben, *Das Offene*, 41.

94 Bruno Latour, „Gifford Lectures: Facing Gaia – Six lectures on the Political Theology of Nature, letzter Zugriff 24. November 2013, http://www.bruno-latour.fr/sites/default/files/downloads/GIFFORD-ASSEMBLED.pdf, 67.

In beiden Fällen lassen sich die Aussagen bei genauerem Blick in die Quellen nicht halten. Zwar wird die menschliche Umwelt in den *Streifzügen* in der Tat nicht priorisiert, doch auch dort hat der menschliche Beobachter über den Umweg der wissenschaftlichen Methode Zugang zu einer Umgebung, aus der sich die Umwelten zusammensetzen. Wichtiger ist jedoch, dass Uexküll in diesen beiden prominenten, hier stellvertretend angeführten Beispielen als Platzhalter für eine Perspektive eingesetzt wird, die im Widerspruch zur planmäßigen Einheit der Umwelten und ihren politischen Konsequenzen steht. In beiden Fällen können die problematischen Aspekte der Umweltlehre gar nicht mehr in den Blick geraten – ganz im Gegenteil erklärt Agamben Uexküll Verwicklungen für belanglos.

In Uexkülls Namen wird in allen bis hierhin zitierten Rezeptionen eine Multiplizität und Relativität der Umwelten affirmiert, die bei genauerer Lektüre nur eine Seite der Medaille ist. Uexkülls Lösung für die Aporie des Umgebens ist auch dort, wo er die Mannigfaltigkeit betont, die Einheit, nicht die Vielheit. Die „multi-species relationships“[95], die heute mit Uexkülls Hilfe beschrieben werden, sind von der planmäßigen Ordnung der Völker in Uexkülls Weltbild denkbar weit entfernt. Ein unendlicher Perspektivismus der in eine Vielfalt von Welten mündet, ist zwar aus Uexkülls Arbeiten ableit-, für diesen aber zugleich undenkbar, weil die Planmäßigkeit alle Vielfalt auf die Einheit rückbezieht. Zwar bleibt das Wechselspiel der Relation von Umgebenem und Umgebendem in der „unüberschaubare[n] Fülle sich überschneidender und sich widersprechender Welten“[96] der zentrale Forschungsgegenstand. Doch dies ist nur von der herausgehobenen Perspektive eines Biologen aus möglich, der als Beobachter nicht an die Beobachtung rückgekoppelt ist. So können die Vielheit und die Einheit von Umwelten im Widerspruch nebeneinanderstehen.

95 Schroer, „Jakob von Uexküll," 2.
96 Uexküll, *Theoretische Biologie*, 221.

 Uexkülls Theorie ist daher nicht oder nur sehr beschränkt kompatibel mit konstruktivistischen Theorien, denn für ihn gibt es, anders als Agamben oder Latour nahelegen, die eine, alles umspannende und vereinende Umgebung. Er führt eine durch den objektiven Blick des Wissenschaftlers abgesicherte absolute Grenze und eine Planmäßigkeit der Natur an, in der die Erkenntnis von Umwelten einem gegebenen Muster gehorcht. In der Folge sind Relationalität und Mischungen von Umwelten mit Uexkülls strukturellem Konservatismus unvereinbar, auch wenn er selbst die Vielfalt der Umwelten betont. Sie sind aber eben nicht alle gleichrangig, weil es kein Subjekt gibt, das nicht den absoluten Vorrang der je eigenen Umwelt annehmen und mithin auch durchsetzen müsste.

So ist es Uexküll durch die Verbindung der Vielfalt der Umwelten mit dem strukturellen Konservatismus der Umweltlehre möglich, die Vielfalt mit einem großherzig erscheinenden Gestus zu befürworten und zugleich alle Umwelten, die keinen Ort im Staatsorganismus haben, auszuschließen. Auf dieser Grundlage kann Uexküll zu seinen jüdischen Freunden stehen und den Errungenschaften des Judentums höchsten Respekt zollen, zugleich aber einen Antisemitismus der Ortlosigkeit pflegen. Die Pluralität der Umwelten hat bei Uexküll also immer die Kehrseite, dass zwar alle ihre eigene Umwelt haben, aber nicht alle das Recht, diese Umwelt an dem Ort zu belassen, an dem sie sich befinden – insbesondere nicht in Deutschland. Uexküll kann die Vielfalt von Umwelten affirmieren und ihnen zugleich absprechen, sich am richtigen Ort zu befinden – mit Konsequenzen, die ab 1933 deutlich hervortreten.

Neben aller politischen Vorsicht ist es aber auch wichtig, die Aporie des Umgebens als Aporie aufrechtzuerhalten und sie weder zu glätten noch eine Seite zu priorisieren. Nur so wird die Gebrochenheit der Umweltlehre deutlich. Entscheidet man sich für die reine Multiplizität der Umwelten, ihre Relativität und Unzugänglichkeit, verliert man die Metaphysik des Bauplans, den Holismus der Planmäßigkeit und damit die zutiefst konservative, allen Veränderungen nicht nur von Lebewesen, sondern auch von Kultur und Gesellschaft ablehnend gegenüberstehende Annahme einer planmäßigen Harmonie der Natur aus dem Blick. Die hier vorgeschlagene Dekonstruktion der der Umweltlehre zugrundeliegenden metaphysischen Annahmen verdeutlicht hingegen ihre Architektur und deckt die Fundamente auf, auf denen sie ruht. Diese Fundamente werden heute erneut als Bauplan für eine rechte Weltsicht verwendet.

[5]

Schluss: Politik und Zukunft der Umweltlehre

Gottfried Schnödl und Florian Sprenger

Uexkülls Umweltlehre lässt sich, so haben die drei Kapitel dieses Buches gezeigt, ebenso wenig von den problematischen Annahmen der ihr zugrundeliegenden ganzheitlichen Metaphysik trennen wie aus den historischen Konstellationen herauslösen, in denen sie entsteht und in die sie 1933 mündet. Ihr struktureller Konservatismus und ihre identitäre Logik sind keine historischen Verirrungen, die man vernachlässigen könnte, sondern in die Grundlagen der Umweltlehre eingelassen.

Was heute für viele Lesarten als eine emanzipatorische Bewegung der Dezentrierung des Anthropos, der Relativierung aller Standorte und der unhierarchischen Anordnung autonomer Individuen erscheint, erweist sich zugleich als Ablehnung jeglicher Veränderung und damit als anschlussfähig an rechte Positionen – alte wie neue. Eben weil bei Uexküll jede Umwelt im Kleinen autark und autonom ist, kann sie im Großen Bestandteil einer gegebenen Ordnung und damit vollständig abhängig sein. Deswegen kann diese Lehre in eine Lehre vom organischen ‚totalen Staat' führen, mit der sich Uexküll 1934 an den rechtsphilosophischen Selbstbestimmungsversuchen des

 Nationalsozialismus beteiligt. Aus dem gleichen Grund lassen sich Uexkülls Anti-Demokratismus und sein Antisemitismus nicht aus der Umweltlehre lösen, sondern sollten in der Doppelbewegung von Toleranzgeste und Umweltpluralismus auf der einen, Rhetorik der Ortslosigkeit und des Parasitären auf der anderen Seite kritisch rekonstruiert werden.

Daraus folgt, dass Uexkülls Werk nicht in sich zerrissen und die Trennung in einen fortschrittlichen und einen problematischen Teil selbst problematisch ist. Diese beiden Seiten treten nicht auseinander – und sie sollten demnach auch nicht voneinander abgetrennt und gesondert fortgeschrieben werden. Trotz aller Widersprüchlichkeit enthält Uexkülls Werk, wie dieses Buch gezeigt hat, eine weitestgehend geschlossene Lehre, in der die *Staatsbiologie* und ihre politische Ausrichtung das Komplement der *Streifzüge* und ihrer Weltoffenheit ist. Spaltet man die eine Seite von der anderen ab, wird die andere Seite nicht etwa durch Nichtbeachtung gebannt, sondern implizit weitergetragen. Die progressive und die konservative bis faschistische Seite schließen sich eben nicht aus, im Gegenteil: Uexküll ist ein gutes Beispiel dafür, wie sie sich durchaus konsequent und folgerichtig verbinden können. Die expliziten wie impliziten Anknüpfungen neurechter, völkischer und identitär-rassistischer Ökologien an die Umweltlehre verbriefen deren Aktualität.

Diese Nähe ist der Stachel, der unsere Rekonstruktion angetrieben hat. Er fordert uns heraus, uns die Geschichte der Ökologie immer wieder fremd zu machen – und Uexküll keineswegs zu ‚canceln'. Daher versucht unsere Rekonstruktion, die Verschränkung der Autarkie und Autonomie von Umwelten mit ihrer Multiplizität in den Blick zu nehmen und zu erklären, wie sich die Ortsgebundenheit bzw. Ortslosigkeit zur übergeordneten Planmäßigkeit einer subjektiv verstandenen Natur verhalten. Dabei hat sich gezeigt, dass der Biozentrismus Uexkülls nicht nur als dezentrierende Erweiterung, sondern auch als anthropozentrische Verengung bzw. Privation auf das planmäßig existierende, Je-Eigene zu begreifen ist. Die Ortsgebundenheit dieses

Je-Eigenen und die Ortslosigkeit des Anderen sind Effekte des strukturellen Konservatismus, der die Umweltlehre durchzieht und sie an die ‚Blut-und-Boden'-Ideologie anschlussfähig macht.

Die Belege für die Verstrickungen Uexkülls in den Nationalsozialismus sollten nicht dazu führen, sein Werk und dessen Rezeptionsgeschichte als Gegenstand aufzugeben. Vielmehr ist angezeigt – und zum politischen Verständnis rechter Bezugnahmen geradezu unerlässlich –, es neu in den Blick zu nehmen und als ein Beispiel dafür zu verstehen, dass die Ökologie und ihre Randgebiete immer schon politische Handlungsfelder dargestellt haben und weiterhin darstellen. Untersuchungen, die sich von diesem Blick leiten lassen, stehen vor der Aufgabe, nicht etwa nur Vergangenes neu zu beschreiben, sondern vor allem auch die bis in die Gegenwart reichenden Zusammenhänge zu rekonstruieren. Ganzheitliches Denken ist nicht notwendigerweise faschistisch – aber es hat eine Neigungstendenz und gedeiht in einem entsprechenden politischen Umfeld besser als anderswo. Um sich auf dem Feld gegenwärtiger Aneignungen ökologischen Denkens zu positionieren, ist es wichtig, den Einwand ernst zu nehmen, dass Ökologie in der Tat nicht von sich aus links ist. Nur so können sich zukünftige Ökologien gegen die Geister ihrer eigenen Geschichte wappnen.

Zwar kann man sich trotz dieser Einwände fraglos von Uexkülls detailreichen Vergleichen unterschiedlicher Umwelten inspiriert finden und zugleich seine politische Haltung ablehnen. Affirmative Lesarten Uexkülls, auch wenn sie sich an die ‚unproblematischen' Aspekte seiner Theorie halten und die politisch problematischen Aspekte beiseiteschieben, helfen allerdings wenig dabei, sich der politischen Herausforderung zu stellen, die seine Umweltlehre mit sich bringt. Um dieser zu begegnen, sollten zukünftige kulturwissenschaftliche und wissensgeschichtliche Analysen ökologischen Denkens die historische wie die aktuelle Verstrickung von Holismus und rechter Ideologie ernst nehmen und zum Thema machen. Die Aufgabe kann nicht darin liegen, die Umweltlehre aus dieser Verstrickung zu retten, sondern sie kritisch zu rekonstruieren – sie also gerade nicht beiseite zu legen, sondern erneut und wieder zu lesen, aber anders als bisher.

Jakob Johann von Uexküll:
Biografische Übersicht

1864	Geboren auf einem Gut in Keblas (heutiges Estland)
1884	Studium der Zoologie Universität Dorpat
1888	Übersiedlung nach Heidelberg, Studium der Physiologie
1899–1900	Studienaufenthalt in Daressalam (Ostafrika)
1903	Heirat mit Gudrun von Schwerin
1905	*Leitfaden in das Studium der experimentellen Biologie der Wassertiere*
1907	Verleihung der Ehrendoktorwürde der Medizinischen Fakultät Heidelberg
1909	*Umwelt und Innenwelt der Tiere*
1917	Verlust des gesamten Vermögens in Estland durch Enteignung der Güter
1918	Erwerb der deutschen Staatsangehörigkeit
1919	*Biologische Briefe an eine Dame' Berlin*
1920	*Theoretische Biologie* und *Staatsbiologie (Anatomie – Physiologie – Pathologie des Staates)*
1924	Wissenschaftlicher Hilfsarbeiter der Medizinischen Fakultät Universität Hamburg
1925–1940	Leitung des Instituts für Umweltforschung, Universität Hamburg
1928	*Natur und Leben*
1932	Mitglied der Deutschen Akademie der Naturforscher Leopoldina

1933	Unterzeichnung des *Bekenntnisses der deutschen Professoren zu Adolf Hitler*, 2. Auflage der *Staatsbiologie*
1934	Ehrendoktor der Philosophischen Fakultät der Universität Kiel
03.05.1934	Eröffnung des Ausschusses für Rechtsphilosophie der Akademie für Deutsches Recht in Weimar
26.05.1934	Zweites Treffen des Ausschusses für Rechtsphilosophie, Berlin
1936	*Niegeschaute Welten – Die Umwelten meiner Freunde*, Ehrendoktor für Wissenschaftliche Naturkunde der Universität Utrecht
1940	*Bedeutungslehre*, Emeritierung, Umzug nach Capri (Italien)
1944	Tod auf Capri

Literatur

Adorno, Theodor W. „Spengler nach dem Untergang." *Der Monat* 20 (1950): 115–128.

Agamben, Giorgio. *Das Offene: Der Mensch und das Tier.* Frankfurt am Main: Suhrkamp, 2003.

Allen, Garland E. „Mechanism, Vitalism and Organicism in Late Nineteenth and Twentieth-Century Biology: The Importance of Historical Context." *Studies in History and Philosophy of Science Part C: Studies in History and Philosophy of Biological and Biomedical Sciences* 36, Nr. 2 (2005): 261–283.

Alverdes, Friedrich. „Organizismus und Holismus." *Der Biologe* 5, Nr. 4 (1936): 121–128.

Amidon, Kevin S. „Adolf Meyer-Abich, Holism, and the Negotiation of Theoretical Biology." *Biological Theory* 3, Nr. 4 (2008): 357–370.

Amrine, Frederick. „The Music of the Organism: Uexküll, Merleau-Ponty, Zuckerkandl, and Deleuze as Goethean Ecologists in Search of a New Paradigm." *Goethe Yearbook* 22 (2015): 45–72.

Anderson, Dennis L. *The Academy for German Law: 1933–1944.* New York: Taylor & Francis, 1987.

Anonym. „Niederschrift für die Sitzung vom 3.5.1934." In *Akademie für Deutsches Recht, 1933–1945. Protokolle der Ausschüsse: Weitere Nachträge (1934–1939)* Bd. XXIII, hrsg. von Werner Schubert, 45–46. Berlin: De Gruyter, 2019.

———. „Thüringische Staatszeitung vom 4.5.1934." In *Akademie für Deutsches Recht, 1933–1945. Protokolle der Ausschüsse: Weitere Nachträge (1934–1939)* Bd. XXIII, hrsg. von Werner Schubert, 53–56. Berlin: De Gruyter, 2019.

Aristoteles. *Physik.* Hamburg: Meiner, 1987.

Ash, Mitchell G. *Gestalt Psychology in German Culture, 1890–1967: Holism and the Quest for Objectivity.* Cambridge: Cambridge University Press, 2007.

Bassin, Mark. „Blood or Soil? The Völkisch Movement, the Nazis, and the Legacy of Geopolitik." In *How Green were the Nazis? Nature, Environment, and Nation in the Third Reich*, hrsg. von Franz-Josef Brüggemeier, Mark Cioc und Thomas Zeller, 204–242. Athens: Ohio University Press, 2005.

Bauch, Jost, „Gibt es eine konservative Ökologie?" *Herbert-Gruhl-Gesellschaft.* Letzter Zugriff am 10. Oktober 2020, http://herbert-gruhl.de/gibt-es-eine-konservative-oekologie/.

Bäumer, Änne. *NS-Biologie.* Stuttgart: S. Hirzel, 1990.

Beever, Jonathan, und Morten Tønnessen. „‚Darwin und die englische Moral': The Moral Consequences of Uexküll's Umwelt Theory." *Biosemiotics* 6, Nr. 3 (2013): 437–447.

Behrens, Kilian, Vera Henßler, Ulli Jentsch, Jessica Kieck, Frank Metzger, Eike Sanders, und Patrick Schwarz, „Ökologie von rechts – Teil 1." *Antifaschistisches Pressearchiv und Bildungszentrum.* Letzter Zugriff am 15. August 2020, https://www.apabiz.de/2019/oekologie-von-rechts-teil-1/.

Bein, Alexander. „‚Der jüdische Parasit': Bemerkungen zur Semantik der Judenfrage." *Vierteljahreshefte zur Zeitgeschichte* 13, Nr. 2 (1965): 121–149.

Beleites, Michael. *Umweltresonanz: Grundzüge einer organismischen Biologie*. Treuenbriezen: Telesma, 2014.

Beleites, Michael. „Wir haben gelernt: Sachsen 2030 – Ein Zukunftsmanifest." *Tumult* Frühjahr (2014): 90–92.

———. „Vorwort." In Sebastian Hennig, PEGIDA: Spaziergänge über den Horizont, 11–22. Neustadt: Arnshaugk Verlag, 2015.

———. „Die menschengemachte Überhitzung: Zur Entropie der Industriegesellschaft." *Die Kehre*, Nr. 1 (2020): 7–13.

Bennett, Jane. *Vibrant Matter: A Political Ecology of Things*. Durham, NC: Duke University Press, 2010.

Benoist, Alain de. *Mein Leben: Wege eines Denkens*. Berlin: JF Edition, 2014.

———. *View from the Right. Volume 1: Heritage and Ideas*. London: Arkos, 2017.

———. *View from the Right. Volume 2: Systems and Debates*. London: Arkos, 2018.

Bensch, Margit. „Blut und Boden: Welche Natur bestimmt den Rassismus." In *Landschaftsentwicklung und Umweltforschung*, hrsg. von Stefan Körner et al., 37–51. Berlin: Schriftenreihe im Fachbereich Umwelt und Gesellschaft, TU Berlin, 1999.

———. *Rassismus als kulturelle Entwicklungstheorie: Formen biologischen Denkens im Sozialdarwinismus*, Dissertation, TU Berlin, 2009.

Berz, Peter. „Contenant Contenu: Anordnungen des Enthaltens." In *Das Motiv der Kästchenwahl: Container in Psychoanalyse, Kunst, Kultur*, hrsg. von Insa Härtel und Olaf Knellessen, 133–154. Göttingen: Vandenhoeck & Ruprecht, 2012.

Bhatt Chetan. „White Extinction: Metaphysical Elements of Contemporary Western Fascism." *Theory, Culture & Society* 38, Nr. 1 (2021): 27–52.

Biehl, Janet, und Peter Staudenmaier. *Ecofascism Revisited: Lessons from the German Experience*. Porsgrunn: New Compass Press, 1995/2011.

Bierl, Peter. *Grüne Braune: Umwelt-, Tier- und Heimatschutz von Rechts*. Münster: Unrast, 2010.

Block, Katharina. *Von der Umwelt zur Welt: Der Weltbegriff in der Umweltsoziologie*. Bielefeld: Transcript, 2015.

Blumenberg, Hans. *Quellen*. Hrsg. von Ulrich von Bülow und Dorit Krusche. Marbach am Neckar: Deutsche Schillergesellschaft, 2009.

Bogner, Thomas. „Zur Bedeutung von Ernst Rudorff für den Diskurs über Eigenart im Naturschutzdiskurs." In *Projektionsfläche Natur: Zum Zusammenhang von Naturbildern und gesellschaftlichen Verhältnissen*, hrsg. von Ludwig Fischer, 105–134. Hamburg: Hamburg University Press, 2004.

Böhnigk, Volker. „Die nationalsozialistische Kulturphilosophie Erich Rothackers." In *Philosophie im Nationalsozialismus*, hrsg. von Hans J. Sandkühler, 191–218. Hamburg: Meiner, 2009.

Bölsche, Wilhelm. *Stirb und Werde! Naturwissenschaftliche und kulturelle Plaudereien*. Jena: Diederichs, 1913.

———. *Die naturwissenschaftlichen Grundlagen der Poesie: Prolegomena einer realistischen Ästhetik*. Leipzig: Carl Reissner, 1887.

Borck, Cornelius. „Hans Blumenberg: The Transformation of Uexküll's Bioepistemology into Phenomenology." In *Jakob von Uexküll and Philosophy: Life, Environments,*

Anthropology, hrsg. von Kristian Köchy und Francesca Michelini, 188–204. London: Routledge, 2020.

Borrmann, Norbert. „Ökologie ist rechts." *Sezession*, Nr. 56 (2013): 4–7.

Boterman, Frits. *Oswald Spengler und sein „Untergang des Abendlandes"*. Köln: S.H.-Verlag, 2000.

Bowler, Peter. *The Eclipse of Darwinism: Anti-Darwinian Evolution Theories in the Decades around 1900*. Baltimore, MD: John Hopkins University Press, 1983.

———. *The Non-Darwinian Revolution. Reinterpreting a Historical Myth*. Baltimore, MD: John Hopkins University Press, 1988.

Bramwell, Anna. *Blood and Soil: Richard Walther Darré and Hitler's Green Party*. Abbotsbrook: Kensal Press, 1985.

Brauckmann, Sabine. „From the Haptic-Optic Space to Our Environment: Jakob von Uexküll and Richard Woltereck." *Semiotica* 134, Nr. 1/4 (2001): 293–309.

Breidbach, Olaf. „Blumenbachs Vorfeld und Umfeld – Wolff und Goethe und auch etwas Hegel." In *Wissenschaft und Natur: Studien zur Aktualität der Philosophiegeschichte. Festschrift für Wolfgang Neuser zum 60. Geburtstag*, hrsg. von Klaus Wiegerling und Wolfgang Lenski, 149–171. Nordhausen: Bautz, 2011.

Brentari, Carlo. „Konrad Lorenz's Epistemological Criticism towards Jakob von Uexküll." *Sign Systems Studies* 37, Nr. 3/4 (2009): 637–662.

———. *Jakob von Uexküll: The Discovery of the Umwelt between Biosemiotics and Theoretical Biology*. Berlin: Springer, 2015.

Breuer, Stefan. *Anatomie der konservativen Revolution*. Darmstadt: Wissenschaftliche Buchgesellschaft, 1995.

Brock, Friedrich. „Jakob Johann von Uexküll zum 70. Geburtstag." *Sudhoffs Archiv* 27 (1934): 193–203.

Brüggemeier, Franz-Josef, Mark Cioc und Thomas Zeller, Hrsg. *How Green were the Nazis? Nature, Environment, and Nation in the Third Reich*. Athens: Ohio University Press, 2005.

Buchanan, Brett. *Onto-Ethologies: The Animal Environments of Uexküll, Heidegger, Merleau-Ponty, and Deleuze*. New York: University of New York Press, 2008.

Bühler, Benjamin. „Das Tier und die Experimentalisierung des Verhaltens: Zur Rhetorik der Umwelt-Lehre Jakob von Uexkülls." In *Wissen. Erzählen: Narrative der Humanwissenschaften*, hrsg. von Arne Höcker, Jeannie Moser und Philippe Weber, 41–52. Bielefeld: Transcript, 2006.

———. Ökologische Gouvernementalität: Zur Geschichte einer Regierungsform. Bielefeld: Transcript, 2018.

Canguilhem, Georges. „Das Lebendige und sein Milieu." In *Die Erkenntnis des Lebens*, hrsg. von Georges Canguilhem, 242–279. Berlin: August, 2009.

Chamberlain, Houston Stewart. *Natur und Leben*. Hrsg. von Jakob von Uexküll. München: Bruckmann, 1928.

Cheung, Tobias. „Cobweb Stories: Jakob von Uexküll and the Stone of Werder." *Place and Location: Studies in Environmental Aestethics and Semiotics* V (2006): 231–253

Chrulew, Matthew. „Reconstructing the Worlds of Wildlife: Uexküll, Hediger, and Beyond." *Biosemiotics* 13, Nr. 1 (2020): 137–149.

Dahn, Ryan. „Big Science, Nazified? Pascual Jordan, Adolf Meyer-Abich, and the Abortive Scientific Journal Physis." *Isis* 109, Nr. 4 (2018): 68–90.

Darwin, Charles. *Über die Entstehung der Arten durch natürliche Zuchtwahl oder die Erhaltung der begünstigten Rassen im Kampfe um's Dasein: Nach der letzten englischen Auflage wiederholt durchgesehen von J. Victor Carus*. Köln: Parkland, 2002.

Deichmann, Ute. *Biologen unter Hitler: Porträt einer Wissenschaft im NS-Staat*. Frankfurt am Main: Fischer, 1995.

Deleuze, Gilles, und Félix Guattari. *Tausend Plateaus: Kapitalismus und Schizophrenie*. Berlin: Merve, 1992.

Dieke, Thom. „Der Ökologische Komplex: Möglichkeiten für die deutsche Rechte." Letzter Zugriff am 10. Oktober 2020, https://gegenstrom.org/der-oekologische-komplex-moeglichkeiten-fuer-die-deutsche-rechte/.

Di Paolo, Ezequiel A. „A Future for Jakob von Uexküll." In *Jakob von Uexküll and Philosophy: Life, Environments, Anthropology,* hrsg. von Kristian Köchy und Francesca Michelini, 252–256. London: Routledge, 2020.

Dohrn, Anton. „Vorwort des Herausgebers." In *Fauna und Flora des Golfes von Neapel 1, Ctenophorae*, hrsg. von Anton Dohrn. Leipzig: W. Engelmann, 1880.

———. „Publications of the Zoological Station at Naples. " *Nature* 48 (1883).

Driesch, Hans. „Kant und das Ganze." *Kant-Studien* 29 (1924): 365–376.

Engelhardt, Wolf von. „Der Versuch als Vermittler zwischen Objekt und Subjekt. Goethes Aufsatz im Licht von Kants Vernunftkritik." *Athenäum. Jahrbuch für Romantik* 10 (2000): 9–28.

Emge, Carl A. „Erinnerungen eines Rechtsphilosophen an die Umwege, die sich schließlich doch als Zugänge nach Berlin erwiesen, an die dortige rechtsphilosophische Situation und Ausblicke auf Utopia." In *Studium Berolinense: Aufsätze und Beiträge zu Problemen der Wissenschaft und zur Geschichte der Friedrich-Wilhelms-Universität zu Berlin*, hrsg. von Georg Kotowski, Eduard Neumann und Hans Leussink, 108–37. Berlin: De Gruyter, 1960.

———. „Ansprache von Prof. Dr. C.A. Emge, Weimar." In *Akademie für Deutsches Recht, 1933-1945. Protokolle der Ausschüsse: Weitere Nachträge (1934-1939)* Bd. XXIII, hrsg. von Werner Schubert, 52-3. Berlin: De Gruyter, 2019.

———. „Ideen über die Aufgaben der wissenschaftlichen Rechtsphilosophie." In *Akademie für Deutsches Recht, 1933-1945. Protokolle der Ausschüsse: Weitere Nachträge (1934-1939)* Bd. XXIII, hrsg. von Werner Schubert, 73-9. Berlin: De Gruyter, 2019.

Erlmann, Veit. „Klang, Raum und Umwelt: Jakob von Uexkülls Musiktheorie des Lebens." *Zeitschrift für Semiotik* 34, 1/2 (2012): 158–145.

Espahangizi, Kijan M. „*Wissenschaft im Glas: Eine historische Ökologie moderner Laborforschung*." Dissertation, ETH Zürich, 2010.

Esposito, Maurizio. „Kantian Ticks, Uexküllian Melodies, and the Transformation of Transcendental Philosophy." In *Jakob von Uexküll and Philosophy: Life, Environments, Anthropology,* hrsg. von Kristian Köchy und Francesca Michelini, 51-36. London: Routledge, 2020.

Esposito, Roberto. *Bíos: Biopolitics and Philosophy*. Minneapolis: University of Minnesota Press, 2008.

Fábregas-Tejeda, Alejandro, Abigail Nieves Delgado und Jan Baedke. „Reconstructing 'Umkonstruktion': Hans Böker's Organism-Centered Approach to Evolution." *Classics in Biological Theory,* Nr. 16 (2021): 63–75.

Farías, Victor. *Heidegger and Nazism*. Philadelphia: Temple University Press, 1990.

Feuerbach, Ludwig. *Anthropologischer Materialismus: Ausgewählte Schriften I*. Hrsg. und eingeleitet von Alfred Schmidt. Frankfurt am Main: Ullstein, 1985.

Feuerhahn, Wolf. „Du milieu à l'Umwelt: Enjeux d'un changement terminologique." *Revue philosophique de la France et de l'étranger* 134, Nr. 4 (2009): 419–438.

———. „A Specter Is Haunting Germany – the French Specter of Milieu: On the Nomadicity and Nationality of Cultural Vocabularies." *Contributions to the History of Concepts* 9, Nr. 2 (2014): 33–50.

Foucault, Michel. *Die Ordnung der Dinge*. Frankfurt am Main: Suhrkamp, 1974.

Frank, Hans. „Ansprache von Hans Frank." In *Akademie für Deutsches Recht, 1933–1945. Protokolle der Ausschüsse: Weitere Nachträge (1934–1939)* Bd. XXIII, hrsg. von Werner Schubert, 46-48. Berlin: De Gruyter, 2019.

Franke, Anselm. „Earthrise und das Verschwinden des Außen." In *The Whole Earth: Kalifornien und das Verschwinden des Außen*, hrsg. von Diedrich Diedrichsen und Anselm Franke, 20–12. Berlin: Sternberg Press, 2013.

Friederichs, Karl. „Vom Wesen der Ökologie." *Sudhoffs Archiv* 27 (1934): 277–285.

———. Ökologie als Wissenschaft von der Natur oder biologische Raumforschung. Leipzig: Barth, 1937.

———. „Über den Begriff der ‚Umwelt' in der Biologie." *Acta Biotheoretica* 7 (1943): 147–162.

Fultot, Martin und Michael T. Turvey. „von Uexküll's Theory of Meaning and Gibson's Organism–Environment Reciprocity." *Ecological Psychology* 31, Nr. 4 (2019): 289–315.

Gebhard, Walter. *Der Zusammenhang der Dinge: Weltgleichnis und Naturverklärung im Totalitätsbewußtsein des 19. Jahrhunderts*. Tübingen: Max Niemeyer, 1984.

Geden, Oliver. *Rechte* Ökologie*: Umweltschutz zwischen Emanzipation und Faschismus*. Berlin: Elefanten, 1999.

Geulen, Eva. „Urpflanze (und Goethes *Hefte zur Morphologie*)." In *Urworte: Zur Geschichte und Funktion erstbegründender Begriffe*, hrsg. von Michael Ott und Tobias Döring, 155–171. München: Fink, 2012.

———. *Aus dem Leben der Form: Goethes Morphologie und die Nager*. Berlin: August, 2016.

Goebbels, Joseph. *Tagebücher: Teil 1. Aufzeichnungen 1923–1941, Band 2/I Dezember 1929–Mai 1931*. Herausgegeben von Elke Fröhlich. München: Saur, 2008.

Goethe, Johann Wolfgang von. „Reine Begriffe." *Goethes Schriften zur Naturwissenschaft,* hrsg. *Leopoldina-Ausgabe*, LA I 3, 290–291. Weimar: Böhlau, 1951.

———. *Werke. Hamburger Ausgabe in 14 Bänden*, Bd. 10, Hrsg. von Erich Trunz, München: dtv, 1981.

———. „Bildungstrieb." *Hefte zur Morphologie*, Bd. 1 (1817–1822), 399–568. In *Johann Wolfgang Goethe. Sämtliche Werke*, Bd. 24. Frankfurt am Main: Deutscher Klassiker-Verlag, 1987.

Greaves, Tom. „A Silent Dance: Eco-Political Compositions after Uexküll's Umwelt Biology." In *An [Un]Likely Alliance: Thinking Environment[s] with Deleuze|Guattari*, hrsg. von Bernd Herzogenrath, 98–115. Newcastle upon Tyne: Cambridge Scholars Publishing, 2008.

Groß, Felix. „Einleitung." In *Bausteine zu einer biologischen Weltanschauung*, hrsg. von Jakob von Uexküll. 9–13. München: Bruckmann, 1913.

Gruevska, Julia. „‚mit und in seiner Umwelt geboren': Frederik Buytendijks experimentelle Konzeptualisierung einer Tier-Umwelt-Einheit." *NTM Zeitschrift für Geschichte der Wissenschaften, Technik und Medizin* 27, Nr. 3 (2019).

Günzel, Stephan. „Philosophie des Führens: Carl August Emge in Jena und Weimar." In *Angst vor der Moderne: Philosophische Antworten auf Krisenerfahrungen: Der Mikrokosmos Jena 1900-1940*, hrsg. von Klaus-Michael Kodalle, 157–182. Würzburg: Königshausen & Neumann, 2000.

Guidetti, Luca. „The Space of the Living Beings. Umwelt and Space in Jakob von Uexküll." In *The Changing Faces of Space*, hrsg. von Maria Teresa Cantena und Felice Masi, 3–18. Cham: Springer, 2017.

Haas, Maximilian. *Tiere auf der Bühne: Eine ästhetische Ökologie der Performanz*. Berlin: Kadmos, 2018.

Haeckel, Ernst. *Die Radiolarien (Rhizopoda radiaria): Eine Monographie mit einem Atlas von fünf und dreissig Kupfertafeln*, 2 Bde. Berlin: Georg Reimer, 1862.

———. *Gott-Natur (Theophysis): Studien über monistische Religion*. Leipzig: Alfred Kröner, 1914.

———. *Die Lebenswunder*. Stuttgart: Kröner, 1904.

Hamacher, Werner. „Amphora (Extracts)." *Assemblage* 20, April (1993): 40–41.

———. „Arbeiten. Durcharbeiten." In *Archäologie der Arbeit*, hrsg. von Dirk Baecker, 155–200. Berlin: Kadmos, 2002.

Haraway, Donna J. *Crystals, Fabrics, and Fields: Metaphors of Organicism in Twentieth-Century Developmental Biology*. New Haven, CT: Yale University Press, 1976.

Harman, Graham. „Magic Uexküll." In *Living Earth: Field Notes from the Dark Ecology Project 2014–2016*, hrsg. von Mirna Belina, 115–130. Amsterdam: Sonic Acts Press, 2016.

Harrington, Anne. *Reenchanted Science: Holism in German Culture from Wilhelm II to Hitler*. Princeton: Princeton University Press, 1999.

Harwood, Jonathan. „Weimar Culture and Biological Theory: A Study of Richard Woltereck (1877–1944)." *History of Science* 34, Nr. 3 (1996): 347–377.

Heidegger, Martin. *Grundbegriffe der Metaphysik*. Frankfurt am Main: Klostermann, 1929/1983.

———. „Ontologie. (Hermeneutik der Faktizität). [1923]" In *Martin Heidegger, Gesamtausgabe*, Bd. 63, hrsg. von Käte Bröcker-Oltmanns. Frankfurt am Main: Klostermann, 1988.

———. *Schwarze Hefte 1938/39* GA 95. Frankfurt am Main: Klostermann, 2014.

Hein, Hilde. „The Endurance of the Mechanism-Vitalism Controversy." *Journal of the History of Biology* 5, Nr. 1 (1972): 159–188.

Heinrich, Gudrun, Klaus D. Kaiser und Norbert Wiersbinski, Hrsg. *Naturschutz und Rechtsradikalismus: Gegenwärtige Entwicklungen, Probleme, Abgrenzungen und Steuerungsmöglichkeiten*. Bonn: Bundesamt für Naturschutz, 2015.

Helbach, Charlotte. *Die Umweltlehre Jakob von Uexkülls: Ein Beispiel für die Genese von Theorien in der Biologie des 20. Jahrhunderts*. Dissertation, RWTH Aachen, 1999.

Herder, Johann G. *Ideen zur Philosophie der Geschichte der Menschheit: Dritter Teil*. Riga: Johann Friedrich Hartknoch, 1787.

Heredia, Juan M. „Jakob von Uexküll, an Intellectual History." In *Jakob von Uexküll and Philosophy: Life, Environments, Anthropology*, hrsg. von Kristian Köchy und Francesca Michelini, 17–35. London: Routledge, 2020.

Hermann, Armin. „Physik und Physiker im Dritten Reich." In *Wissenschaft, Gesellschaft und politische Macht. Hrsg. von Erwin Neuenschwander*, 105–125. Basel: Birkhäuser, 1993.

Herrmann, Bernd. „...mein Acker ist die Zeit." Aufsätze zur Umweltgeschichte. Göttingen: Universitätsverlag Göttingen, 2011.

Hitler, Adolf. *Mein Kampf*, 127.–128. Auflage. München: Franz Eher, 1934.

Höfer, Florian. *Die Notwendigkeit der Kommunikation: Die Missachtung eines Phänomens bei Jakob von Uexküll*. Dissertation, Rheinische Friedrich-Wilhelms-Universität Bonn, 2007.

Horkheimer, Max. „Materialismus und Metaphysik." *Zeitschrift für Sozialforschung* II/1 (1933): 1–33.

Hornacek, Milan. *Politik der Sprache in der ‚konservativen Revolution'*. Dresden: Thelem, 2015.

Inda, Jonathan. „Foreign Bodies: Migrants, Parasites, and the Pathological Nation." *Discourse* 22, Nr.3 (2000): 46–62.

Ingensiep, Hans Werner. „Metamorphosen der Metamorphosenlehre – Zur Goethe-Rezeption in der Biologie von der Romantik bis in die Gegenwart." In *Goethe und die Verzeitlichung der Natur*. Hrsg. von Peter Matussek, 259–275. München: C.H. Beck, 1988.

Institut für Staatspolitik. *Die Grünen: Die zersetzende Kraft der Emanzipation*. Steigra: Verein für Staatspolitik, 2013.

Jahn, Thomas, und Peter Wehling, Hrsg. *Ökologie von rechts: Nationalismus und Umweltschutz bei der neuen Rechten und den ‚Republikanern'*. Frankfurt am Main: Campus Verlag, 1991.

———. „‚Wir sind die nationalen Umweltschützer...': Konturen einer Ökologie von rechts in der Bundesrepublik Deutschland." *Soziale Welt* 42, Nr. 4 (1991): 473–488.

Jax, Kurt. „Holocoen and Ecosystem: On the Origin and Historical Consequences of Two Concepts." *Journal of the History of Biology* 31, Nr. 1 (1998): 113–142.

———. „‚Organismic' Positions in Early German-Speaking Ecology and Its (almost) Forgotten Dissidents." *History and Philosophy of the Life Sciences* 42, Nr. 4 (2020): 44.

Jochmaring, Julian. „Im gläsernen Gehäuse: Zur Medialität der Umwelt bei Uexküll und Merleau-Ponty." In *Gehäuse: Mediale Einkapselungen*, hrsg. von Christina Bartz et al., 253–270. München: Fink, 2017.

———. „Streuen/Strahlen: Negative Ambientialität bei Merleau-Ponty." In *Medienanthropologische Szenen: Die conditio humana im Zeitalter der Medien*. Hrsg. von Lorenz Engell, Katerina Kritlova und Christiane Voss, 57–75. München: Fink, 2018.

Johe, Werner. *Die gleichgeschaltete Justiz: Organisation des Rechtswesens und Politisierung der Rechtsprechung 1933–1945, dargestellt am Beispiel des Oberlandesgerichtsbezirks Hamburg*. Hamburg: Christians, 1983.

Johnson, Steven. *Emergence: The Connected Lives of Ants, Brains, Cities, and Software*. New York: Scribner, 2001.

Jünger, Ernst. „Revolution und Idee." *Völkischer Beobachter* 23 (24.9.1923).

———. „Der Pazifismus." *Die Standarte (Sonderbeilage des Stahlhelm)* (15.11.1925).

———. „Der Neue Typ des Deutschen Menschen." *Stahlhelm-Jahrbuch* (1926).

———. *Der Arbeiter: Herrschaft und Gestalt*. Stuttgart: Klett-Cotta, 1982.

Kant, Immanuel. „Von einem neuerdings erhobenen vornehmen Ton in der Philosophie." In *Berlinische Monatsschrift* 1 (1796): 387–425.

———. „Über Pädagogik [1803]." In *Werke in zehn Bänden*. Hrsg. von Wilhelm Weischedel, Bd. 9. Darmstadt: Wissenschaftliche Buchgesellschaft, 1968.

Kellerer, Sidonie, und François Rastier. „Den Völkermördern entgegen gearbeitet." *FORVM*. Letzter Zugriff am 15. August 2020. http://forvm.contextxxi.org/den-volkermordern-entgegen.html.

Keulartz, Jozef. *Struggle for Nature: A Critique of Radical Ecology*. London: Routledge, 1998.

Kittsteiner, Heinz Dieter. „Die Heroische Moderne" [Manuskript], *Nachlass*, Sig. 10.

Kjellén, Rudolf. *Grundriss zu einem System der Politik*. Leipzig: S. Hirzel, 1920.

Klages, Ludwig. *Der Geist als Widersacher der Seele*. Leipzig: Barth, 1929.

Kleeberg, Bernhard. „Evolutionäre Ästhetik" In *Text und Wissen: Technologische und anthropologische Aspekte*, hrsg. von Stefan Rieger und Renate Lachmann, 153–179. Tübingen: G. Narr, 2003.

———. *Theophysis. Ernst Haeckels Philosophie des Naturganzen*. Köln: Böhlau, 2005.

Kockerbeck, Christian. *Die Schönheit des Lebendigen: Ästhetische Naturwahrnehmung im 19. Jahrhundert*. Wien: Böhlau, 1997.

Köchy, Kristian. „Helmuth Plessners Biophilosophie als Erweiterung des Uexküll-Programms." In *Zwischen den Kulturen: Plessners „Stufen des Organischen" im zeithistorischen Kontext*, hrsg. von Kristian Köchy und Francesca Michelini, 25–64. Freiburg: Verlag Karl Alber, 2016.

Köchy, Kristian. „Uexküll's Legacy: Biological Reception and Biophilosophical Impact." In *Jakob von Uexküll and Philosophy: Life, Environments, Anthropology*, hrsg. von Kristian Köchy und Francesca Michelini, 52-70. London: Routledge, 2020.

Koktanek, Anton. *Oswald Spengler in seiner Zeit*. München: Beck, 1968.

Krüger, Hans Peter. „Closed Environment and Open World: On the Significance of Uexküll's Biology for Helmuth Plessners Natural Philosophy." In *Jakob von Uexküll and Philosophy: Life, Environments, Anthropology*, hrsg. von Kristian Köchy und Francesca Michelini, 89–105. London: Routledge, 2020.

Kubitschek, Götz. „Entortung und Masse sind per se destruktiv, nivellierend, unorganisch, unökologisch. Interview mit Götz Kubitschek." *Die Kehre*, Nr. 4 (2020): 30–35.

Kudszus, Winfried. "Linguistico-Literary Reflections on the Science of Light: Sensory Emergence in Goethe's Theory of Colors, and Jakob von Uexküll's Metaphoricity of Semiosic Scaffolding," In *Studies about Languages* 26 (2015): 83–109.

Kull, Kalevi. „Jakob von Uexküll: An Introduction." *Semiotica* 134, Nr. 1/4 (2001): 1–59.

Kynast, Katja. „Kinematografie als Medium der Umweltforschung Jakob von Uexkülls." *Kunsttexte.de* 4 (2010).

———. „Personalerweiterung: Gefüge von Menschen, Phantomen und Hunden in der Blindenführhundausbildung nach Jakob von Uexküll und Emanuel Sarris." In *Animal Encounters: Kontakt, Interaktion und Relationalität*, hrsg. von Alexandra Böhm und Jessica Ullrich, 323–342. Berlin: J.B. Metzler, 2019.

Lassen, Harald. „Der Umgebungsbegriff als Planbegriff: Ein Beitrag zu den erkenntnistheoretischen Grundfragen der Umweltlehre." *Sudhoffs Archiv* 27, Nr. 6 (1935): 480–493.

———. „Leibniz'sche Gedanken in der Uexküll'schen Umweltlehre." *Acta biotheoretica* A5 (1939–1941): 41-50.

Latour, Bruno. „Gifford Lectures: Facing Gaia – Six lectures on the Political Theology of Nature." Letzter Zugriff am 24. November 2013, http://www.bruno-latour.fr/sites/default/files/downloads/GIFFORD-ASSEMBLED.pdf.

Lehmann, Ernst. „Rezension J. von Uexküll, Staatsbiologie." *Der Biologe* 3, Nr. 1 (1934): 25.

Lilienfeld, Paul von. *Gedanken über die Sozialwissenschaft der Zukunft. Erster Theil: Die menschliche Gesellschaft als realer Organismus*. Mitau: E. Behre, 1873.

Liggieri, Kevin. *‚Anthropotechnik': Zur Geschichte eines umstrittenen Begriffs*. Konstanz: Konstanz University Press, 2020.

Loo, Stephen, und Undine Sellbach. „A Picture Book of Invisible Worlds: Semblances of Insects and Humans in Jakob von Uexküll's Laboratory." *Angelaki* 18, Nr. 1 (2013): 45–64.

Luhmann, Niklas. *Einführung in die Systemtheorie*. Heidelberg: Auer, 2011.

Malm, Andreas. *Fossil Capital The Rise of Steam-Power and the Roots of Global Warming: The Rise of Steam-power and the Roots of Global Warming*. London: Verso, 2015.

Mann, Gunter, Dieter Mollenhauer et. al., Hrsg. *In der Mitte zwischen Natur und Subjekt: Johann Wolfgang von Goethes Versuch, die Metamorphose der Pflanze zu erklären. 1790–1990*. Frankfurt am Main: Waldemar Kramer, 1990.

Mann, Thomas. *Große kommentierte Frankfurter Ausgabe*, Bd. 15, Buch 1. Frankfurt am Main: Fischer, 2015.

Maturana, Humberto, und Francisco Varela. *Der Baum der Erkenntnis: Die biologischen Wurzeln des menschlichen Erkennens*. Bern: Scherz, 1987.

Mazzeo, Marco. „Giorgio Agamben: The Political Meaning of Uexküll's ‚Sleeping Tick'." In *Jakob von Uexküll and Philosophy: Life, Environments, Anthropology*, hrsg. von Kristian Köchy und Francesca Michelini, 205–220. London: Routledge, 2020.

Merleau-Ponty, Maurice. *Die Natur: Aufzeichnungen von Vorlesungen am Collège de France 1956–1960*, hrsg. von Dominique Séglard. München: Fink, 2000.

Mersch, Dieter. „Ökologie und Ökologisierung." *Internationales Jahrbuch für Medienphilosophie* 4, Nr. 1 (2018): 187–220.
Meyer-Abich, Adolf. „Hauptgedanken des Holismus." *Acta Biotheoretica* 5, Nr. 2 (1940): 85–116.
———. *Biologie der Goethezeit*. Stuttgart: Hippokrates, 1949.
Meyer-Abich, Klaus Michael. *Wege zum Frieden mit der Natur: Praktische Naturphilosophie für die Umweltpolitik*. München: Carl Hanser, 1984.
Michelini, Francesca. „Introduction: A Foray into Uexküll's Heritage." In *Jakob von Uexküll and Philosophy: Life, Environments, Anthropology*, hrsg. von Kristian Köchy und Francesca Michelini, 1–14. London: Routledge, 2020.
Michelini, Francesca, und Kristian Köchy, Hrsg. *Jakob von Uexküll and Philosophy: Life, Environments, Anthropology*. London: Routledge, 2020.
Mildenberger, Florian. „Überlegungen zu Jakob von Uexküll (1864–1944): Vorläufiger Forschungsbericht." *Österreichische Zeitschrift für Geschichtswissenschaften* 13, Nr. 3 (2002): 145–149.
———. „Race and Breathing Therapy: The Career of Lothar Gottlieb Tirala (1886–1974)." *Sign Systems Studies* 32, Nr. 1-2 (2004): 253–275.
———. *Umwelt als Vision: Leben und Werk Jakob von Uexkülls (1864–1944)*. Wiesbaden: Steiner, 2007.
Mildenberger, Florian, und Bernd Herrmann. „Nachwort." In *Umwelt und Innenwelt der Tiere*, hrsg. von Florian Mildenberger und Bernd Herrmann, 261–330. Berlin: Springer, 1909/2014.
Mohler, Armin. *Die konservative Revolution in Deutschland 1918-1932: Ein Handbuch*. Darmstadt: Wissenschaftliche Buchgesellschaft, 1989.
Mohr, Volker. „Ökologie im Spiegel der Ortlosigkeit." *Die Kehre*, Nr. 4 (2020): 6-13
Moore, Jason W. *Capitalism in the Web of Life: Ecology and the Accumulation of Capital*. London: Verso, 2015.
Morison, Benjamin. *On Location: Aristotle's Concept of Place*. Oxford: Clarendon Press, 2002.
Nagel, Thomas. „What Is It Like to Be a Bat?" *The Philosophical Review* 83, Nr. 4 (1974): 435–450.
Müller-Funk, Wolfgang: *Die Rückkehr der Bilder: Beiträge zu einer ‚romantischen Ökologie'*. Wien: Böhlau, 1988.
Musolff, Andreas. *Metaphor, Nation and the Holocaust: The Concept of the Body Politic*. London: Routledge, 2010.
Nassirin, Kaveh. „Martin Heidegger und die ‚Rechtsphilosophie' der NS-Zeit." *FORVM*. Letzter Zugriff am 15. August 2020. http://forvm.contextxxi.org/martin-heidegger-und-die.html.
———. „Den Völkermördern entgegengearbeitet?" *FAZ*, Juli 11, 2018.
Neuffer, Moritz, und Morton Paul. „‚Rechte Hefte': Rightwing Magazines in Germany after 1945." *Eurozine*, Oktober 12, 2020. https://www.eurozine.com/rechte-hefte-rightwing-magazines-germany-1945/.
oekom e.V., Hrsg. *Ökologie von rechts: Braune Umweltschützer auf Stimmenfang*. München: Oekom Verlag, 2012.

Parikka, Jussi. *Insect Media: An Archaeology of Animals and Technology*. Minneapolis: University of Minnesota Press, 2010.

Penzlin, Heinz. „Jakob von Uexküll legte die Grundlagen zu seiner Umweltlehre" *Biologie in unserer Zeit* 39, Nr. 5 (2009): 349–352.

Phillips, D. C. „Organicism in the Late Nineteenth and Early Twentieth Centuries." *Journal of the History of Ideas* 31, Nr. 3 (1970): 413–432.

Pichinot, Hans-Rainer. *Die Akademie für deutsches Recht: Aufbau und Entwicklung einer öffentlich-rechtlichen Körperschaft des Dritten Reichs*. Dissertation Universität Kiel, 1981.

Plessner, Helmut. *Die Stufen des Organischen und der Mensch. Einleitung in die philosophische Anthropologie*. Berlin: De Gruyter, [1928] 1975.

Pobojewska, Aldona. „Die Subjektlehre Jakob von Uexkülls." *Sudhoffs Archiv* 77, Nr. 1 (1993): 54–71.

Pollmann, Inga. „Invisible Worlds, Visible: Uexküll's Umwelt, Film, and Film Theory." *Critical Inquiry* 39, Nr. 3 (2013): 777–816.

Portmann, Adolf. „Vorwort: Ein Wegbereiter der neuen Biologie." In Jakob von Uexküll und Georg Kriszat. *Streifzüge durch die Umwelten von Tieren und Menschen. Ein Bilderbuch unsichtbarer Welten. Bedeutungslehre*, hrsg. von Adolf Portmann, 7–17. Hamburg: Rowohlt, 1956.

Potthast, Thomas. „Wissenschaftliche Ökologie und Naturschutz: Szenen einer Annäherung." In *Naturschutz und Nationalsozialismus*, hrsg. von Joachim Radkau und Frank Uekötter, 225–256. Frankfurt: Campus, 2003.

———. „Lebensführung (in) der Dialektik von Innenwelt und Umwelt: Jakob von Uexküll, seine philosophische Rezeption und die Transformation des Begriffs ‚Funktionskreis' in der Ökologie." In *Das Leben führen? Das Konzept Lebensführung zwischen Technikphilosophie und Lebensphilosophie*, hrsg. von Nicole Karafyllis, 197–218. Berlin: Edition Sigma, 2014.

Radkau, Joachim, und Frank Uekötter, Hrsg. *Naturschutz und Nationalsozialismus*. Frankfurt: Campus, 2003.

Rastier, François. „Heidegger, théoricien et acteur de l'extermination des juifs?" *The Conversation*, August 15, 2020. https://theconversation.com/heidegger-theoricien-et-acteur-de-lextermination-des-juifs-86334.

Reinert, Sophus. „Darwin and the Body Politic: A Note on Schäffle, Veblen and the Shift of Biological Metaphor in Economics." In *Albert Schäffle (1821–1903): The Legacy of an Underestimated Economist*, hrsg. von Jürgen Backhaus, 129–152. Frankfurt am Main: Haag und Herchen, 2010.

Rheinberger, Hans-Jörg, und Michael Hagner, Hrsg. *Die Experimentalisierung des Lebens: Experimentalsysteme in den biologischen Wissenschaften 1850/1950*. Berlin: Akademie, 1993.

Rheinberger, Hans-Jörg, „Entwicklung als „Prozess ohne Subjekt." In *Rekurrenzen: Texte zu Althusser*, hrsg. von Hans-Jörg Rheinberger, 97–112. Berlin: Suhrkamp, 2014.

Richards, Robert. *The Tragic Sense of Life: Ernst Haeckel and the Struggle over Evolutionary Thought*. Chicago: University of Chicago Press, 2008.

Rieger, Stefan. „Bipersonalität: Menschenversuche an den Rändern des Sozialen." In *Kulturgeschichte des Menschenversuchs im 20. Jahrhundert*, hrsg. von Birgit Griesecke et al., 181–198. Frankfurt am Main: Suhrkamp, 2009.

———. *Schall und Rauch: Eine Mediengeschichte der Kurve.* Frankfurt am Main: Suhrkamp, 2009.

Ritterbush, Philip C. *The Art of Organic Forms*. Washington D.C.: Smithsonian Institution Press, 1968.

Rogalla von Bieberstein, Johannes. *‚Jüdischer Bolschewismus' – Mythos und Realität*. 4. Aufl. Schnellroda: Edition Antaios, 2004.

Rohan, Karl Anton Prinz. *Umbruch der Zeit 1923–1930*. Berlin: Stilke, 1930.

Rosenberg, Alfred. *Letzte Aufzeichnungen: Ideale und Idole der nationalsozialistischen Revolution*. Göttingen: Plesse, 1955.

Rothacker, Erich. *Geschichtsphilosophie*. München: Oldenbourg, 1934.

Ruddick, Susan M. „Rethinking the Subject, Reimagining Worlds." *Dialogues in Human Geography* 7, Nr. 2 (2017): 119–139.

Rüting, Thorsten. „Ohne biologische Körper kein intelligentes Modell der Welt: Wissenschaftshistorische Betrachtungen zur Rezeption Jakob von Uexkülls und zur Kritik an der Entwicklung Künstlicher Intelligenz (KI)." In *Modelle*, hrsg. von Ulrich Dirks und Eberhard Knobloch, 259–276. Frankfurt am Main, New York: Peter Lang, 2008.

Sagan, Dorion. „Introduction: Umwelt after Uexküll." In Jakob von Uexküll, *A Foray into the Worlds of Animals and Humans: With a Theory of Meaning*, übersetzt von Joseph D. O'Neill, 1–34. Minneapolis: University of Minnesota Press, 2010.

Sandmann, Jürgen. „Ernst Haeckels Entwicklungslehre als Teil seiner biologistischen Weltanschauung." In *Die Evolution von Rezeptionstheorien im 19. Jahrhundert,* hrsg. von Eve-Marie Engels, 326–346. Frankfurt am Main: Suhrkamp, 1995.

Sarasin, Philipp. *Darwin und Foucault: Genealogie und Geschichte im Zeitalter der Biologie*. Frankfurt am Main: Suhrkamp, 2009.

Sax, Boria, und Peter H. Klopfer. „Jakob von Uexküll and the Anticipation of Sociobiology." *Semiotica* 134, Nr. 1/4 (2001): 767–778.

Schäfer, Martin Jörg. *Die Gewalt der Muße: Wechselverhältnisse von Arbeit, Nichtarbeit, Ästhetik*. Zürich: Diaphanes, 2013.

Scheerer, E. „Organische Weltanschauung und Ganzheitspsychologie." In *Psychologie im Nationalsozialismus*, hrsg. von C. F. Graumann, 15–54. Berlin: Springer, 1985.

Schick, Jonas. „Die Kehre." Letzter Zugriff am 10. Oktober 2020. https://die-kehre.de/2020/04/28/die-kehre/.

———. „Editorial. „ *Die Kehre*, Nr. 4 (2020): 1.

Schmidt, Jutta. „Jakob von Uexküll und Houston Stewart Chamberlain: Ein Briefwechsel in Auszügen." *Medizinhistorisches Journal* 10, Nr. 2 (1975): 121–129.

Schmieg, Gregor. „Die Systematik der Umwelt: Leben, Reiz und Reaktion bei Uexküll und Plessner." In *Das Leben im Menschen oder der Mensch im Leben? Deutsch-französische Genealogien zwischen Anthropologie und Anti-Humanismus*, hrsg. von Thomas Ebke und Caterina Zanfi, 355–368. Potsdam: Universitätsverlag Potsdam, 2017.

Schmitt, Carl. „Die Staatsphilosophie der Gegenrevolution." In *Archiv für Rechts- und Wirtschaftsphilosophie* 16 (1922): 121–131.

———. *Der Hüter der Verfassung*. Berlin: Duncker & Humblot, 1931/1996.

———. *Land und Meer: Eine weltgeschichtliche Betrachtung*. Stuttgart: Klett-Cotta, 1942/2008.

Schneider, Manfred. „Der Jude als Gast." In *Gastlichkeit: Erkundungen einer Schwellensituation*, hrsg. von Peter Friedrich und Rolf Parr, 49–69. Heidelberg: synchron, 2009.

Scholz, Leander. „Karl August Möbius und die Politik der Lebensgemeinschaft." *Zeitschrift für Medien- und Kulturforschung* 7, Nr. 2 (2016): 206–220.

———. *Die Menge der Menschen: Eine Figur der politischen Ökologie*. Berlin: Kadmos, 2019.

Schroer, Sara A. „Jakob von Uexküll: The Concept of Umwelt and its Potentials for an Anthropology Beyond the Human." *Ethnos* 6, Nr. 3 (2019): 1–21.

Schubert, Werner, Hrsg. *Akademie für Deutsches Recht, 1933–1945. Protokolle der Ausschüsse: Weitere Nachträge (1934–1939)*. Bd. XXIII. Berlin: De Gruyter, 2019.

———. „Einleitung." In *Akademie für Deutsches Recht, 1933-1945. Protokolle der Ausschüsse: Weitere Nachträge (1934–1939)*. Bd. XXIII, hrsg. von Werner Schubert, 9–44. Berlin: De Gruyter, 2019.

Schwarz, Astrid. „Baron Jakob von Uexküll: Das Experiment als Ordnungsprinzip in der Biologie." In *Das bunte Gewand der Theorie: Vierzehn Begegnungen mit philosophierenden Forschern*, hrsg. von Astrid Schwarz und Alfred Nordmann, 207–234. Freiburg: Alber, 2009.

Sieferle, Rolf Dieter. *Die konservative Revolution: Fünf biographische Skizzen*. Frankfurt am Main: Fischer, 1995.

Shaw, Ian G.R., John P. Jones und Melinda K. Butterworth. „The Mosquito's Umwelt, or one Monster's Standpoint Ontology." *Geoforum* 48 (2013): 260–267.

Serres, Michel. *Der Parasit*. Frankfurt am Main: Suhrkamp, 1987.

Sontheimer, Kurt. „Antidemokratisches Denken in der Weimarer Republik." In *Vierteljahreshefte für Zeitgeschichte* 5, Nr. 1 (1957): 42–62.

———. *Antidemokratisches Denken in der Weimarer Republik: die politischen Ideen des deutschen Nationalismus zwischen 1918 und 1933*. München: Nymphenburger Verlagshandlung, 1962.

Spann, Othmar. *Der wahre Staat – Vorlesungen über Abbruch und Neubau des Staates*. Leipzig: Quelle und Meyer, 1921.

Spengler, Oswald. *Der metaphysische Grundgedanke der Heraklitischen Philosophie*, Inaugural-Dissertation zur Erlangung der Doctorwürde. Halle a.d. Saale: Hofdruckerei v. C.A. Kaemmerer, 1904.

———. *Preußentum und Sozialismus*. München: Beck, 1919.

———. *Der Untergang des Abendlandes: Umrisse einer Morphologie der Weltgeschichte*. Mit einem Nachwort von Detlef Felken. München: dtv, 2006.

———. *Der Mensch und die Technik*. München: Beck, 1931.

———. *Jahre der Entscheidung. Erster Teil: Deutschland und die weltgeschichtliche Entwicklung*. München: Beck, 1933.

Spitzer, Leo. „Milieu and Ambiance." *Essays in historical Semantics*, 179–316. New York: Vanni, 1948.

Sprenger, Florian. „Zwischen Umwelt und milieu: Zur Begriffsgeschichte von environment in der Evolutionstheorie." *Forum interdisziplinäre Begriffsgeschichte* 3, Nr. 2 (2014). http://www.zfl-berlin.org/tl_files/zfl/downloads/publikationen/forum_begriffsgeschichte/ZfL_FIB_3_2014_2_Sprenger.pdf.

———. *Epistemologien des Umgebens: Zur Geschichte, Ökologie und Biopolitik künstlicher Environments*. Bielefeld: Transcript, 2019.

———. „Neben-, Mit-, In- und Durcheinander: Zur Wissensgeschichte der Symbiose." *Zeitschrift für theoretische Soziologie* 9, Nr. 2 (2020): 274–291.

———. „Zirkulationen des Kreises: Von der Regulation zur Adaption." *Zeitschrift für Medienwissenschaft* 23 (2020): 41–54.

———. „Zur rechten Ökologie-Zeitschrift »Die Kehre«." *Pop-Zeitschrift*, August 5, 2020. https://pop-zeitschrift.de/2020/08/03/zur-rechten-oekologie-zeitschrift-die-kehreautorvon-florian-sprenger-autordatum3-8-2020-datum/.

Stein, Philip. „Ökomanifest von rechts." *Sezession*, Oktober 10, 2020. https://sezession.de/46543/oekomanifest-von-rechts.

———. „Das organische Welt und die ökologische Revolution." Letzter Zugriff am 10. Oktober 2020. https://www.youtube.com/watch?v=-bUTKgmV9x8.

Steinbömer, Gustav. „Betrachtungen über den Konservatismus" *Deutsches Volkstum* 14 (1932): 25–30.

Steinmayr, Markus. „Fridays for Yesterday: Ein Kommentar zur politischen Ökologie." *Merkur* 74, Nr. 855 (2020): 20–30.

Stella, Marco, und Karel Kleisner. „Uexküllian Umwelt as Science and as Ideology: The Light and the Dark Side of a Concept." *Theory in Biosciences* 129, Nr. 1 (2010): 39–51.

Stullich, Heiko. „Parasiten, eine Begriffsgeschichte." *Forum interdisziplinäre Begriffsgeschichte* 2, Nr. 1 (2013): 21–29.

Szilasi, Wilhelm. *Wissenschaft als Philosophie*. Zürich: Europa-Verlag, 1945.

Thienemann, August. *Leben und Umwelt*. Leipzig: Barth, 1941.

Tilitzki, Christian. „Der Rechtsphilosoph Carl August Emge: Vom Schüler Hermann Cohens zum Stellvertreter Hans Franks." *Archiv für Rechts- und Sozialphilosophie* 89, Nr. 4 (2003): 459–496.

Toepfer, Georg. „Parasitismus." In *Historisches Wörterbuch der Biologie*. Bd. 3, hrsg. von Georg Toepfer, 1–11. Stuttgart: Metzler, 2011.

———. „Umwelt." In *Historisches Wörterbuch der Biologie*. Bd. 3, hrsg. von Georg Toepfer, 566–607. Stuttgart: Metzler, 2011.

Tønnessen, Morten. „Umwelt Transitions: Uexküll and Environmental Change." *Biosemiotics* 2, (2009): 47–64.

Trepl, Ludwig, und Annette Voigt. „Von einer Kulturaufgabe zur angewandten Ökologie: Welche Verwissenschaftlichung hat der Naturschutz nötig?" *Jahrbuch des Vereins zum Schutz der Bergwelt* 73 (2008): 165–181.

Uexküll, Jakob von. „Psychologie und Biologie in ihrer Stellung zur Tierseele." *Ergebnisse der Physiologie, II. Abteilung: Biophysik und Psychophysik 1* (1902): 212–233.

———. *Leitfaden in das Studium der experimentellen Biologie der Wassertiere*. Wiesbaden: Bergmann, 1905.
———. „Die Umrisse einer kommenden Weltanschauung." *Neue Rundschau* 18, Nr. 1 (1907): 641–661.
———. „Die neuen Fragen in der experimentellen Biologie." *Rivista di Scienza* 4, Nr. 2 (1908): 72–84.
———. *Umwelt und Innenwelt der Tiere*. Berlin: Springer, 1909.
———. „Die Umwelt." *Neue Rundschau* 21, Nr. 2 (1910): 638–649.
———. „Die Merkwelten der Tiere." *Deutsche Revue* 37, Nr. 9 (1912): 349–354.
———. *Bausteine zu einer biologischen Weltanschauung*. München: Bruckmann, 1913.
———. „Volk und Staat." *Neue Rundschau* 26, Nr. 1 (1915): 52–66.
———. „Darwin und die englische Moral." *Deutsche Rundschau*, Nr. 173 (1917): 215–242.
———. „Biologie und Wahlrecht." *Deutsche Rundschau* 174, Nr. 1 (1918): 183–203.
———. „Biologische Briefe an eine Dame, Brief 4–12." *Deutsche Rundschau*, Nr. 179 (1919): 132–148, 276–292, 451–468.
———. *Biologische Briefe an eine Dame*. Berlin: Paetel, 1920.
———. *Staatsbiologie: Anatomie – Physiologie – Pathologie des Staates*. 1. Auflage. Paetel: Berlin, 1920.
———. *Theoretische Biologie*. Berlin: Paetel, 1920.
———. „Leben und Tod." *Deutsche Rundschau*, Nr. 190 (1922): 173–183.
———. „Mensch und Gott." *Deutsche Rundschau*, Nr. 190 (1922): 85–87.
———. „Trebitsch und Blüher über die Judenfrage." *Deutsche Rundschau*, Nr. 193 (1922): 95–97.
———. „Wie sehen wir die Natur und wie sieht die Natur sich selber?" *Die Naturwissenschaften* 10 (1922): 265–271, 296–301, 316–322.
———. „Die Stellung des Naturforschers zu Goethes Gott-Natur." *Die Tat: Monatsschrift für die Zukunft deutscher Kultur* 15, Nr. 2 (1923): 492–506.
———. „Die Aristokratie in Wissenschaft und Politik." *Das Gewissen*, 5. März 1923, Jg. 9: 1.
———. „Weltanschauung und Gewissen." *Deutsche Rundschau*, Nr. 197 (1923): 253–266.
———. „Die Biologie des Staates." *Nationale Erziehung* 6, 7/8 (1925): 177–181.
———. *Theoretischen Biologie*, 2. Aufl. Berlin: Springer, 1928.
———. „Die Rolle des Subjekts in der Biologie." *Die Naturwissenschaften* 19, Mai (1931): 385–391.
———. „Das Duftfeld des Hundes." In *Bericht über den XII. Kongreß der Deutschen Gesellschaft für Psychologie in Hamburg vom 12.-16. April 1931*, hrsg. von Gustav Kafka, 431–434. Jena: Gustav Fischer, 1932.
———. *Staatsbiologie: Anatomie – Physiologie – Pathologie des Staates*. Hamburg: Hanseatische Verlagsanstalt, 1933. 2. Auflage.
———. „Biologie oder Physiologie." (1933). In *Kompositionslehre der Natur: Biologie als undogmatische Naturwissenschaft. Ausgewählte Schriften*, hrsg. von Thure von Uexküll, 122–129. Frankfurt am Main: Propyläen, 1980.
———. „Die Universitäten als Sinnesorgane des Staates." Ärzteblatt für Sachsen, Provinz Sachsen, Anhalt und Thüringen 13, Nr. 1 (1934): 145–146.

———. „Die Bedeutung der Umweltforschung für die Erkenntnis des Lebens." *Zeitschrift für die gesamte Naturwissenschaft* 1 (1935/36): 257–272.

———. *Niegeschaute Welten: Die Umwelten meiner Freunde. Ein Erinnerungsbuch*. Berlin: Fischer, 1936.

———. „Biologie in der Mausefalle." *Zeitschrift für die gesamte Naturwissenschaft* 2 (1936/37): 213–222.

———. „Antwort von Prof. Dr. Jakob von Uexküll vom 9.5.1934." In *Akademie für Deutsches Recht, 1933–1945. Protokolle der Ausschüsse: Weitere Nachträge (1934–1939)* Bd. XXIII, hrsg. von Werner Schubert, 61-65. Berlin: De Gruyter, 2019.

———. *Staatsbiologie: Anatomie – Physiologie – Pathologie des Staates*. 2. Auflage. Hamburg: Hanseatische Verlagsanstalt, 1933.

———. „Zum Verständnis der Umweltlehre." *Deutsche Rundschau* 256, Nr. 7 (1938): 64–66.

———. *Bedeutungslehre*. Leipzig: Barth, 1940.

———. „A Stroll Through the Worlds of Animals and Men: A Picture Book of Invisible Worlds." In *Instinctive Behaviour: The Development of a Modern Concept*, hrsg. von Claire Schiller, 5–80. New York: International Universities Press, 1957.

———. „Vorschläge zu einer subjektbezogenen Nomenklatur in der Biologie." In *Kompositionslehre der Natur: Biologie als undogmatische Naturwissenschaft. Ausgewählte Schriften*, hrsg. von Thure von Uexküll, 129–142. Frankfurt am Main: Propyläen, 1980.

———. *Kompositionslehre der Natur: Biologie als undogmatische Naturwissenschaft. Ausgewählte Schriften*, hrsg. von Thure von Uexküll. Frankfurt am Main: Propyläen, 1980.

———. *A Foray into the Worlds of Animals and Humans: With a Theory of Meaning*. Minneapolis: University of Minnesota Press, 2010.

Uexküll, Gudrun von. *Jakob von Uexküll, seine Welt und seine Umwelt*. Hamburg: Wegner, 1964.

Uexküll, Jakob von, und E. G. Sarris. „Das Duftfeld des Hundes." *Zeitschrift für Hundeforschung* 1, Nr. 3/4 (1931): 55–68.

Uexküll, Jakob von, und Emmanuel G. Sarris. „Dressur und Erziehung der Führhunde für Blinde." *Der Kriegsblinde* 16, Nr. 6 (1932): 93–94.

Uexküll, Jakob von, und Georg Kriszat. *Streifzüge durch die Umwelten von Tieren und Menschen*. Berlin: Springer, 1934.

———. *Streifzüge durch die Umwelten von Tieren und Menschen: Ein Bilderbuch unsichtbarer Welten*. Reinbek: Rowohlt, 1956.

Vagt, Christina. „‚Umzu Wohnen': Umwelt und Maschine bei Heidegger und Uexküll." In *Ambiente: Das Leben und seine Räume*, hrsg. von Thomas Brandstetter und Karin Harrasser, 91–108. Wien: Turia + Kant, 2010.

van Dooren, Thom. *Flight Ways: Life and Loss at the Edge of Extinction*. New York: Columbia University Press, 2016.

Vennen, Mareike. *Das Aquarium: Praktiken, Techniken und Medien der Wissensproduktion*. Göttingen: Wallstein, 2018.

Vogt, Carl. *Ocean und Mittelmeer: Reisebriefe*, 2 Bde. Frankfurt am Main: J. Rütten, 1848.

Vries, Leonie A. de. „Political Life beyond the Biopolitical?" *Theoria* 60, Nr. 134 (2013): 50–68.

Wagner, Jannis. „Spengler in der heroischen Moderne. Zu Heinz Dieter Kittsteiners Spengler-Rezeption." In *Spenglers Nachleben: Studien zu einer verdeckten Wirkungsgeschichte*, hrsg. von Christian Voller, Gottfried Schnödl und Jannis Wagner, 245–264. Springe: zu Klampen, 2018.

Weber, Andreas. *Die Natur als Bedeutung*. Würzburg: Königshausen & Neumann, 2003.

Weber, Hermann. „Der Umweltbegriff der Biologie und seine Anwendung." *Der Biologe* 8, Nr. 7/8 (1939): 245–261.

———. „Organismus und Umwelt." *Der Biologe*, Nr. 11 (1942): 57–68.

Weingart, Peter, Jürgen Kroll und Kurt Bayertz. *Rasse, Blut und Gene: Geschichte der Eugenik und Rassenhygiene in Deutschland*. Frankfurt am Main: Suhrkamp, 1992.

Weiss, Helene. „Aristotle's Theology and Uexküll's Theory of Living Nature." In *The Classical Quarterly* 42, Nr. 1/2 (1948): 44–58.

Wessely, Christina. „Wässrige Milieus: Ökologische Perspektiven in Meeresbiologie und Aquarienkunde um 1900." *Berichte zur Wissenschaftsgeschichte* 36, Nr. 2 (2013): 128–147.

Wildenauer, Miriam. „Grundlegendes über den Ausschuss für Rechtsphilosophie der Akademie für Deutsches Recht." Letzter Zugriff am 15. August 2020. https://entnazifiziert.com/.

Winthrop-Young, Geoffrey. „Afterword: Bubbles and Webs: A Backdoor Stroll through the Readings of Uexküll." In *A Foray into the Worlds of Animals and Humans: With a Theory of Meaning*, hrsg. von Geoffrey Winthrop-Young, 209–243. Minneapolis: University of Minnesota Press, 2010.

Woltereck, Richard. *Grundzüge einer allgemeinen Biologie: Die Organismen als Gefüge/Getriebe, als Normen und als erlebende Subjekte*. Stuttgart: Enke, 1932.

Wuketits, Franz M. *Außenseiter in der Wissenschaft: Pioniere – Wegweiser – Reformer*. Berlin: Springer, 2015.

Milton Keynes UK
Ingram Content Group UK Ltd.
UKHW031206241024
450188UK00004B/181